書名頁字體

「北京法源寺」五個字都集自古碑：「北」集自溫公碑、「京」集自九成宮碑、「法源寺」集自化度寺碑，都是唐太宗時歐陽詢所書。

封面圖片

北京法源寺。

「一撮毛」是職業性灑紙錢的。

在中國帝王中，像有唐太宗那麼多優點的人很少。

並且親題寫了「法海真源」四個字。

法源寺比起來，就冷清多了。

九江先生（朱次琦）不是一輩子只肯穿布袍的進士嗎？

袁督師（袁崇煥）的殉國真相，一直諱莫如深。

要想多體會謝枋得殉國的真相，(謝文節祠)那個地方，也該走一走。

皇帝的弟弟恭親王。

他們放火燒圓明園，園中三百多中國人都燒死在裏面。

不幸的報告，終於傳到熱河，咸豐皇帝吐了血。

在康有為心裏，有件事情使他聊以自慰。

皇帝的老師翁同龢。

翁同龢是書法家，對古碑頗有研究。（此對聯為張錦郎所藏。）

其中一艘變成了「吉野」號，就憑這條船，日本打沈了中國海軍的主力。

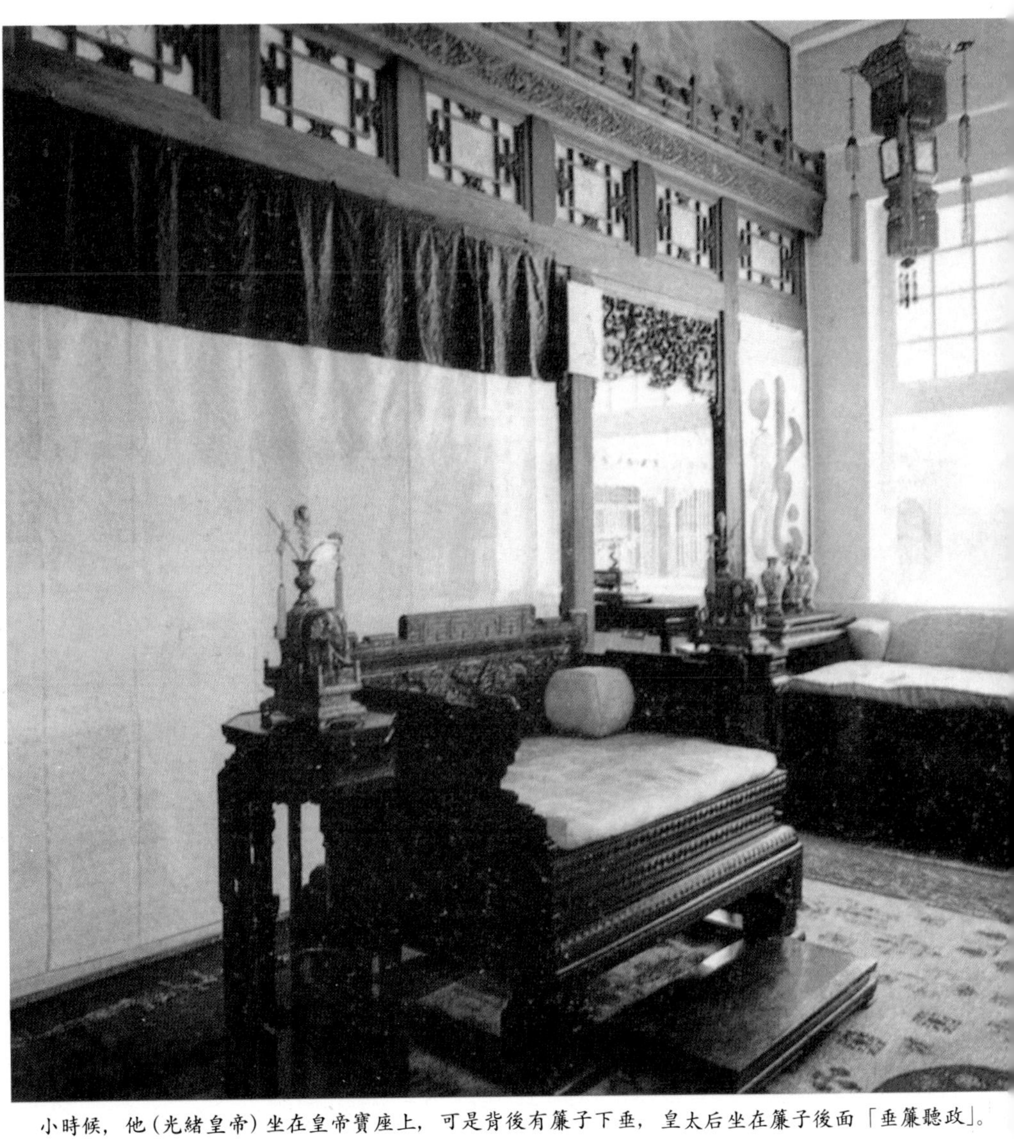

小時候，他（光緒皇帝）坐在皇帝寶座上，可是背後有簾子下垂，皇太后坐在簾子後面「垂簾聽政」。

可是，在陪皇太后聽戲的時候，他還是得站在旁邊，必恭必敬。（圖為西太后的大戲台。）

皇太后（西太后）那張威嚴的、冷峻的、陰森的大臉，又重新逼近了他。

養心殿西暖閣裏有一副對聯，忽然從他心中冒起，那是：惟以一人治天下；豈為天下奉一人。

他已經即位二十四年，他不想再等待了。

南面城牆中間是正陽門，走的是皇轎宮車。（這是光緒二十六年一九〇〇年的正陽門。）

就轉到湖南，做時務學堂總教習。譚嗣同也去做了老師。（左起葉覺邁、譚嗣同、王史、歐榘甲、熊希齡、韓文舉、唐才常、李維格。）

尤其在天黑以後，黯淡的燭光，自門中搖曳出來。

唯一考究的，是高掛在牆上的「喜報紅旌」木匾。

「我不入地獄，誰入地獄。」(譚嗣同遺照。)

這不是明朝楊椒山楊繼盛在獄中親手種的那棵有名的大樹嗎？

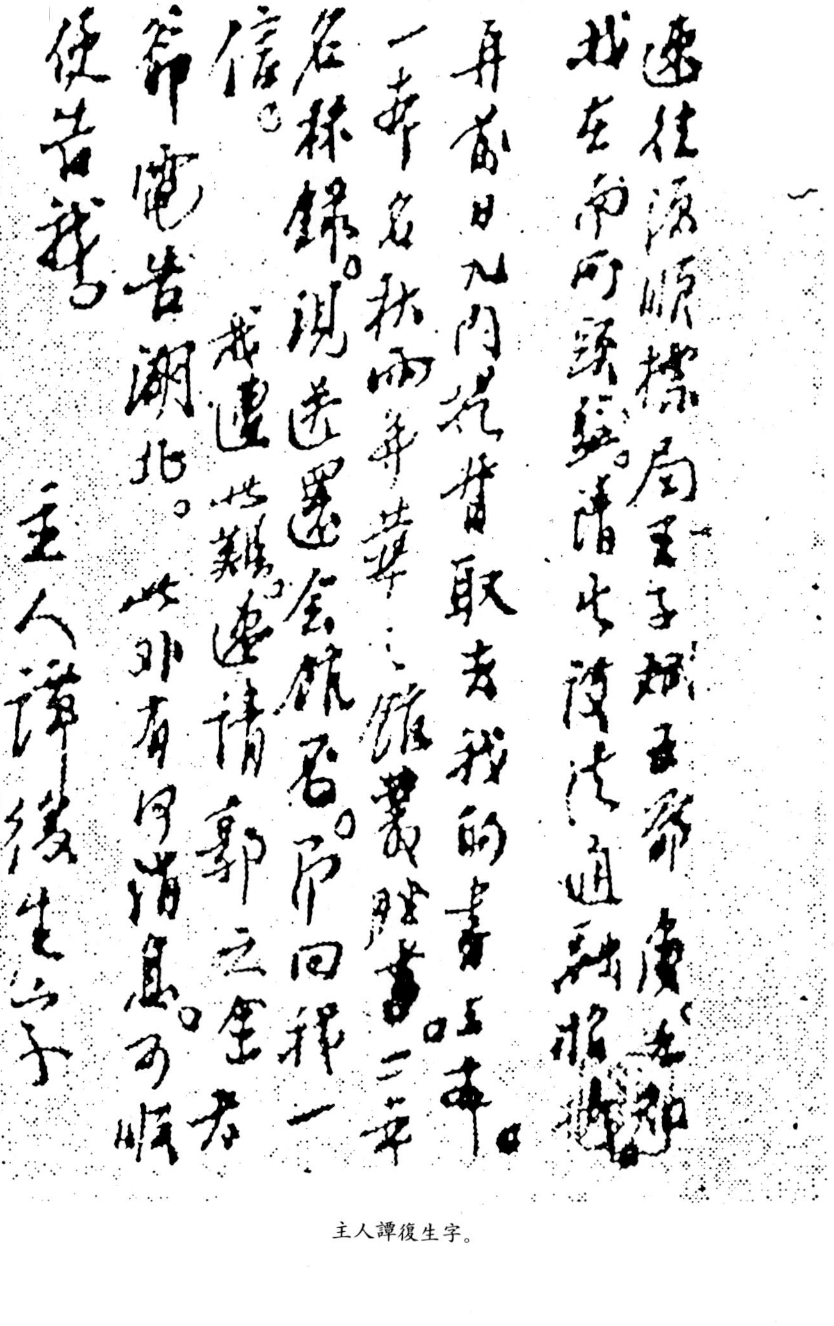

速往瀏陽標局王子斌五爺處，去邀
我在南所頭監。請他設法通融招扶。
再前日九門提督取去我的書五本。
一本名秋雨年華之館叢脞書。二本
名稱錄。說還還金陵石印。回我一
信。　我還有些雜事。請郭之全老
爺電告湖北。此外有何消息。可順
便告我。　主人譚復生字

主人譚復生字。

高高在上講究「刑人於市」的帝王看中了它（菜市口），把它當做殺人示眾的好地方。

而我這皇帝呢，卻囚居在小島上，連根都給拔了。

珍妃呢？珍妃在那裏？

害得洋人搞八國聯軍，現在已經殺到北京城來了。

那恐怖的井，早被人叫做「珍妃井」。

義和團是本土文化、鄉土文化的產物。

中華民國總統袁世凱居然做總統做得不滿足，要當起皇帝來了。

做了雲南地區的領導人。這時他（蔡鍔）二十九歲。兩個月後，中華民國成立了。

就寫信給革命黨領袖人物黃興，——就是當年派同志上北京想把譚嗣同接走的黃軫，也就是黃克強。

溥儀的缺點在他是滿族人，但優勢也正在他是滿族人。

正巧有一個長江巡閱使兼安徽督軍的張勳，是頑固專家。

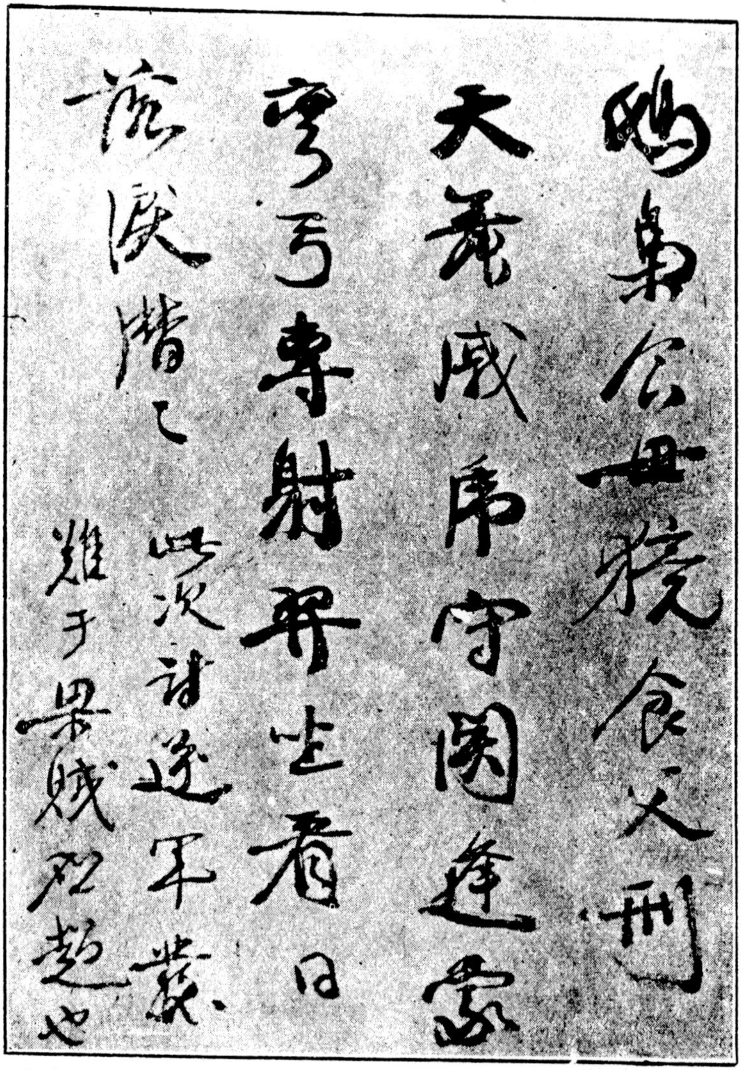

在詩稿最後，他還寫下十三個字——「此次討逆軍發難於梁賊啟超也！」

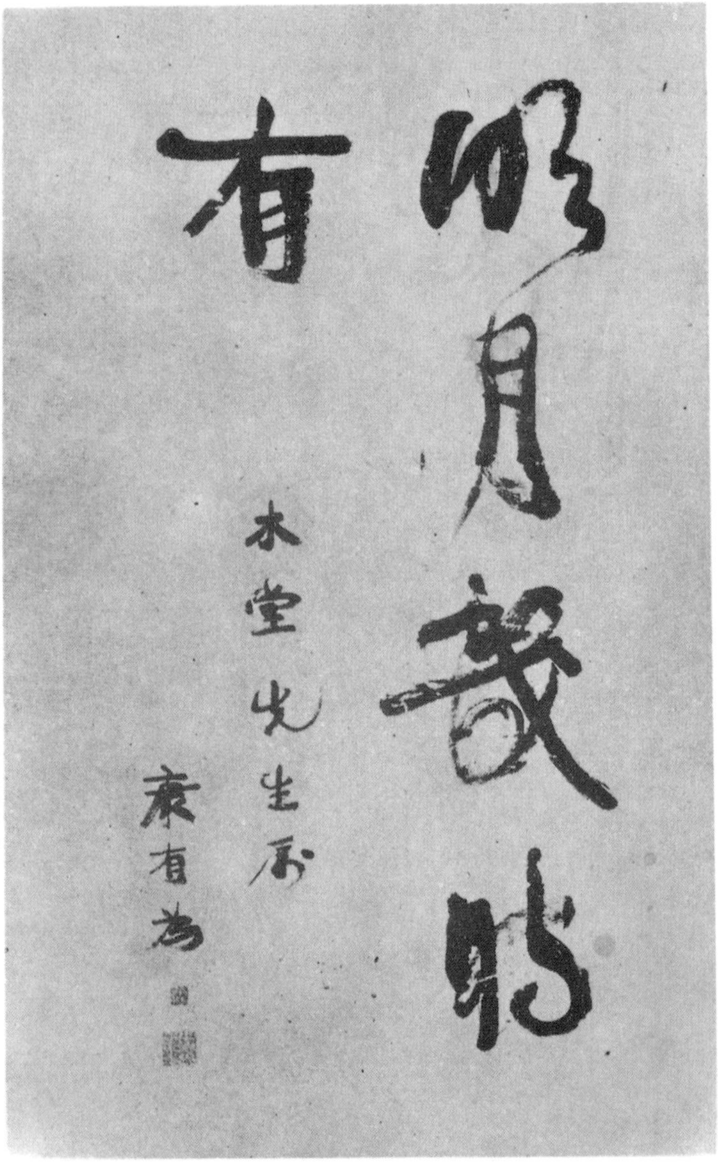

赫然寫著雄渾的五個大字：明月幾時有。

他覺得他與北京已經緣盡，這次來，不是暫留、不是小住、不是懷舊，而是告別、永別前的告別。（一九九一年陳兆基攝康有為故居。）

一座地勢低矮的房子出現了，那是譚嗣同住過多年的地方——瀏陽會館。（一九九一年陳兆基攝。）

梁啟超不算是先知，他不代表時代，但他離先知最近，所以他能老是花樣翻新。

可是，在最後這段路裏，他（康有為）還是走在我前面。

絞死李大釗。

掘了西太后墳於北京。

雖然，從憫忠台殘留的石礎上，知道你也不在靜止，也在衰亡。(許以祺攝。)

「北京法源寺」目錄

楔子——神秘的棺材

天河像一條帶子，正南正北的懸在天上。北京的人說：「牛郎在河東，織女在河西，今年七月見一面，再等來年七月七。」

七月七過去了，正南正北的天河改了方向。北京的人又說：「天河掉角了！天河掉角，棉褲棉襖。」這就是說，天快涼了。

接著是七月十五，是鬼節，家家都要「供包袱」。「供包袱」是到紙店買金銀箔，疊成小元寶，搭配上一團一團的「燒紙」，裝在方紙袋裏。紙袋是特製的，上面用木刻版印上花樣，由活人寫上死人的名字，放在家門口，就燒起來了。燒的時候，要額外留出兩張「燒紙」單獨燒，做爲郵費。就這樣的，活人就把鈔票火匯給死人了。

七月十五伺候過了鬼，八月十五就伺候人了。八月十五中秋節，家家要蒸「團圓餅」。餅有五分厚，有六七層，用的材料包括葡萄、桂圓、瓜子、玫瑰、木樨、紅糖、白糖、青絲、紅絲、桃仁、杏仁、麵粉，一個蒸籠只蒸一個。過了中秋夜，第二天就切開了，家裏有多少人，就切多少塊，表示團圓。所以，「團圓餅」人人有份，不吃就表示不團圓。

每一年的中秋，就在北京這樣輪迴著。時間年復一年的在前進、風俗周而復始的在重演。團圓、團圓、大團圓，多少中國人民在風霜裏、在烽火下、在骨肉離散中，爲這一夢想揉進了辛酸與涕淚。直到團圓化成多少塊，像「團圓餅」化成多少塊，一切修短隨化，終期於盡，除了辛酸、除了涕淚，一切都歸於烏有，只除了一具棺材。

* * *

把棺材上漆，是北京人的一件大事，愈好的棺材愈要上漆，甚至年年上漆，沒漆的棺材是窮人的，中國人講究養生送死，送死比養生更考究，北京城的送死比其他城更考究。北京城的送死特色是「槓房」，槓是不同粗細的圓木，交疊起來，由「槓夫」抬起，上面放著棺材。槓的數目有「四十八槓」、有「六十四槓」，愈多愈神氣、愈多愈穩。穩得上面可放上滿滿的一碗水，不論怎麼抬槓，保證水不灑出來。不灑的原因是槓夫走路不用膝蓋，腿永遠是直挺挺的，像殭屍一般。指揮他們的人叫「打香尺的」。「打香尺的」像趕一堆殭屍，不說一句話，只憑敲打一根一尺長、兩寸寬的紅木尺來發號施令，不論上下快慢、轉彎抹角、換人換肩，都以敲打爲記。北京城送死的另一特色是「一撮毛」。「一撮毛」是職業性灑紙錢的，他在腰間紮了條白帶子，陪同喪家穿孝，以示敬重。出殯時候，每經十字路口或機關廟宇，就由「一撮毛」出面，把幾十張碗口大小中有方孔的白色冥鈔往天空灑去，灑上天的時候，一定要一條白練式的上去，高達九、十丈，然後像一羣白鴿般的飄下來。使路人側目，然後鼓掌叫好。

這些特色，都表示了北京的人對送死的鄭重，活人對死人的事，是含糊不得的。

* * *

那是八月十六，中秋過後第一天的子夜，一個健壯的黑衣人謹愼的走向北京西四甘石橋，走近下牌樓的草地，向一根木柱子跑去。他一邊跑著，一邊自背上解下大蔴袋，在月光下，把木柱下的一具死屍裝進袋裏。他匆匆在四周草地上檢查了一下，又隨手撿起許多零星東西，一併裝進，然後紮緊袋口，背起來跑了。

他跑過了一條街，回頭看著，見到四邊無人，就匆匆轉入小巷，在小巷裏穿梭前進著。

清早三更的時候，他已經成功的脫出北京的內城。

北京的內城有九個門，俗稱「裏九」，外城套在內城南邊，有七個門，俗稱「外七」。內城外城之間的三個門是中央的正陽門（麗正門）、東邊的崇文門（文明門），和西邊的宣武門（順承門）。黑衣人背著麻袋，付了賄賂，脫出了宣武門，就朝左邊的胡同裏走去。他一轉再轉，轉入一條死胡同。死胡同中有一間空屋，屋前有個小院子，有兩個人等著他，地下一口棺材，棺材蓋是打開的。兩人看他來了，幫他接過了麻袋，解開麻袋，把死屍裝進棺材。黑衣人把麻袋中的零星東西仔細清出來，一併裝進棺材裏。他掏出腰間的毛巾，爲死屍的臉清理著。

那張臉已被刀割得血肉模糊，但是輪廓還在，那是一張威武而莊嚴的臉，在月光下，神情淒楚的呈現黑衣人面前。死屍全身是赤裸的，全身都被刀割得沒有完膚，四肢也全斷了，——他是被「凌遲」處死的。

「凌遲」是中國遼、宋以後死刑的一種，是盡量使人犯臨死前痛苦的一種文化、是專門用來對付大逆不道的人犯的。「凌遲」俗稱「剮」，是把人犯綁在木柱上，由劊子手以剮刀細細切割，叫「魚鱗碎剮」。剮刀長八寸，有木柄，柄上刻一鬼頭，刀刃鋒利無比。中國罵人話說「千刀萬剮」，就是描寫這種情況的。

黑衣人清理了死屍的臉，湊合了四肢，用一張薄被，蓋了上去，棺材上了蓋，打下了木釘。黑衣人點上了一炷香，插在上頭，跪下磕了三個響頭。然後撲到棺材上，大哭起來：「老爺啊！你死得好慘！好慘！」他喃喃喊著。多少個小時的緊張與痲木，都隨著淚水化解開來。

其他的兩個人，忙著在棺材前後穿繩子，穿出兩個繩圈，用一根木槓，貫穿過去。這棺材沒有「四十八槓」，也沒有「六十四槓」，只是兩人抬著吊起的單槓。棺材沒有上漆，是最廉價的那一種，木質是輕飄飄的。

兩個人一前一後，把棺材抬起來。黑衣人擦了眼淚，拿著香，走在前面。清早四更的天氣，北京已經很寒了。

*　　*　　*

他們快步走著，來到一大片紅牆邊。紅牆上面鋪著灰瓦，下面敷著灰泥。他們沿著紅牆走著，紅牆盡頭，便是三座大門。大門中門最大，兩邊各有一座石獅。一位和尚站在中間，招呼他們進去。進去右首有一間房，房中擺好兩個長板凳，棺材就放在板凳上。

「都準備好了？」黑衣人問。

「都準備好了。」和尚答。「我們立刻開始做佛事。」

「愈快愈好。今天晚上我們來啓靈。」

「埋在那裏？」

「埋在廣渠門臥佛寺街東邊。那邊不招眼，不太有人注意。」

「很好，很好。」和尚合十說。「佘先生眞是義士！佘先生肯在這樣犯忌的時候收屍，眞是人間大仁大勇，我們佩服得很。」

「那裏的話，」黑衣人說，「法師們肯秘密做這一次佛事，超度亡魂，才是眞正令人佩服的。」黑衣人作了揖，然後說：「現在佛事就全委託給法師了，我要出去辦點事，準備今晚的啓靈。」

「佘先生請便。這邊一切，請放心就是。」

黑衣人再作了揖，和另外兩人走出了廟門。邁出了門口，兩人中的一個問黑衣人：「這廟叫什麼啊？」

黑衣人回身一指，正門上頭有三個大字——「憫忠寺。」

第一章 憫忠寺

七世紀的六四四年，中國正是唐朝的第二個皇帝唐太宗的天下。他忍了好多好多年，決心親征東北的高麗了。高麗那時候，不僅在朝鮮半島稱霸，北邊的勢力，還延伸到中國東北的遼水流域，這是好大喜功的唐太宗絕不能忍耐的。不能忍耐歸不能忍耐，他不能不小心，因爲隋朝就爲了三十年前打高麗，害得國內空虛，引起了革命，唐太宗才趁機滅了隋朝，建了唐朝。如今三十年後，他自己再重新發動這一進攻，是不能不特別小心的。

唐太宗的計畫是，用二十萬人以下的兵力，用快速進攻，速戰速決。他把這個計畫告訴了一個三十年前曾參加打高麗的老戰士，但老戰士卻說：遼東太遠了，補給困難，高麗人很會守城，速戰速決恐怕很難。但是，老戰士勸阻不了唐太宗，最後勸阻他的一個大臣——魏徵——也死了，沒有人勸得住他，他決心打這場仗了。

六四五年三月，他要出發了，他留守後方的兒子很緊張，哭了好幾天。最後，送他行的時候，他指著自己的衣服對兒子說：「等到下次看見你，再換這件袍子。」——衣服都不用換季，仗很快就會打勝的。

五月，唐朝的大軍打到了遼東城下，遼東是現在中國東北的遼陽城，血戰以後，攻下了遼東城。六月，已進軍到安市（遼寧蓋平縣東北）。高麗動員了十五萬人，雙方展開了惡鬥，最後高麗打不過，就決定堅壁清野，將幾百里內斷絕人煙，使唐朝軍隊無法就地找到補給。就這樣的，戰爭拖下去了。

夏天快到了。唐太宗還穿著原來的袍子，不肯脫下來。七月過去了，八月過去了，儲存的糧食快光了，東北的天氣也冷了，唐太宗的袍子也破了。新袍子拿來，他拒絕換，他說，將士們的袍子也都破了，我一個人怎麼穿新的？最後，只好撤軍了，九月在撤退裏度過、十月在撤退裏度過，十一月，才回到幽州，到幽州的時候，所有的馬，只剩下五分之一了。

幽州，就是北京。

唐太宗很痛苦，他換掉了舊袍子，可是換不掉舊的創痕。魏徵要是活著，就好了，他想。

魏徵活著，就會勸他別打這場仗。他派人到魏徵墳上，新立了一座碑。把魏徵的太太兒子找來，特別慰問他們，表示他對魏徵的懷念。

他在幽州，蓋了一座廟，追念這次征東而死的所有的將士，他們的死亡，是爲國盡忠而死，死在家鄉以外。他們的死亡是叫人心慟的，他們的身世是可憐的，這座廟的名字，應該表達出這種意思，唐太宗最後決定，這座廟，叫做「憫忠寺」。

寺裏面，蓋了一座大樓，叫憫忠閣，立了許多許多有名的和無名的紀念牌位，閣蓋得極高，高得後來有一句諺語：「憫忠高閣，去天一握。」表示它離天那麼近。

這是中國的早期忠烈祠。

一千年過去了。一千年的風雪與戰亂，高高的憫忠閣已經倒塌了，但是憫忠寺還淒涼的存在著。

憫忠寺剛蓋時候的北京舊城，早就沒有了，原來舊城的範圍，也沒有古蹟可尋，留下的紀錄，只能追溯到十世紀的遼朝。遼朝在北京蓋了新城，憫忠寺被新城圍住，位置在新城的東方。十二世紀的時候，金朝滅了遼朝，它把北京城重新加大，在遼朝蓋的城外面，蓋了一個大四倍的城，把它套在裏面，這時候的憫忠寺，在金朝的北京城裏，位置就偏向東南。十三世紀，元朝又滅了金朝，又重新蓋了北京城，這個城，整個的朝北移動了，金朝的城，只有東北角的一小部分併到元朝的新城裏，這時候的憫忠寺，被拋在城外的西南角。十四世紀，明朝趕走了元朝，又重建北京城，整個的朝南移，蓋了一個方形的城，併入了元朝舊城的三分之二，這時候的憫忠寺，還是在城外面的西南角，不過離城比一百年前近了。到了十六世紀，大臣告訴明朝第十一個皇帝說，城外面的百姓，比城裏面的多了一倍了，不能不保護他們。於是皇帝在一五五〇年，叫一個奸臣嚴嵩主持，在城的南邊，加蓋了一個外城，東西比內城寬一點，南北比內城短一半。從此以後，這個古城的樣子，就確定了。就這樣的，四百三十多年下來，直到今天。

一五五〇年外城蓋好的時候，憫忠寺正式重圈到北京城裏來。過了九十四年，清朝取代了明朝，原來在遼水流域的滿族，統治了漢族的中國。又過了八十七年，清朝的第三個皇帝世宗雍正皇帝，在他即位第九年、一七三一的時候，想到了這座忠烈祠，他把它改名叫「法源寺」。四十九年後，清朝的第四個皇帝高宗乾隆也親來這裏，並且親題寫了「法海眞源」四個字，刻成匾，掛在這廟裏。

又一百六十多年過去了，法源寺的附近，已經多了人煙，也多了寺南的義地和荒塚，許多從外地到北京來的人，死在北京，不能歸葬的，都一一埋在這邊了。那時候不流行火葬，人死後連同棺材運回家鄉，很不簡單。他們生時不能回歸故鄉，死後埋骨於此，總希望有點家鄉味，所以，這些墳地也分區了，江蘇人埋在江蘇義地、江西人埋在江西義地、河南人埋在河南義地，不能明顯分區的，也有許多義地可埋。至於能夠歸葬的，都先把棺材停在廟上，在廟裏的空房，擺上長板凳，棺材就放在上面，有時候這一放就放得很久，甚至沒人再過問。有的棺木不好，會生蟲子、出惡臭，廟裏的人，也只好一再用厚漆漆它，漆不住的，也只好就地處理，淪入荒塚了。

就這樣的，北京的寺廟就成爲人們生死線上的一個過渡，寺廟的和尚，除了本身的出世修行以外，他們的重要職務，就是代人們生前解決人神問題、死後處理人鬼問題。

法源寺的和尚，也是如此。

不同的是，法源寺在北京的寺廟裏，有它特有的悲愴氣氛。其他的寺廟，興建的原因大多比較單純，像隆福寺、法華寺，只是明朝皇帝應太監的請求，爲了弘揚佛法，就蓋起來了；像護國寺、普渡寺，是元朝丞相托克托、清朝攝政王多爾袞的宅邸，就宅邸一改就完成了。法源寺卻完全不一樣。它從唐太宗死前四年蓋起，目的就是追念爲中國而死的先烈與國殤，它的悲愴氣氛，從它原始的憫忠字樣就已表露。北京的寺廟名字，柏林寺、賢良寺、普濟寺、廣化寺、寶禪寺、妙應寺、廣濟寺、崇效寺、龍樹寺、龍泉寺等等，都沒有悲愴的意味，嵩祝寺、瑞應寺、大慶壽寺、延壽寺等等，甚至還洋溢著一片喜氣。只有憫忠寺，它一開始，就表露了陰鬱與蒼茫。它日後的歷史，也一再和這種氣氛相伴。在它興建後四百八十年，一個亡國的皇帝被關到裏面，那是北宋的欽宗，他有著可憐的身世，他的父親徽宗，藝術家的成分遠多於皇帝，在位二十五年，把國家搞得一塌糊塗後，丟給了他，他只做了一年皇帝，就亡國了，然後做了三十年的囚犯。在憫忠寺，他回想故國，在曉鐘夕照裏，過著痛苦淒涼的歲月。

十三世紀，南宋也亡了。一個江西的進士謝枋得，參加抵抗蒙古兵失敗，妻子都被俘。他隱姓埋名，在江湖上算命，他不肯用元朝的錢，只肯收米麵等實物，給他錢，他就生氣，丟在地下。後來被發現了，他逃到福建，藏身武夷山中。元朝統一中國後，爲了籠絡漢人，到江南訪求宋朝的遺士，跟它合作，名單開出三十人，謝枋得在裏面，邀功的官吏找到他，強迫他北上。到北京後，他被安置在憫忠寺，他看到寺裏曹娥碑，想到曹娥這個爲了找父親屍體，十四歲就自殺了的漢朝女孩，感慨：「小女孩都能做到，我不能不如你啊！」遂把自己餓死在憫忠寺裏。死的時候，六十四歲。

憫忠寺，就帶著這樣悲愴的身世，從歷史走了下來。在十四世紀，當憫忠閣還沒倒塌的時候，一個生在元朝的第一個皇帝時候、死在元朝最後一個皇帝時候的老人張翥，曾爲它留下一首哀婉的律詩，那是：

百級危梯遡碧空，
憑欄浩浩納長風。
金銀宮闕諸天上，
錦繡山川一氣中。
事往前朝人自老，
魂來滄海鬼為雄。
只憐春色城南苑，
寂寞餘花落舊紅。

在「寂寞餘花」的時候，開始了本書的故事。

第二章　寂寞餘花

時間是一八八八年，是清朝第九個皇帝光緒十四年，中國的戊子年舊曆正月初二日的上午，一個近三十來歲的青年人，一對有神的大眼睛，緊閉著嘴，有點黑，一臉廣東人的長相，留著辮子、穿著灰色長袍、外套黑馬褂、腳穿禦寒的毛窩，漫步走向憫忠寺來。那時候憫忠寺已經改名法源寺，改了一百五十七年了。法源寺在北京宣武門外西磚胡同，遠遠望去，並排的三座大門，每座都對開兩扇，門頂上是厚重的宮殿式建築，門與門之間是牆，牆頭也同樣鋪上琉璃瓦。這一排山門建築，第一印象使人覺得厚重，好像凡是看到的，都戴了又厚又重的大帽子，莊嚴的等你過來。中間的門最大，前面左右各一隻石獅子，尤其顯得莊嚴。正門是開著，可是冷清清的，看不到什麼人。雖然是正月初二，過年過得最熱鬧的時候，法源寺這種廟，卻不是熱鬧的地方。北京的羣衆這時候去的是朝陽門外的東嶽廟，這是奉禮道教東嶽大帝的廟，廟裏有眞人大小的地獄七十二司，惡形惡狀的，看起來很恐怖，據說還出自元朝塑像名家劉元之手。地獄有的還有活動機關，曾有嚇死遊客的事，所以停止了，足見這個廟的格調不高。這座老廟每到過年，香火特旺，男男女女，一清早就趕去燒香。廟的後院，有一頭銅騾子，有人那麼高，鑄得很好，傳說這騾子很靈，有病的人用手摸牠身上那個部位，自己身上那個部位的病就會好；沒病的人摸牠身上那個部位，自己身上那個部位以後就不生病，要摸還得過年時候摸，過年時候才最靈。於是一到過年，這頭銅騾子就被擠得水泄不通，被摸得光亮無比，不亦樂乎。牠的生殖器，沒人公然摸，但也極光亮，據廟裏老道說，半夜三更許多人專門來摸它，這大多是生花柳病的人。

銅騾子以外，就是月下老人廟，廟中有一副寫得極好的對聯，上聯「願天下有情人，都成眷屬」，下聯「是前生註定事，莫錯因緣」。上下聯分別來自「西廂記」和「琵琶記」，妙手天成，使這座小廟大生光彩。來燒香的都是老太太帶大姑娘，有的大姑娘知道了是什麼神，不好意思，不肯磕頭，老太太逼她磕，她氣得扭扭走了；有的不知道什麼神，糊里糊塗也就磕了，一天下來，香灰滿地，到處成堆。

在東嶽廟求健康長壽、求婚姻美滿以後，發財問題還沒解決，於是男男女女，又湧到廣安門外財神廟。財神廟有個大香爐，可是人山人海，都來上香，容也容不下，香一上，管香爐的人就立刻把香抽出來，丟在下邊大香池裏，要想自己的香多燒一會兒，得在旁邊拜託管香爐的，管香爐的也沒辦法，不過如果這香不是自己帶來的，而是向這個廟買的，就可以稍加優待。廟裏又訂做大量的紙元寶，不賣，因爲神不能做買賣，不過善男信女如果奉獻足夠的香錢，神可以奉送一個。就這樣的，財神廟的盛會，最後發了財的，是財神自己。

法源寺比起來，就冷清多了。

法源寺的大雄寶殿並不高，走上八級台階，就是寶殿正門。正門看上去四扇，只是中間兩扇能開。正門左右有對聯，上面有三扇橫窗，橫窗上就是「大雄寶殿」橫匾。台階旁邊立著舊碑，因爲是千年古剎，寺裏的這類古蹟也很多。有的舊碑下面塑著大龜，這個烏龜台石叫「龜趺」，唐朝以來就流行了。烏龜頭略向上抬著，好像背負著歷史，不勝負荷。

靑年人站在台階旁邊第一塊舊碑前面，仔細看著碑文，又蹲下來，看著龜趺，他好像對龜趺比對碑文更感興趣。龜在中國，是一種命運的象徵。中國人自古就燒龜的背，從裂紋裏判斷命運，在中國人眼中，千年王八萬年龜，龜是長壽的動物，它有足夠的閱歷來告訴人類吉凶福禍，可惜的是，龜不說話，所以只好用火刑逼供。燒出的裂紋，經過解釋，有利，皆大歡喜；不利，就不敢動。唐太宗爲了搶政權，殺他哥哥和弟弟的時候，左右勸他下決心，不然你哥哥弟弟就要殺你，唐太宗始終猶豫，最後搬出烏龜來問卜，張公謹走上去，抓起烏龜，丟在地上，說卜以決疑，不疑何卜？今天要做這事，已不容懷疑，如果卜的結果不吉，難道就不做不成？於是唐太宗就不問卜了。周朝滅商朝以前，也先問卜，結果竟是不利，大家都害怕了，姜太公把烏龜丟在地下，用脚去踩，說死骨頭那裏知道什麼吉凶？於是周武王還是出兵了。在中國歷史上，除非這種英雄豪傑，沒有人敢打破這種傳統的信仰。

青年人望著碑下的龜趺，看得出神了，沒感覺背後已經站了一位和尚。那和尚好奇的望著這個青年人，像青年人端詳龜趺一樣的端詳著他。最後，青年人站起身來，伸一伸懶腰，繞到龜趺的背後，這時候，他發現了和尚。

和尚不像和尚，倒像一位彪形大漢。他四十多歲，滿面紅光，兩道濃眉底下，一對精明的眼睛直看著他。和尚臉含著笑，但他的兩道濃眉和一對利眼沖去了不少慈祥，他夠不上菩薩低眉，但也不是金剛怒目，他是菩薩與金剛的一個化身。和尚的造形，使這青年人一震。

和尚直看著青年人，心裏也爲之一震。這青年人氣宇不凡。四十多年來，和尚閱人已多，但像這青年人這樣面露奇氣的，他還沒見過。

青年人向和尚回報了笑容，和尚雙手合十，青年人也合十爲禮，但兩人都沒說話。

過了一會，青年人把右臂舉起，把手撫上石碑，開口了：

「法師認爲，是法源寺的名字好呢，還是憫忠寺好？」

和尚對突如其來的問話，沒有任何驚異。順口就答了：

「從對人的意義說，是法源寺好；從對鬼的意義說，是憫忠寺好；從對出家人的意義說，兩個都好。」

青年人會心的一笑，法師也笑著。

「我覺得還是憫忠寺好，因爲人早晚都要變成鬼。」

「寺廟的用意並不完全爲了超度死者，也是爲了覺悟生者。」

「但是憫忠寺蓋的時候，卻是爲了超度死者。」

「超度死者的目的，除了爲了死者以外，也爲了生者。唐太宗當年把陣亡的兩千人，都埋在一起，又蓋這座憫忠寺以慰亡魂，也未嘗不是給生者看。」

「對唐太宗說來，唐太宗殺了他弟弟元吉，又霸占了弟媳婦楊氏。後來，他把弟弟追封爲巢刺王，把楊氏封爲巢刺王妃。最妙的是，他把他跟弟媳婦姦生的兒子出繼給死去的弟弟，而弟弟的五個兒子，卻統統被他殺掉。照法師說來，這也是以慰亡魂，給生者看？」

「也不能說不是。」和尚不以爲奇。「在中國帝王中，像有唐太宗那麼多優點的人很少，唐太宗許多優點都考第一，當然他也有考第一的缺點，他在父子兄弟之間，慚德太多。有些是逼得不做不行；有些卻不該做他做了。做過以後，他的優點又來收場，我認爲他在事情過後，收場收得意味很深。蓋這憫忠寺，就是證明。他肯蓋這憫忠寺，在我們出家人看來，是種善因。」

「會不會是一種僞善？」

「判定善的眞僞，要從他的做出來的看。做出來的是善，我們就與人爲善，認爲那是善；如果他沒做，只是他想去行善、說去行善，就都不算。我認爲唐太宗做了，不管是後悔後做了、還是懺悔後做了、還是爲了女人寡婦做了、還是爲了收攬民心做了，不管是什麼理由，他做了。你就很難說他是僞善，只能說他動機複雜、純度不夠而已。」

「我所了解的善，跟法師不一樣。談到一個人的善，要追問到他本來的心跡，要看他心跡是不是爲善。存心善，才算善，那怕是轉出惡果，仍舊無損於他的善行；相反的，存心惡，便算惡，儘管轉出善果，仍舊不能不說是僞善；進一步說，不但存心惡如此，就便是存心不惡，但並沒存心爲善，轉出善果，也不能說是善行；更進一步說，存心不善不惡，但若有心爲善，轉出的善果，也是不值得稱道的，這就是俗話所說的『有心爲善，雖善不賞；無心爲惡，雖惡不罰』。上面所說，重點是根本這個人要存心善，善是自然而然自內發出，而不是有心爲善，有心爲善是有目的的，跟善的本質有衝突，善的本質是沒有別的目的的，善本身就是目的。至於無心爲善，更不足道，只是碰巧有了善果而已，但比起存心爲惡卻反轉出善果來的，當然也高明很多。天下最荒謬的事莫過於存心爲惡，反而轉出善果，這個作惡的人，反倒因此受人崇拜歌頌，這太不公道了！所以，唐太宗所作所爲，是一種僞善。」

「剛才我說過，判定善的眞僞，要從一個人做出來的看，而不是想出來的說出來的看。這個標準，也許不理想，可是它很客觀。你口口聲聲要問一個人本來的心跡，你懸格太高了，人是多麼複雜的動物，他的心跡又多麼複雜，人的心跡，不是那麼單純的，也不是非善即惡的，事實上，它是善惡混合的、善惡共處的，有好的、有壞的、有明的、有暗的、有高的、有低的、有爲人的、有爲我的。而這些好壞明暗高低人我的對立，在一個人心跡裏，也不一定是對立狀態，而是混成一團狀態，連他自己也弄不太清楚。心跡既是這麼不可捉摸的抽象標準，你怎麼能用這種標準來評定他存心善、還是存心不善不惡、還是存心惡、還是有心爲善呢？心跡狀態是一團亂麻，是他本人和別人都難分得一清二楚的啊。所以，我的辦法是回過頭來，以做出來的做標準，來知人論世、來以實踐檢驗眞理。我的標準也許比較寬，寬得把你所指的存心善以外的三類——就是存心不善不惡、有心爲善、甚至是存心惡的三類都包括進去了，只要這四類都有善行表現出來，不管是有意的無意的好意的惡意的，只要有善行，一律加以肯定。所以我才說，唐太宗肯蓋這個憫忠寺，是種善因。」

「法師眞是佛心，喜歡與人爲善，到了這樣從寬錄取的程度。」

「寬是寬了一點，但也不是不講究分寸。像我說唐太宗蓋這個憫忠寺，是種善因，並不是做善行，這就是分寸。」

「照法師這麼說來，蓋了這麼個大廟都不算是善行，只算是善因，那麼怎麼才算是善行？」

「這要看對誰來說。如果某甲有一兩黃金，他出九錢蓋廟，那怕只能蓋一磚一瓦，這是善行；如果某乙有十萬兩黃金，他出一千兩蓋了整個的廟，他的善行，就比起來像善因，很難算是善行。」

「所以唐太宗不算？」

「唐太宗身爲皇帝，當然不止是十萬兩的某乙，他蓋憫忠寺，不能算是善行。何況，他有權力根本就不使蓋憫忠寺的理由發生，那就是何必出兵打高麗？不打高麗，就不會死人，就無忠可憫，所以，唐太宗如根本不打高麗，那才算是他的善行。」

「照法師這個因人而異的標準，我發現法師懸的格，簡直比我還高。唐朝當時受到四邊民族的壓力，唐太宗不動手打別人，別人大了，就會打他，如今你法師竟用的是人類和平的標準、不殺不伐的佛教標準，來要求一個十九歲起兵、二十四歲滅羣雄、二十九歲就君臨天下的大人物，法師未免太苛求了。」

「你說的不無道理，我懸格太高了。可是，大人物犯的錯，都是大錯。唐太宗若不是大人物，我也不會這麼苛求了。因爲，從歷史上看，當時高麗並沒有威脅到唐朝，高麗雖然欺負它南邊的新羅，但對唐朝，還受唐朝的封、還對唐朝入貢，唐太宗打它沒成功，蓋憫忠寺回來，第二年高麗還遣使來謝罪、還送了唐太宗兩個高麗美人。這些行爲，都說明了你說的唐太宗不動手打別人，別人大了，就會打他的威脅性，至少對高麗來說，是擔心得太過分。我認爲唐太宗打高麗，主要的原因是他的『天可汗』思想作祟，要君臨天下，當然也就談不到愛和平了。我承認，要求唐太宗那樣雄才大略的皇帝不走武力征服別人的路線，那反倒不近人情了。」

「這麼說來，法師還是肯定唐太宗了？」

「當然肯定，任何人做出來的善我都肯定，而不以人廢善。至於想去行善、說去行善，那只是一念之善，並沒有行，那是不算的。善和行善是兩回事，善不行，不算是善。」

「法師這樣注意行、注意做、注意以實踐檢驗眞理，這種思想，跟孟子以至王陽明的，完全不一樣。」

「是不一樣。孟子認爲發善情就是善，所謂『乃若其情，則可以謂善矣』；王陽明認爲在內心就是善，所謂『至善祇是此心純乎天理之極便是』，這些抽象的檢定善的標準，我是不承認的。善必須要行，藏在心裏是不行的。」

「法師這種見解，我聽了很奇怪，太不唯心了，佛教是講唯心的。」青年人露出一點取笑的神氣。

和尚好像有一點爲難，想了一下，最後說：

「眞正的唯心是破除我執，釋迦牟尼與何羅邏仙人辯道時說：『若能除我及我執，一切盡捨，是名眞解脫。』我執就是主觀的心，善如果沒行出來，只憑主觀的心認爲已經是善就善了，這是唯心的魔道，不是唯心的正道。唯心的正道是破除這種憑想憑說就算行了善的魔道。眞正的唯心在告訴人什麼是唯心的限度、什麼是光憑唯心做不到的。比如說吃飯，必須吃，想吃和說吃並不算吃，一定要有吃的行爲；善也是這類性質，善要有行爲，沒有行爲的善才眞是僞善。」

「法師這一番話，我很佩服。只是最後免不掉有點奇怪，奇怪這些話，不像是一般佛門弟子的口氣、不像是出家人的口氣。我說這話，是佩服，不是挖苦，請法師別見怪。」

和尚笑起來，又合十爲禮。然後伸出右手，向廟門外面指一指：

「現在北京城都在過年，大年初二，外面正在趕熱鬧，而你這位年輕朋友居然有這麼大的定力，不怕寂寞，一個人，到這冷清清的千年老廟來研究古碑龜趺，一看就不是凡品。」

青年人笑了一下。這時候，一陣鞭砲的聲音，在附近響起。遠處裏還傳來零落的。

「聽先生口音，是廣東？」

青年人的笑容轉成了窘態。他聽了太多次的挖苦他們口音的諺語——「天不怕，地不怕，就怕老廣講官話。」何況他到北京來，一比之下，官話更是不行。

「是廣東南海。」

「法師呢？」

「先生聽不出我口音？」

「我第一次來北方，分不出口音，只覺得法師官話講得很好。」

「說了先生不信，我也是廣東人。」

「也是廣東？」

「是廣東，廣東東莞。」

「那我們太近了。法師的官話講得沒有我們家鄉味，爲什麼講得這麼好？我們講廣東話可好？」

「慚愧，我不大會說廣東話，我生在北京，並且一直住在北京。」

「尊大人一直住在北京？」

「我們這一支，一直住在北京，已經兩百五十多年了。」

「這麼久了？」

和尚點了點頭。

「兩百五十多年前，廣東人就老遠到北京來，那一定是在北京做官的。」

「那倒不是，先祖是陪做官的來的，做官的被皇帝殺了，先祖偷了做官的屍首，埋在北京，一直在墓旁陪著到死，從此我們這一支就住在北京，沒再回廣東。」

「咦，法師說這做官的，被皇帝殺了？……這做官的也是東莞人？」

和尚點點頭，露出一種會意和等待的眼神。

「是袁崇煥！袁督師袁崇煥！」

和尚笑了：「我說先生一看就不是凡品，果然說得不錯。先生這樣年輕博學，眞叫人佩服。不錯，是袁督師袁崇煥。」

「那我知道法師貴姓了，法師可姓佘？人示佘？」

「怪了、怪了，先生不但博學，而且多聞。先生怎麼知道我姓佘？」

「我早就聽說袁督師冤獄被殺，棄屍西四甘石橋，沒人敢收屍，他的僕人佘氏半夜偷了屍首，埋起來後，一直守墓到死，死後也埋在墳邊。佘家後來代代守墓不去，今天眞是幸會，碰到了老鄉親，又碰到了義人之後。」

「先生說得都不錯，現在袁督師的墳還在北京，在外城東邊廣渠門裏廣東義園。」

「我去過了。」

「去過了？先生眞是有心人。」

「袁督師是我們老廣第一個影響中國政治舉足輕重的人物，明朝不殺他，滿洲人就進不了關，中國整個歷史都改寫。並且若照袁督師的戰略，明朝就不會浪費一半多的兵餉來防禦遼東，就不會弄得民窮財盡，引出李自成進北京。袁督師太重要了。」

「袁督師是大人物，叫人崇拜。」

「法師令先祖能夠對袁督師守死不去，也叫人崇拜。」

「那是袁督師人格感召的結果。」

「人格感召一般來說，有一個限度，但是令先祖竟冒死偷屍首埋起來，並且照顧在墳旁邊，一直到死，這是忠肝義膽。」

「承先生過獎。但有更忠肝義膽的。袁督師下獄以後，忽然出來一個書生，叫程本直，一再爲袁督師喊冤呼籲，結果被崇禎皇帝也給殺了。他的屍首，後來也由先祖埋起來，就埋在袁督師墳的旁邊。……」

「這麼一說，我記起來了，這位程先生的墓碑邊上有人題了十個字，叫『一對癡心人，兩條潑膽漢』，是不是？」

「對了，你先生眞是好記性。這位程先生跟袁督師不但素昧平生，甚至可說還有點不愉快，因爲他三次求見袁督師，袁督師都沒見他。袁督師被捕以後，他一再替袁督師喊冤，結果被判死刑。他死的時候，說我不是爲私情死的，我是爲公義死的。先祖是跟袁督師多年的僕人，他爲袁督師做的，私情的原因占得很重。但這位程先生做的，卻全是爭正義、爭公道，在皇帝發了大脾氣要殺人時候，他爲袁督師仗義執言，他的爲人，可眞有性格。可惜他只是一個布衣，沒地位，也沒什麼名。由這位程先生的事，可以想到袁督師的偉大，感人至深。我還記得程先生呼冤書裏的幾句話，他說：『舉世皆巧人，而袁公一大癡漢也！惟其癡，故舉世最愛者錢，袁公不知愛也；惟其癡，故舉世最惜者死，袁公不知惜也。於是乎舉世所不敢任之勞怨，袁公直任之而弗辭也；於是乎舉世所不得不避之嫌疑，袁公直不避之而獨行也。』這就是你先生看到的『一對癡心人，兩條潑膽漢』的淵源。」

「噢，原來是這樣。」

「程本直說袁督師『一大癡漢也』，這五個字用得眞妙。」

「法師也認爲是？」

「照世俗的標準，當然是。當時明朝已經那樣腐敗，是非不明、宦豎當道，守東北的大將熊廷弼，剛冤枉殺掉，傳首九邊、田產籍沒、家屬爲奴。而袁督師卻還來跳這個火坑，他不但不買朝廷裏奸臣的帳，並且殺了毛文龍，斷了奸臣貪汚的財路，這樣做人，豈不正是傻瓜幹法？從袁督師死了以後，我們廣東人，再也沒有在朝廷裏有那樣舉足輕重的地位了，也沒人要做一大癡漢了。」

「在近代中國，爲國家做大事很難，政治中守舊的勢力和小人勢力太大了，這兩大勢力都是明明擺在那兒的，所以想爲國家做大事，什麼下場也都可以事先看得出來；既事先看得出來，還要不怕死、還要做，除了是一大癡漢外，還有誰肯幹？凡是肯幹的人，都要準備悲劇的收場。」

「沒有例外嗎？」

「例外？在近代中國歷史上可太少了。有的人也打破守舊的勢力，做點大事，但他必須安撫好另外一個勢力，就是小人的勢力。像明朝的張居正，他不安撫小人的勢力，他就不要想有作爲；但安撫了小人勢力，他自己又算什麼呢？就算這些是不得已，但最後，張居正做的大事，落得些什麼呢？他一死，訂的法制給推翻了、家給抄了、大兒子受刑不過自殺了，家裏大門被封，人出不來，十幾口給餓死了、剩下的充軍了，整個的下場是悲劇。」

「聽法師談話，想不到法師對中國歷史這麼有研究，也想不到研究的結果，是這麼悲觀。」

「先生過獎了。悲觀倒是眞的。因爲悲觀，才做了和尚；做了和尚以後，才知道了多悲觀。哈哈。」

談到這裏，一個小和尚走了過來，只有十五六歲，長得眉清目秀，在眉清目秀外，卻又有著一股英氣，他向和尚合十爲禮：

「師父，萬壽寺的法海和尚來說，他們寺裏要爲宮裏李總管的母親做佛事，想請師父走一趟，替他們捧捧場，不知道師父肯不肯賞光？我告訴他我們師父初五沒空，我們自己也有佛事要做，走不開。」

「你答得很好。」

「可是他說他要見你。」

「你說我這邊有客人，走不開。」

青年人趕忙向和尚搖手：「法師，我沒有事，我只是隨便走走，你請便、你請便。」他把右手側向前，掌心向上，做了請便的姿式。

「不要緊，」和尚舉起右掌，向著青年人。「我不太想見他。」轉過頭：「普淨，你答得很好，就照你那樣說下去，把他送走。」

「可是，他說要見師父。」

「普淨，你自然有辦法。你去吧。」

小和尚面露了慧黠的笑，向青年人也打個招呼，轉身走了。和尚望著他的背影，欣賞的笑著。

「我這個小徒弟，父親母親全在河南旱災裏餓死了，他八歲就被哥哥帶著，千辛萬苦逃荒到京師，走到這個廟門口，他哥哥說你在這裏等我，我去一下就來，你餓了，先吃包袱裏的窩頭，他說只有一個窩頭了，我等你回來一起吃。他就坐在門口等，等了快天黑，哥哥還不回，他急了，在外面偷偷抹眼淚。被我看到了，問他，他只知道是逃荒來京師的，不知道京師有沒有親戚，打開包袱一查，裏面捲了一封信，是他哥哥寫的，寫給廟上和尚，說實在沒能力照顧這個小弟弟了，請求廟上收容這個小孩，算做許願許進來的小和尚。當時我被逼得沒辦法，只好讓他住在廟上。他倒也有宿慧，聽話，不打擾人，自動搬桌子掃地，好像並不白吃這碗飯。只是晚上常常偷偷流淚，有時在廟門口張望，等他哥哥回來接他，但他哥哥再也沒回來。就這樣八年下來，他在廟上自修，書念得很不錯，人也聰明伶俐。」

「我剛看他，就是一副聰明相。」

「剛才是萬壽寺的和尚來，萬壽寺先生知道吧？就是西直門外那座大廟。」

「我沒去過，聽說過。」

「那廟可比我們這座小廟神氣多了，光後面千佛閣，就有佛像好幾千，其他可想而知。剛才說的宮中李總管的母親做佛事，李總管先生聽說過吧？」

「莫非就是李蓮英？」

「就是他。他現在是中國第一紅人，皇太后信任他，一切言聽計從。他爲他母親做佛事，由萬壽寺來辦，萬壽寺想約北京各廟的和尚來捧場，我們不能參加這種諂媚權貴的事，所以才有剛才的一場。」

「法師的作風很不簡單。」

「出家人，按說看破紅塵才對，可是北京的許多出家人，也許離京師官場太近了，竟染上了勢利眼的毛病，見了大官一副臉、見了小百姓另一副臉。不過出家人勢利眼，也由來很久了。」

「這大概是佛教在中國流傳，一直得到大官幫忙的緣故。」

「先生說得有道理。記得那個笑話嗎？一個窮秀才，在廟裏看到老和尚對大官恭恭敬敬、對他不恭敬，就質問老和尚，老和尚說：『你搞錯了，我們禪話，恭敬就是不恭敬，不恭敬就是恭敬。』那秀才立刻給老和尙一個嘴巴子，說：『我們秀才，不打就是打，打就是不打。』哈哈。」

「哈哈。」

「說到這裏，倒要借問一句，先生你是窮秀才吧？」

「差不多。」

「那我運氣很好，到現在還沒挨打。」

「法師客氣。哈哈。」

「我還沒請教貴姓？」

「康有爲。『書經』裏『康濟小民』的康；『禮記』裏『養其身以爲有爲也』的有爲。」

和尙點著頭：「眞是志士豪傑的名字。『孟子』裏說：『人有不爲也，而後可以有爲。』康先生有所不爲，而後成爲康有爲，我要向您道賀，這年頭，有所不爲的人太少了。」

「在亂世裏，做到有所不爲，已經不容易。比如說，法師不參加李總管的佛事，就已經不容易。」

「不同康先生客氣，的確不容易，不曉得以後要給廟上惹來多少不方便。我這樣做，廟裏有些人就不贊成。在亂世裏，只是消極的做點不同流合污的事，就大不易。至於積極有爲一番，就更別提了。何況，站在佛門的立場，有爲是無常，所謂『一切有爲法，如夢幻泡影，如露亦如電』，更顯得無可爲了。」

「法師引的是『金剛經』？」

「康先生對佛典竟也如此精通，令人佩服。康先生在那裏學來這麼多大學問？在京師嗎？還是在家鄉？康先生的老師是那一位？」

「我的老師是九江先生——朱次琦朱先生。」

「哦，原來是九江先生的高足。九江先生不是一輩子只肯穿布袍的進士嗎？他在山西做官，進出都走路，自己做工，吃得極簡單？」

「是啊！」

「那康先生在山西追隨九江先生？年紀不對啊？」

「不是，那時候我還沒出生。九江先生大我五十一歲，他其實是先父的老師，他同先祖是好朋友，我做九江先生學生是他六十九歲以後的事，到他七十五歲去世，我一直跟他，前後六年。他臨死以前，說他寫的書，對將來的中國沒有什麼益處，他竟都給燒了，他的精神太叫人感動了。」

「眞太可惜了。」

「他死那年我二十四歲，經史子集倒念了不少，我走的路，也是中國一般知識分子走的老路，就是念古書、應科舉。可是九江先生的身教，卻給我極大的影響，尤其他死前用火一本一本燒掉他一生的心血，左一本國朝學案、右一本國朝名臣言行錄；左一本蒙古記、右一本詩文集，……燒得滿地都是灰，看得我眼淚都流下來了，勸也勸不住。九江先生立身極爲嚴肅，他臨死以前燒他一生著作，態度平靜而堅決，他古書念得那麼好，科舉也考到進士，可是臨死前，卻用行動表示了這些都不是中國知識分子眞正的路，人該盡棄俗學，以行動救世。他這些意思，並沒空口要我們學生如何如何，相反的，他說得很少。只在最後臨死前來了這段不言之教，等於現身說法。他雖在死前三十多年就離開科舉與官場，可是下半生三十年的講學著書生涯，他竟也在死前加以否定，認爲不切實際。他這一燒一死，使我根本上受了大刺激。九江先生死後，我到北京來，開開眼界，也深刻想了想中國的前途，最使我印象深刻的是逛國子監，這是中國養成知識分子的最高學府，我走進大門、走進琉璃坊，看看鐘亭鼓亭，又看到蔣衡寫的那些石碑，想到他花了十二年的時間，寫這八十多萬字的十三經石碑，第一流聰明才智消耗在這裏，現在對中國有什麼用處？中國要救的時候到了，可是這些十三經石碑，救不了中國啊！我買了很多書，經過上海，大量買了江南製造局和外國傳教士印的有關現代學問的著作，在家鄉南海的西樵山，閉戶研究了五年。我不會外國文，只能看這些譯本，從譯本裏融會貫通舉一反三。五年下來，自信有點心得，認爲救中國，必須走外國路子，變法圖強不可。所以，五年以後，這次到京師來，看看有沒有機會。這幾天正趕上過年，我對碑刻有興趣，特地到這裏來看看舊碑，幸會了法師。法師學問道德雖然只領教了片羽吉光，可是就已令人景仰不已了。」

「那裏那裏，我們出家人，不足以語此。康先生是九江先生大學問家高足，又學貫中西，我們做和尚的，只隨便看幾本書，那能受得住你們行家過獎。並且康先生以天下爲己任，康濟小民，可以有爲，更不是我們出家人所能望康先生項背的。」

這時候，遠遠的小和尚普淨又走過來。和尚問他：

「有什麼事，普淨？」

「總算把萬壽寺的和尚請走了。」

「你很能幹，普淨。」

普淨不好意思，笑了一下，看了康有爲一眼，點點頭，又轉向師父：

「等下要開飯了。」

「我知道，你在小飯廳擺一張桌子，今天中午我想請這位康先生賞光，吃個便齋。」

康有爲趕忙邁前一步：「法師不要客氣。」

「客氣的是康先生，快到吃飯的時候了，何必拘泥一頓飯啊，康先生不是俗人，怎麼拘起俗禮來了？並不爲康先生特別做，我們吃什麼，康先生就吃什麼。」

「也好、也好。」康有爲立刻也就同意了。

「那我就去準備。」普淨轉身要走，和尚叫住他。「來，普淨，我特別爲你介紹一下：這位是康先生，是師父所佩服的大學問家，跟師父也是同鄉。不過康先生才是眞正的廣東人，師父這種廣東人，已經落伍了。」

小和尚向康有爲合十爲禮，康有爲也一樣答禮，康有爲說：

「一來就打擾小師父了。」

「那裏會，」小和尚說，「康先生能被我們師父佩服，我們就佩服。我們師父難得邀人吃飯，除非他欣賞這個人。」

「好了，普淨。」和尚笑著。「你禪機洩漏得太多了，快去準備吧！」

「好，去準備，今天康先生運氣好，今天不吃饅頭。」

「哈哈。」康有爲笑著。「法師這位小師弟反應眞快，他知道廣東人怕饅頭。」

「還有，普淨，你多炒兩個蛋，跟我們一起吃。」

「好。」小和尚轉身走了。

「小朋友什麼都知道。提到饅頭，我又想起一個他的故事。他到廟上前幾天，每天早飯吃一個饅頭，他也分到一個，但他只吃一半，每天留下半個。有時候午飯也吃饅頭，每人限兩個，他就只吃一個，留下一個。後來跟他同住的和尚通知我，說他包袱愈來愈大，怪怪的，我們就委婉的找個機會請他打開包袱，結果一看，都藏的是一個半個的饅頭。他逃難逃怕了，又想到他哥哥在外面可能挨餓，所以把他應得的分量，都只吃一半。當時他睜了大眼睛，低頭看著饅頭，又抬頭看著我們，又低頭看著饅頭，又抬頭看著我們，只結結巴巴的說了一句：『等哥哥來的時候，能不能把饅頭帶走？』我聽了，忍不住掉下眼淚。他跟哥哥逃難時候吃過死老鼠、吃過樹皮、吃過草根，並且可能吃過人肉，他記得一次哥哥拿回過一塊肉，吃起怪怪的，他問哥哥『是什麼肉』，哥哥皺眉頭想了一下，說：『別管了，快吃吧，吃剩下我吃。』」

「唉，政治黑暗，使中國老百姓這樣慘。」

「不過有的是天災，似乎也不能全怪當政的人。在我們出家人看來，這是在劫難逃。」

「法師慈悲爲懷，所以難免開脫了許多當政的人的責任。我在南海西樵山研究經世致用之學，對中國災荒問題，也小有研究，俗話說『天災人禍』，這四個字相連，的確有道理。天災的發生，我們以爲是天禍，其實裏面有人禍。就以水災而論，水災發生，是過多的河水無法宣泄，無法宣泄的原因，是許多供大河宣泄的小渠，因爲官商勾結被霸占。小渠附近土地肥、灌漑方便，所以官商勾結，把小渠堵住，他們不但不肯掘開渠口，反而把附近加高，這麼一來，不該成低地的地方——就是老百姓的地方——反倒變成了低地，水一漲，就成了水災。所以這種水災，是人爲的，不能賴在天上。這樣賴，老天爺也不服氣。」

「哦，原來如此。我這住在城裏的人，眞孤陋寡聞。」

「我還不是一樣。我若不發憤搞經世致用之學，光念四書、五經，也只會念『書經』的『洪水滔天，浩浩懷山襄陵』，或『孟子』的『洪水橫流，氾濫於天下』，也只會徒發感慨，只會怨天，不會尤人。但自從我走經世致用的路以後，我看古書，突然眼睛開了，慢慢發掘了眞相。我看『宋史』食貨志，看到有『盜湖爲田』的記載，說湖的附近被盜爲田以後，『兩州之民，歲被水旱之災，』結果『所失民田，動以萬計』。我才知道水災旱災的人爲原因是什麼。這時候，我看了邵伯溫的『聞見前錄』上說的伊水洛水水漲，『居民廬舍皆壞，惟伊水東渠有積薪塞水口，故水不入丞相府第，』才恍然大悟是怎麼一回事。」

「康先生看書，眞是觸類旁通，叫人五體投地。」

「法師過獎了。只不過我受了九江先生生前死前的身教，自己又閉門造車土法修煉五年，不墨守中國讀書人的老方法看古書，而有這麼點心得而已。」

「以康先生這樣的大才，這次到京師來，預備有怎樣的一番作爲呢？」

「我想來想去，無可奈何之餘，發現只有一條路，就是上萬言書，直接給皇上，如能說動皇上，根本上來一番大變法，國家才有救，一切問題才得根本解決。」

「歷史上上萬言書變法成功的，又有幾人？我知道的只有宋朝的王安石，最後還是失敗了。守舊的勢力和小人的勢力，是中國政治上的兩大特色，越不過這兩關，就要準備悲劇的收場。」

「對我說來，要想演悲劇，還爲時過早，因爲我的萬言書還上不上去，法師曉得中國的規矩，沒有大官肯代遞，你寫什麼，皇上都看不到的，老百姓是不能直接上書的。老百姓直接上書，搞不好要發到關外做奴隸，乾隆時候就有這種事。」

「那康先生有沒有找到大官肯代遞呢？」

「找過，找過很多，都不行，大家都屍居餘氣，多一事不如少一事，大家都要做官，不要做事。」

「所以，冠蓋京華，康先生卻在大年初二，一個人，孤零零的到古廟裏研究起舊碑來了。」

「談到舊碑，我倒極有興趣，這次來京師，我買了許多碑本，預備研究點沒用的東西，轉一轉自己的注意力。沒用的東西，說不定在什麼時候，會有意想不到的作用。像王羲之的曹娥碑，竟能使謝枋得在這廟裏見到就絕食，最後完成了自我，誰又能想到呢？」

「談到完成自我，謝枋得自己也早有一死的意思，他在走這條路。他在這廟裏看到曹娥碑，對他的自殺，只是畫龍點睛，那條龍，他自己早已畫好了。你康先生也是如此，你畫的龍是變法救中國，你在走這條路，你也準備了許多年，只差最後點睛了。點得好，就是飛龍在天；點不好，就是龍歸大海。不管是那一樣，你都完成了你自己。」

「法師自己呢？」

「我是出了家的人。」

「出了家對中國前途，總不是不管吧？」

「我很關切。」

「關切並不等於管。」

「關切也是一種管。」

「照法師剛才指教的，善必須要行，藏在心裏是不行的，照這個標準，法師對中國前途所『行』的，是不是不太夠？」

「我只是一個和尚，康先生想叫我如何行呢？我的力量很小，我至多只能自己不扶同為惡、不同流合污、不去萬壽寺諂媚權貴，只能潔身自好而已，像——像——像什麼呢？」

「像這廟裏的丁香。」康有為指著那一片丁香樹。

「姑且這麼說吧，像這廟裏的丁香。」

法源寺的丁香很多，它的丁香，在北京很有名，它在幾百年前就從廣東傳到北京了。在中國，丁香被用做藥材，用來溫脾胃、止霍亂、去毒腫和口臭。

「丁香潔身自好，也好看、也好聞。但要做中藥，得磨成粉煮成湯才有用。若不粉身碎骨，它只是好看好聞而已。」康有爲說。

和尚聽了，木然的望著康有爲，最後點點頭，側過身，伸出了右臂：「請康先生來用飯吧！」

第三章「休懷粉身念」

進了飯廳，飯剛擺好。飯是高粱米混小米，北京普通人不常吃大米飯，因爲太貴。菜只三盤，二大一小，大盤一盤是素燒白菜豆腐、一盤炒蛋，小盤是醬瓜。和尙請康有爲入座，坐的是直角的硬木椅，人坐在這種椅子上，除了正襟危坐，不容易有第二種坐法。飯桌是方的，是普通的、不怕燙的紅漆桌，簡單而乾淨。正面牆上掛著一幅橫幅，上面寫著：

西漢有臣龔勝卒，
閉口不食十四日；

我今半日忍飢渴，
求死不死更無術。
精神時與天往來，
不知飲食為何物。
若非功行積未成，
便是業債償未畢。……

是謝枋得的絕命詩。把這位不食而死的烈士的遺詩，這樣掛在食堂裏，倒是一種含意深遠的對比。

和尚等康有爲看完牆上的橫幅後，請康有爲用飯：

「剛才有言在先，不爲康先生特別準備，我們吃什麼，康先生就吃什麼，請用飯吧。在世俗標準，絕不好意思拿這樣菲薄的菜請客，但康先生不同，所以我也不覺得失禮。」

「法師是眞人。」

三個人就吃起來。和尚沒吃以前，把蛋分做雙份，說：「蛋由康先生和普淨合吃，我不吃蛋。剛才康先生看的橫幅，是一百年前廟上一位和尚寫的，康先生是行家，這字寫得怎麼樣？」

康有爲看都沒再看一眼，隨便答道：「字是寫得不錯，寫了一手好趙字，只可惜用趙孟頫的字體，寫謝枋得的絕命詩，未免太不相稱了。」

「這……我一時想不起來爲什麼？」

「他們是同時候的人哪！趙孟頫投降了元朝，謝枋得跟元朝不合作，謝枋得死而有知，發現他的絕命詩竟是趙體字，不是太可笑了嗎？」

「啊！康先生說得是。我們淺學，都看不出來，眞荒唐、眞荒唐。」

康有爲笑著，有一點自得的神色。和尚問：

「爲什麼一百年前這位和尚寫了這手趙體字呢？這有什麼道理嗎？」

「可有道理呢，一百年前正是乾隆時候，乾隆皇帝喜歡趙體字啊！所以流行趙體。再往前，乾隆的祖父父親康熙皇帝雍正皇帝喜歡董其昌，所以當時又流行董其昌的字。一切都是上行下效，這是中國的特色。這也說明了，中國的許多事情，要辨，都得從上面來。」

「像乾隆皇帝喜歡趙孟頫的字，喜歡以外，大概也有政治作用吧？」

「政治作用是很明顯的。元朝是蒙古人，在漢人眼裏是胡人。趙孟頫不但是漢人，而且是宋朝的皇族，元朝統治中國，有這麼一個人來捧場，當然是很好的號召。乾隆皇帝是滿洲人，在漢人眼裏也是胡人，他當然也會援例利用趙孟頫，何況他眞的喜歡趙孟頫的字呢。」

「那麼趙孟頫是漢奸了？」

「奸不奸的問題要看用那一種標準，如果用的是漢滿蒙藏等各族都是中國人的標準，對中國人自己的種族來說，並無所謂奸。並且，忠奸問題也並不像表面上那麼簡單、那麼黑白立刻分明。在一個人閱歷較多一點以後，他有時難免會發現，人間許多對立的問題，如是非、正邪、善惡、好壞等等，並不都是很草率就能斷定的。同時對立的情況，往往並不如想像中那樣明顯，對立的雙方，可能有混同的成分、相似的成分，甚至還有完全相反的尷尬場面發生。中國正史中，從宋朝歐陽修主編的『新唐書』開始，有所謂『奸臣』傳，後來的正史，像『宋史』『遼史』『元史』『明史』，紛紛援例，於是忠奸之分，在歷史上和觀念上，也就愈發顯明。正史以外，中國的小說戲劇，對忠奸的判決，影響極大。尤其在戲劇裏，爲了幫助觀衆有『忠奸立判』的效果，『紅臉』和『粉白臉』，也就應運而生。忠肝義膽的自然是勾紅臉，如關公；權奸誤國的自然是勾粉白臉，如曹操，這種分法俐落，固然給了觀衆不少方便，於施展愛憎之間，少掉了不少麻煩。但是一旦分錯了，就對不起人了。試看『宋史』『奸臣』傳中被戴上奸臣帽子的，有的根本不算奸臣，像趙嗣！而該戴奸臣帽子的，像史彌遠，卻又逍遙於『奸臣』傳之外！由此可見，忠奸問題，並不像書上和民間傳說上所說那麼簡單。例如曹操，不但不是奸臣，並且是大英雄。曹操不是奸臣，還屬容易翻案的。像馮道，就複雜得多了。馮道在五代亂世裏，他不斤斤於狹義的忠奸觀念上，不管是那朝那代、不管是誰做皇帝，只要有利於老百姓，他都打交道。宋朝時候，唐質肅問王安石，說馮道『爲宰相，使天下易四姓、身事十主，此得爲純臣乎？』王安石認爲當然是純臣、是刮刮叫的了不起的大臣。王安石以伊尹爲例，反駁說：『伊尹五就湯、五就桀，正在安人而已。』賢者伊尹在商湯、夏桀間遊走，目的不在對誰忠、對誰奸，而在照料老百姓。王安石認爲馮道能委屈自己，『屈身以安人，』這種行爲，『如諸佛菩薩行，』簡直和佛和菩薩一樣偉大呢！例如契丹打進中國，殺人屠城，無惡不作，中國的英雄豪傑，誰也保護不了老百姓，但是馮道卻用巧妙的言詞、大臣的雍容，說動了契丹皇帝，放中國人一馬。歐陽修寫『新五代史』雖然對馮道殊乏好評，但也不得不承認『人皆以謂契丹不夷滅中國之人者，賴道一言之善也』！馮道能夠以『一言之善』，從胡人手中，救活了千千萬萬中國百姓，這比別的救國者對老百姓實惠得多了。馮道這樣與胡人合作，罵他是漢奸，通嗎？公道嗎？」

「用這種標準，謝枋得死得不是沒有意義了？」和尙問。

「謝枋得死的意義有他更高的價值標準，這種標準，是人爲他信仰而死，這就是意義。至於他信仰的對不對，或值不值得爲之一死，那是另一個問題。那種問題，往往時過境遷以後，可能不重要，甚至可能錯。例如謝枋得忠於宋朝，但宋朝怎麼得天下的，宋朝的天下，得之於欺負孤兒寡婦之手，謝枋得豈有不知道？所以，宋朝的開國之君，十足是篡位的不忠於先朝後周的大臣，不能不說是奸臣。這麼說來，忠臣謝枋得，竟是爲奸臣所篡奪到的政權而死，這樣深究起來，不是死得太沒意義了嗎？」

「謝枋得自己知道嗎？」

「我認爲他知道，可是他不再深究下去。」

「爲什麼？」

「因爲宋朝已經經過了十八代皇帝，經過了三百二十年的歲月，謝枋得本人在宋朝亡國十年以後才去死，他對三百三十年的舊帳，要算也沒法算。」

「沒法算就算了？」

「也不是算了，眞相是他根本就沒想算。」

「爲什麼？」

「因爲他已經成了習慣。宋朝的三百二十年的天下、三百二十年的忠君教育，已經足以使任何人把這個政權視爲當然，時間可以化非法爲合法，忠臣是時間造出來的。時間不夠，就不行。宋朝以前的五代，五十三年之間，五易國、八易姓、十三易君，短短五十三年中，走馬換將如此，國家屬於誰家的都不確定，又何來忠臣可言？事實上也沒有忠君的必要。原因是那些君的統治朝代，都很短促，時間不夠，誰要來忠你？但宋朝就不然了，宋朝時間夠。時間夠了，就行。」

「你可以把狗關在屋裏，但要牠對你搖尾巴，時間不夠，就不行。」小和尚忽然插上一句。和尚看小和尚一眼，小和尚低了頭。康有爲卻說：

「小師父的比喻，完全正確。人間的事，如果用低一點的標準去看，的確也不高。很多人的忠心耿耿，其實和狗一樣，甚至還不如狗。」

「剛才康先生說『忠臣是時間造出來的』，要多少時間才能造出來？」和尚問。

「時間多少是無法硬定的，不過，有在同一時間裏就出現『誰都是忠』的肯定現象。忠奸問題一直是困擾中國人的一個老問題。但是，眞正會讀古書的人，必然發現：中國傳統中『忠』的觀念，其實有兩個不同的方向：就是『相對的忠』與『絕對的忠』。偉大的晏子，在齊莊公被殺時候，不肯死難。他的理由很光明，他說：『君爲社稷死，〔我〕則死之；爲社稷亡，〔我〕則亡之。若〔君〕爲己死〔爲〕己亡，非其私暱，誰敢任之！』齊莊公既然是因爲偷別人老婆而被本夫所殺，顯然不是『爲社稷死』、『爲社稷亡』，對這種無道之君，國之大臣，是不會爲他死難的，但他的『私暱』，卻可以爲他死難。所謂『私暱』，不是別的，就是統治者的家臣和走狗。中國『忠』的觀念，起源是很好玩的，在古文字中，根本沒有『忠』這個字，『忠』字出現在春秋時期，但那時候的『忠』，是『委質爲臣』式的『忠』，『質』是雉、是野雞，野雞在古人眼中，是一種『守介而死，不失其節』的象徵，『委質』就是表示對個人的效忠；『臣』的原始意義是俘虜或奴隸，『委質爲臣』就是『私暱』者對主子的效忠。這種『忠』，是無條件的，是『絕對的忠』。相對的，晏子所主張的『忠』卻是有條件的、是以統治者『忠於民』做相對條件的、以大臣『以道事君』做相對條件的，這種『忠』，是『相對的忠』。不幸的是，中國傳統思想中，『相對的忠』的一系，未能正常的發展下去；而『絕對的忠』一系，卻被槓上開花，反常的演變變得愈來愈不成樣子，直演變到三綱五常化的境地，『君』變『君父』、『臣』變『臣子』。於是，『生我之門死我戶』的『私暱』之『忠』，變成了中國『忠』的觀念的主流。就這樣的，臨難死節的要求，便成了中國傳統思想的正宗。不過，這種思想的正宗，是經不得實事求是的。我舉隋唐之間改朝換代的兩個人物做例子。先以屈突通爲例。隋文帝派屈突通到甘肅檢查牧政，查到兩萬匹私馬，隋文帝要殺主管馬政的公務員一千五百人，屈突通說，爲馬殺人非仁政，他願一死以爲一千五百人請命，隋文帝聽了他的話，不殺人了，還把他升了官。屈突通做官，執法很嚴，六親不認，他的弟弟屈突蓋也和他一樣。當時流行的話說：『寧食三年艾，不見屈突蓋；寧食三年葱，不逢屈突通。』可見他的慓悍。唐高祖起兵的時候，屈突通正爲隋朝守山西永濟。他率部隊去救京師長安，被唐高祖部隊困住。唐軍派他的家僮勸他投降，他不肯，把家僮殺了；又派他的兒子勸他投降，他也不肯，陣前罵他兒子說：『以前同你是父子，今天是仇人了！』立刻下令用箭射他兒子。後來京師陷落，唐高祖部隊派人去心戰，屈突通的部隊譁變，他下馬向東南磕頭大哭，說：『我已經盡了全力，還是打敗了，我對得起你皇帝了！』遂被部下解送到唐高祖面前。唐高祖說：『何相見晚耶？』勸他投降，屈突通說：『我不能做到人臣該做到的，不能一死，所以被你抓到，實在丟臉。』唐高祖說：『你是忠臣。』立刻派他做唐太宗的參謀總長。天下大定後，唐太宗在凌煙閣畫二十四功臣像，屈突通也在內。——屈突通被解釋做是隋朝忠臣，也是唐朝忠臣，理由是惟其一心，雖跟兩君也是忠臣。所以，屈突通死後，魏徵提出屈突通是『今號淸白死不變者』，他的忠心可靠，爲唐朝上下所欽服。但是，屈突通同時代的另一個例子，又有了討論的餘地，那就是堯君素。堯君素曾是屈突通的部下，屈突通投降後，跑去招降他，大家見了，兩人都爲之淚下。屈突通說：『我的部隊打垮了，但我加入的是義師，義師所至，天下莫不響應，事勢已如此，你還是投降吧！』堯君素說：『你是國家大臣，你怎麼可以這樣？你看你騎的馬，還是上面賜給你的，你好意思還騎牠嗎？』屈突通辯白說：『咳，君素，我已經盡過全力了！』堯君素說：『我還未盡過啊！我還有力量可盡啊！』於是堯君素死守不降。唐朝部隊在城下，抬出他太太來勸降，堯太太說：『隋朝已經亡了，天命屬意誰做皇帝也明白了，你幹嘛跟自己過不去？』堯君素說：『天下事，非婦人所知！』說了就給他太太一箭，把太太射倒。——同時兩個人，前面屈突通射兒子；後面堯君素射太太，中國的忠臣自己還沒盡到忠，卻先將家人做了血祭！在歷史上，堯君素入了『隋書』，屈突通卻進了『唐書』，同時代的人，分別編進了不同時代的歷史，爲什麼呢？爲的是堯君素爲隋朝力屈而死，他是隋朝的人；屈突通爲隋朝力屈而未死，他就不是隋朝的人了。但在情理上，屈突通盡過全力的紀錄，卻又無礙其爲忠臣，這又怎麼說通呢？合理的解釋是：屈突通在盡過全力以後，他所效忠的對象，已不存在了；而新興的統治力量，是天意與民意所歸的。他所效忠的對象，也並不比新興的統治力量進步。他再掙扎，也『功未存於社稷，力無救於顚危』。所以，他就在新朝裏爲國盡忠了。」

「那麼，謝枋得的情形到底怎樣解釋呢？」和尚問。

「我剛才說過，謝枋得死的意義在爲信仰殉道。那種信仰，在時過境遷以後，可能不重要，甚至可能錯。例如當時在他眼中，蒙古人不是中國人；他的國家觀念，也不明確，他認爲亡國，事實上亡的是宋朝趙家這一世系，中國好好的，並沒有亡。但評論歷史人物必須設身處地，以謝枋得當時的見解，他死得並非沒有意義，我們尊敬他，是爲了他爲他的信仰殉道，而不是信仰的內容，因爲那種內容，五六百年下來，早已都不成立。宋朝固然是中國人中國史，元朝也是中國人中國史。」

「明朝清朝呢？」

「也一樣，像我頭上這根辮子，兩百四十多年前，滿洲人入關，下薙髮令，全國要十天內實行，不然就殺，所有漢人——除了你們和尚和女人外，都改漢人的髮型，和滿人一樣了，當時也有人拒絕而被殺的，但兩百四十年下來，一切都習慣了，不但習慣了——」康有爲停了一下，兩眼專看著小和尚，慢慢的補一句，「也會搖尾巴了！」

小和尚笑起來，又低下了頭。和尚也笑著。康有爲繼續說：

「以兩百四十年前的漢人見解，當時反對滿洲人不能說不對，但是兩百四十年以後，若還在用當時的理由，就不妥當了。兩百四十年前，外國人沒有打到中國的大門，漢人沒見過眞正的外國人，自然將滿洲人當做外國人，現在知道眞正的外國人是什麼了，滿洲人其實也是中國人。」

「滿洲人是皇族，不是和漢人不平等嗎？滿洲人政權不是腐敗嗎？」和尚問。

「不平等歸不平等、腐敗歸腐敗，那是中國內部的矛盾問題。內部矛盾問題要在內部解決，但不論怎麼看，我認爲也不發生滿漢的種族理由，在我眼中，滿洲人是中國人，滿洲人做皇帝是中國皇帝。就如同在馮道眼中，契丹人又何嘗不是中國人，契丹人做皇帝又何嘗不是中國皇帝？只要對老百姓有好處，誰管皇帝是胡人漢人？」

「所以你要向滿洲皇帝胡人皇帝上萬言書？」

「是。我上萬言書，就表示我對這個政權所作所爲不滿意，但其中並沒有滿漢種族問題，兩百四十年了，我並不認爲還有這種老掉牙的問題。」

「你這樣想，你有沒有想到，滿洲人自己並不這樣想？」和尙突然用了這種反問。

「這……這……倒很難說。不過從外表上、形式上，滿洲人在一進關就宣布滿漢通婚了，做官和行政權漢人也有份。至於骨子裏的防範、排擠與特權，倒也很難避免。但我相信像皇上這種高層的滿人，會識大體、會認淸既然『率土之濱，莫非王臣』，他又何必分滿漢？要分也早該是歷史了，如今兩百四十多年了，不論是漢人、不論是滿人，再在這個題目上鬧來鬧去，可眞無理取鬧了。」

「這麼說來，康先生是擁護滿淸政府？」

「誰對中國做好事，就擁護誰。滿淸政府如果對中國做好事，爲什麼不擁護？現在這個政府已經兩百四十多年了，這是一個很厚的基礎，一個政府的基礎有這麼厚，不容易，要在這個厚基礎上救中國，才更駕輕就熟。我只希望自己的救國辦法能夠上達皇帝，只可惜沒人能轉達。」

「有沒有這種人，照佛法說來，是一種因緣。因是『先無其事而從彼生』、緣是『素有其分而從彼起』，只要有夠成因緣的條件，我想，康先生不但可以碰到這樣代遞萬言書的人，和他有緣；並且說不定還和當今皇上有緣，而可以像王安石那樣的得君行道。」

「未來的事，實在無法逆料，但聽了法師的指點，倒給了人不少希望。無論如何，因緣在法師和我之間，倒的確發生了，並且法師和小法師之間，甚至小法師和我之間，都是因緣。」

康有爲說著，望著小和尚，小和尚笑著。和尚也望著小和尚笑著，然後指著蛋，小和尚點點頭，又吃起來了。和尚又請康有爲吃蛋。康有爲有點疑惑：

「謝謝，怎麼法師自己不吃？」

「康先生曉得，出家人吃全齋，在嚴格的意義下，蛋也不該吃，我做到了。我自己不吃，可是我卻贊成別人吃，所以我讓普淨他們吃。」

「這跟吃素不違背嗎？」

「致齋在心，吃素是一種精神，精神影響了行爲，一般人不了解，全弄錯了。魚和肉叫腥，臭菜——葱、蒜、韮菜等等——叫葷，大家以爲葷是魚和肉，所以吃齋只是不吃魚和肉，而大吃臭菜，這是精神上先沒了解吃素的眞義；至於有的廟裏大做素雞素鴨，那簡直是精神上完全在吃葷，一點也沒吃素的本意了。」

「照師父這樣說，我想我也最好不吃蛋。」普淨說。

「你要吃。你年輕，你需要營養。」

「可是我和師父一樣是出家人。」

「你還不能算。十四歲到十九歲只是應法沙彌，你還不能算是正式和尚。」和尚以開玩笑的語氣說。

「那我什麼時候算？」

「你不一定要算。」

「爲什麼？」

「因爲你不一定要在廟裏長住。」

普淨緊張起來，咬住下唇，握緊了左手，把拇指壓在食指下面。那是他的一個習慣，一緊張，就要這樣。他兩眼直望著和尚，輕輕問：

「師父的意思是說，有一天可能不要我了？」

「不是，當然不是。」和尚溫和的說，放下筷子，伸手握住普淨的左手。「師父只是覺得，做和尚的目的在救世，救世的方法很多，住在廟裏，並不一定是好方法，至少不是唯一的方法。」

「師父自己呢？」

「我的情形有點不同。」

「怎麼不同？」

「有一天你會明白。我只能說，我是三十歲以後才出家的。三十歲以前，我雖對佛典小有研究，可是並不是和尚。你不知道我三十歲以前的歷史，有一天你會知道。」和尚說到這裏，有一點淒然，不想再說了。

這時康有爲插話進來：

「我以爲法師從小就做了和尚，照法師年紀看來，原來不過才幾年的事。」

「也不是幾年了，你看我幾歲？我四十一了。我已經做了十一年和尚了。」

「十一年？我不曉得師父做和尚才只不過做了十一年。」普淨說。

「只是十一年。」和尚淡淡的說。

「一直在這廟裏？」康有爲問。

「一直在這廟裏。這廟跟我祖先一直有淵源，當年先祖半夜裏偷把袁督師的屍體裝進棺材，從刑場偷運出來，就先運到這廟上。半夜偷偷爲袁督師做了佛事，運到了廣東義園，秘密埋葬。當時先祖跟廟裏的當家和尚有交情，當家和尚也仰慕袁督師的爲人，所以很願意爲袁督師做佛事。此後我家世世代代，有任何佛事都在這廟上做。十一年前我出家，自然也就在這廟上。因爲這廟在北京不算吃得開的廟，所以和尚不多、流動性也大，我竟能在十一年裏熬上了當家和尚。」

「蓋這個廟的原因，本來就是追念爲東北邊疆死難的中國人的，袁督師也是爲同一個理由而死，在這廟上做佛事，倒也眞正名副其實。」

「康先生注意到的這點，我還沒注意到，康先生提醒了我，這也許是當年當家和尚願做佛事的另一個理由。」

「當時廟上爲袁督師立了牌位嗎？」

「當時那裏敢，當時袁督師的罪名是通敵，通關外的滿洲人，以叛亂罪處死，誰敢同情他？」

「袁督師死在崇禎三年，十四年後，明朝亡了，滿洲人進了關，對這位所謂勾結他們的袁督師，採取什麼態度？」

「清朝明明知道這是冤獄，這是他們反間計的成功，但不太說得出口，因爲一來用這反間計太卑鄙了，二來爲袁督師昭雪即等於宣傳他是抵抗滿洲的英雄，對入關的滿洲人，當然不妥，所以袁督師的殉國眞相，一直諱莫如深。袁督師生前有兩句詩：『功高明主眷，心苦後人知，』功是高了，可是皇帝一點也不明，反而把他當賣國賊給殺了；心是苦了，可是後人又知道多少呢？兩百五十年了，一位爲國冤死的英雄還不能被公開昭雪，公道何在啊？」

「袁督師的不幸是，他生前死後正好碰上明淸兩個朝代，明朝說他是淸朝的，淸朝說他是明朝的，結果明朝又亡了，沒法替他公開昭雪；隨後又兩百多年淸朝的天下，未便公開昭雪，才出現這麼大的一幅諱畫。人生際遇眞不可知啊，個人在羣體鬥爭的夾縫中，爲羣體犧牲了還不說，竟還犧牲得不明不白，死後蓋棺都不能公開論定。爲什麼羣體對個人這樣殘忍？」

「個人只有和羣體的大多數一起浮沈，才能免於被殘忍對待，個人太優秀了、太特立獨行了，就容易遭到羣體的迫害，羣體是最殘忍的，個人比較好，羣體比個人不是更好就是更壞，羣體比個人極端得多。所以，優秀的個人如果優秀得過分，就得準備付出慘痛的代價給羣體，做爲『冒犯費』。所以，許多優秀的個人爲羣體做事，必須事先就得抱有最後還得被羣體出賣的危險。我想，當年的袁督師一定多少有這種認識，他的前任熊廷弼剛被冤枉殺掉，他怎能不知道？知道還來跳火坑，自然就表示他已有爲羣體而犧牲個人的準備。話說到這裏，我想到你康先生，你想救中國嗎？你想走這條路，你就不得不先做一番準備，羣體是健忘的、是非不定的、忘恩負義的、殘忍的。愈是偉大的民族，愈有這些特色。所以，有一天，當你遭受了這種待遇，你可能變得愛中國，但卻不愛中國人。那時候，請你記得我的話，羣體就是這樣的，你不要奢求，你求仁得仁就好了，一笑而死吧。羣體會歌頌你，那也在二百五十年以後，像我們歌頌袁督師一樣，談起我們這位廣東老鄉袁崇煥，想起他、懷念他、到他墳上憑弔憑弔他，這就是公道自在人心了。」

和尚說完了一席話，康有爲點點頭，表情有一點淒楚，沒再接話。這時候，小和尚開口了：

「師父，您剛才說您當和尚只當了十一年，而您現在四十一，十一年前正好三十歲，三十歲以前您做什麼？」

和尚一聽，臉上的安詳頓時失掉了，兩道濃眉緊緊皺起，他一對精明的眼睛從小和尚臉上轉向窗外，又轉向天空，整個房間忽然變成死寂，沒有一點聲音。康有爲靜坐不動，他只感到一股丁香的氣息，陣陣從他鼻子裏吸進，這一點呼吸的感覺，使他覺得在死寂中有一種生機。他只動眼珠，斜看了一下小和尚，小和尚已低下了頭，兩眼凝視著空了的飯碗，右手拇食指交互輕摸著碗邊，沒有任何別的動作。

過了很久，康有爲終於輕輕的用兩手挪開椅子，欠起身來。「打擾得太久了，師父。」和尚醒過來，望著他。康有爲補了一句。「我也該告辭了。」

「還早啊，康先生。」和尚趕忙說著，站了起來。「喝杯茶再走。來，我們到前面客房坐，喝杯茶。來，普淨，一起來，等一下再收拾桌子。」

* * *

客房很小，簡單的擺設，朝南是一面窗，窗台下擺著長太師椅，太師椅兩邊夾著茶几。茶几兩邊轉成直角，各有太師椅一張，分別東向西向。北面牆上有書櫥，櫥上全是佛經。櫥中間伸出一張方桌，上面有文具，兩邊有椅子，看來好像是客房兼做書房。後面牆上最招眼的是一卷條幅，寫著魏之琇遊憫忠寺詩：

琳宮深邃柏蒼蒼，
懺佛台因古國殤。
妙法有源逢聖世，
孤忠堪憫惜唐皇。
老僧戒約溫而厲，
遊客心情慨以慷。

莫向殘碑說安史，
景山鼙鼓更淒涼。

康有爲站在這幅字的前面，深深被詩句吸引住。唐朝太宗蓋這憫忠寺後一百年，安祿山史思明這些將軍們坐鎭北京，曾在憫忠寺蓋了兩座大塔，後來安祿山史思明叛亂，幾乎將唐朝推翻，幸虧唐朝引用外國兵平亂，安祿山史思明又一再內訌，才算保住了唐朝江山。但一百多年後，唐朝還是完了、安祿山也早被殺了、史思明也早被殺了，只是他們留下的兩座高塔還淒涼的存在。又一百年過去了、又一百年過去了、又一百年過去了，塔終於倒了，也不知什麼時候，只留下斷壘殘碑。詩人來了，向殘碑說安史，想到大唐帝國的一世雄風，不論是帝王豪傑、不論是驕兵悍將，都雲散煙消了，安祿山史思明固然屍骨無存，就是蓋憫忠寺的唐太宗的陵寢，也早被翻開了。一幅大唐帝國的煙雲，在中國各處，都散開著、流失著，但在小小的這座憫忠寺裏，卻微妙的相聚著、銜接著。憫忠寺太小了，小得沒有人注意，但從有心人眼裏、從詩人筆下，它象徵的竟是那麼深遠、那麼淒涼。詩人從一粒沙裏能看到世界、從一朶花裏能看到天國，又何況憫忠寺，它有這麼多的塵沙與花草。從憫忠寺裏，詩人可以看到那萬馬奔騰、看到那中國先民的經營與破壞、歡笑與眼淚、生命與死亡，和死亡以後金石的追念，乃至於金石本身的變成殘碑斷壘。唐代過去了，五代又來；五代過去了，宋代又來；宋代過去了，元代又來；元代過去了，明代又來。明代老了，明代的光芒已經黯淡，進入黑夜，黑夜裏，憫忠寺的廟門偷開了，迎進袁崇煥的孤棺；袁崇煥進入孤棺以後十四年，把他殺死在刑場的明朝皇帝，竟也在鼙鼓聲裏，淒涼的走上景山，吊死在樹上。詩人寫下了「景山鼙鼓更淒涼」的句子，只有從有心人眼裏、從詩人筆下，一切才是若亡而實在。

若亡而實在。看起來好像過去了，其實沒有、其實還在那兒。中國的哲學家早就提出「景不徙」「影不移」的論證。在一處空間裏，不斷的有人和活動的留影，留影處處在改換，後影已非前影，前影雖然看不見了，其實仍在原來地方。任何空間、任何古蹟、任何殘碑斷壘，愈有歷史性的遺存，愈有這種層層相因的留影，只有空間、只有古蹟、只有殘碑斷壘，只有它們才一幕幕面對了人世的興亡。時間在它們面前排隊走過，它們是時間的檢閱者、是歷史的證人，這一眞相，詩人感觸最深，詩人把他的感觸留在紙上，紙掛在牆上，也做了新的留影。從詩人留影到紙，從紙反投這種留影到後人，又是一套完整的輪迴。

「這首七律寫得眞好。」康有爲好像剛剛醒來，讚美剛剛做的一個夢。「它把我要說的，都說出來了。」他側過頭來，看到和尚靜靜的望著他，彷彿對他的心境，有著同樣的印證。最後，和尚指著北面的桌子：

「我們備有紙筆，也想請康先生爲我們廟上留點紀念。」

「法師一番盛意，我卻之不恭，可是答應了又未免大膽。」康有爲笑著。

「那裏的話。康先生好古敏求，書法一定不凡，能爲我們留點雪泥鴻爪，千百年後，也是憫忠寺的一件特藏。……」

「法師說得太遠了、太遠了。法師這樣看得起我，我很感知遇。寫字是小技，中國人爲它消磨了不少青春，但爲了養性和聯誼，寫字倒也不是壞事。既然法師一定要我寫點字留做紀念，我也不怕寫不好，恭敬不如從命，好在是留做紀念。」於是，康有爲就走到桌邊，坐下來，在一張玉版宣紙上，慢慢寫下了：

丁香體柔弱，
亂結枝猶墊。
細葉帶浮毛，
疏花披素豔。
深栽小齋後，
庶使幽人占。

晚隨蘭麝中，
休懷粉身念。

最後小字寫上：「杜少陵江頭五詠丁香。己丑正月，南海康有爲。」康有爲落筆寫下第一行的時候，和尚的臉上就露出驚喜。全部寫完了，和尚看了又看，大爲欣賞。康有爲的字寫得太好了，筆情縱姿，氣象萬千，雄渾之中，又自成家法，風格獨具。和尚說：

「一看康先生落筆，就知道康先生在碑上下過大功夫。康先生此生光憑書法，就可以不朽了，又何必搞政治呢？哈哈哈。」

「古人說立德立功立言三不朽，並沒說『立書法』可以不朽啊！」康有爲笑著說，「就算能從書法上得到不朽，那又算什麼本領啊？對國計民生又有什麼好處啊？」

和尚點點頭，「康先生志在救世，眞是佛心。但無論如何，字的確是好。康先生博聞彊記，隨手寫出杜甫的丁香詩，來配上我們以丁香出名的憫忠寺，眞是太好了！普淨你看，康先生寫得多好！」

小和尚站在後面，好奇的瞧著，經師父一特別叫出，也就加入了：

「師父，這詩大概的意思是什麼？」

和尚說：「詩和佛法一樣，有許多只能意會，不能言傳，中國一句說詩的話叫『詩無達詁』，就是說，詩沒有確定的解釋，甲可有甲的解釋、乙可有乙的解釋，康先生，你說是不是？」

「師父說得是。」康有為點著頭。

「但是杜甫寫這首詩，大概的意思還是可以感覺到的，照我的解釋，全詩大意該是：丁香很柔弱，結子又多，葉子和花都漂亮，但是是素色中的美麗，不是豔麗的。把丁香種在房子後面，為了是給有思想的人欣賞。丁香自己呢？它早晚像蘭麝一樣發出芳香，但卻不必想到自己會磨成粉的。整首詩的意思是，一個柔弱美麗的生物，它該知道自己的特質，完成自我，雖然自我的最後完成恐怕是粉身碎骨，也不必多想了！噢，康先生，你看我有沒有弄擰這首好詩，我胡亂解釋的，可算不太離譜？」

「解釋得好、解釋得好。我認為這首詩也該這麼解釋。杜甫寫這首詩，意思是積極的，在寫一種柔弱的生物，也有堅強的特質。大家以為雄壯的松樹柏樹歲寒而知後凋，沒注意到柔弱的丁香也是有這種堅強的特性。丁香一輩子，生前死後都發出了它的特質，雖然長得一點也不雄壯。所以，大事不全是強者做的，弱者也可以做不小的事，如果結局是粉身碎骨，弱者也許不敢做。但如果『休懷粉身念』，不必多想它，最後弱者做出的功德，也不一定小呢。」

「愈解釋得愈妙了！」和尚說。「杜甫先生當驚知己於千古，——引康先生為知己。」

「引佘法師爲知己。」康有爲補上一句。

「引我們爲知己。」兩人不約而同。

大家都笑起來。小和尙看著詩，點著頭。

喝過了茶，康有爲起身告辭：「我南下回鄉時候，法師可有什麼在家鄉要辦的，我可以代勞。」

「沒有、沒有。家鄉離我，不論在空間上時間上，都太遠了。北京城就是這麼一個吸引人的地方，它使你覺得，它就是你的家鄉。」

這時候，一位管事的走進來，向和尙說：「永慶寺的和尙在外邊，說想同我們一齊到萬壽寺爲李總管的母親做佛事，怎麼回他話？」

和尙苦笑了一下，搖搖頭：「好，請他等一下，我親自同他說。」

和尙和小和尙直送康有爲到廟門。到了門口，互相道別。康有爲走了幾步，忽然和尙叫住了他：「街那邊的謝文節祠去過了嗎？」康有爲說沒有。和尙說：「不妨去一下，康先生要想多體會謝枋得殉國的眞相，那個地方，也該走一走。」

第四章　西太后

北京城西北角的城門叫西直門，出了西直門，一條河一直向西。順著河上去，再往前走七里水路，右岸就是大名鼎鼎的萬壽寺。

萬壽寺建於十六世紀的一五七七年，那年是明朝第十三個皇帝神宗萬曆五年。這座廟，是當時宦官馮保蓋的。蓋的時候，明朝國庫很富，所以先天很足，蓋得很氣派。中間大延壽殿五楹，兩邊羅漢殿各九楹。後面的藏經閣很高，左右韋馱達摩殿各三楹。在這座大廟興建以前一百七十年，明朝的第三個皇帝成祖，由於政治和尚姚廣孝幫他篡了姪子的寶座，而當了皇帝，他感謝姚和尚，特叫姚和尚監造鑄了一座直徑一丈二尺、重量八萬七千斤的大銅鐘，叫「華嚴鐘」，因爲鐘上由沈度寫了「華嚴經」八十一卷全文，和金剛般若三十二分字，刻了上去，成祖叫六個和尚每天一個字一個字去敲，「字字皆聲」，全部敲完，「華嚴一轉，般若一轉。」明神宗蓋萬壽寺，把這座大鐘懸爲特色，也敲個不停，直到他孫子熹宗時代，才算停止。鐘聲停了，明朝跟著也就亡了。

清朝起來以後一百年，第四個皇帝高宗乾隆皇帝，在乾隆十六年（一七五一），把這座大鐘搬到西直門外的覺生寺，在寺後院爲它蓋了鐘樓。可是，從此以後，這座篡勁十足不安於室的大鐘，卻篡了覺生寺的名字，——北京人都不叫覺生寺了，都叫大鐘寺了。

大鐘搬走了，萬壽寺鬆了一口氣，可以重新布置它的法相，迎接新的統治者了。過去在明朝時候，明朝統治者就來巡視過，在廟上吃飯休息，使它引爲殊榮。明朝統治者和宦官蓋了它，它的身世，一開始就跟統治者和宦官結下因緣。這樣下來，在它三百歲生日的時候，它又跟清朝統治者和宦官搭上了線——統治者是西太后，宦官是李蓮英，就是李總管。

從萬壽寺前面的河上再轉向西北，到了離西直門二十里的地方，就是萬壽山。萬壽山本來叫甕山，乾隆皇帝在把大鐘搬到覺生寺的同一年，他爲了慶祝他母親六十歲生日，把甕山改名叫萬壽山。山前面有個湖，叫西湖，乾隆皇帝也把它挖大挖深了一倍，改叫昆明湖，這個地方是北京的大水庫，北京的水源，一部分就是從這邊來的。清朝不但把它做爲水庫，還把它做爲海軍的一座訓練營，找了許多福建人來演習水操，湖改爲昆明湖，意思就是紀念漢武帝討伐西南夷的昆明國的事。那一次，漢武帝想打昆明國，因爲昆明國有滇池，需要海戰。漢武帝爲求逼眞，在國都長安西南，仿造了一個昆明池，做軍事演習。清朝乾隆皇帝爲這個湖取了這個名字，用意是很明顯的。

萬壽山昆明湖不但是北京的水庫和海軍訓練營，而且是清朝皇家的郊區大花園。這地方山水總稱好山園，乾隆皇帝改名叫清漪園。這個清漪園，雖然大到圓周十六點四八里（八點二四公里），可是還不算是排名第一的皇家花園。排名第一的是在它東北圓周二十多里的圓明園。圓明園是世界上第一名的皇家花園，它從清朝一成立，就開始修建，到了乾隆皇帝時代，又全力經營了六十年，天天在修。它不純粹是中國建築，裏面還有西方傳教士幾十年的心血，見過西方皇家花園的傳教士，說它是「萬園之園」。它的風景有一百多處，有東方的、有西方的、有仙境、有佛境，它不只一座皇宮，而是由長廊走道連接起來的百多座皇宮。據估計，每一座宮殿，不包括裏面的裝飾，建造費用就值當時四百萬法郎。這樣比起來，長度只有半公里的法國凡爾賽宮簡直不敢看它一眼。

中國的皇帝，喜歡圓明園遠超過北京城裏的皇宮，每年有三分之二的時間，都住在圓明園裏。因此，圓明園實際上，就變成一座金碧輝煌的城，它有五千多軍人防守，裏面卻沒有百姓，有百姓也是扮演的。皇帝高興，一聲令下，所有的宮女太監等等都化裝起來，扮演成法曹、商人、工人、賣藝的、說書的、小偷各行各業，在有衙門、有商店、有市場、有碼頭、有旅館、有監獄種種地方，各司其業，你來我往，熱鬧非凡。這是中國式的化裝舞會，遠從紀元前二世紀便流行在中國皇宮裏，有時候皇帝也親自加入，扮演成商人等等，與左右同樂，學做老百姓開心。他們整個是另一個階級——把老百姓關在十八道金碧輝煌的宮門外面、然後在裏面裝做老百姓的階級。

乾隆皇帝以後的清朝，開始衰弱，窮苦的老百姓已有造反的行爲。乾隆皇帝的兒子，清朝第五個皇帝仁宗嘉慶皇帝，在他即位第四年，開始調查他父親當政時代的貪官，其中有一個叫和珅的，家產被查抄後，財富竟等於全中國歲入總額的十倍！嘉慶皇帝面臨的困難還算是幸運的——他只碰到內憂，他的兒子宣宗道光皇帝即位，竟在更嚴重的內憂以外，又首次遭到白種人的外患——鴉片戰爭敗給了英國。一八四二年的南京條約起，給了洋鬼子領事裁判權、內河航行權、最惠國待遇、關稅的控制、租界的範圍、通商的港口、大量的軍費賠償和香港的領土。這是中國三千年來從來沒有過的屈辱和變局。中國人簡直無法適應。拖了十五年，道光皇帝的兒子文宗咸豐皇帝在位的第七年（一八五七），終於起了大衝突，英國法國的聯軍攻陷了廣州，俘虜了所謂不戰不和不守不死不降不走的顢頇總督葉名琛，然後又聯合美、俄兩國向北方進軍。清朝政府沒辦法，於第二年，只有進一步的賠款、進一步的喪權辱國、進一步的簽訂不平等條約——天津條約。

天津條約簽字後的第二年，英國法國派人到北京換約，爲了上岸的地點和人數不照中國規定和國際公法，雙方發生衝突。英國突然發砲轟擊大沽砲台，守軍還擊，居然打沈了四條英國船，打死了八十九個英國人。於是引起了新的戰爭。咸豐十年(一八六〇)，英法聯軍在中國登陸，向北京進軍，中國人打不過，三十歲的咸豐皇帝從圓明園裏出走，避難到熱河去。英法聯軍進了圓明園，開始大搶特搶，一個英國軍官追記這搶劫說，當時大家搶瘋了，甚至法國兵把英國已經搶到手裏要「留給女皇」的東西，也給搶走了。另一個英國軍官追記說，每個人都快樂極了，甚至連門都不開，一律用腳去踢；他們用珍本圖書去點煙、槍擊了所有的鏡子、把維納斯雕像給裝上鬍鬚，當做棒擊木偶遊戲的腦袋。……這些文明人，他們毀掉了搬不走的中國的一切，甚至連他們自己的維納斯，也要亂棒打殺了。

這就是說，這些文明人，搶還不夠，他們還要破壞。最後，英國人居然主張破壞還不夠，要燒掉圓明園，以做爲中國對外國不文明行爲的懲罰。這種決定，當時法國人認爲，如果一燒，嚇跑了中國政府主持簽約的人，反倒不好，所以不肯參加，但英國人堅持要用這種更不文明的方式，來表達他們有海盜傳統的文明。英國人派了一師人擔任縱火，當時的慘相，據一個英國人追記說，十月十八日，圓明園和附近所有的宮殿，都一齊架火燒起來。燒了兩天兩夜，黑煙彷彿一張幔子，隨著大風，蜿蜿蜒蜒，到了北京，黑雲壓城、日光掩沒，看起來，好像「一段長期的日蝕」。

當時中國的和談代表，皇帝的弟弟恭親王，曾經向英國法國說，你們既然是文明大國，這樣做，根據的是什麼？請告訴我，你們國家和我的國家，爭執的是什麼？

何人答得出這種問題呢？

「一段長期的日蝕！」

文明國家的軍隊燒圓明園，燒出興致來了，順便把附近玉泉山的靜明園、香山的靜宜園等四十四處風景、八十一間銅殿，都給燒了，同時萬壽山昆明湖的清漪園，也一齊灰化在火海裏了。這次進軍北京的戰爭，英國死了十三個人，傷了十三個人；法國死了七個人，傷了六個人。中國答應賠五十萬兩銀子，法國人同意了，英國人還不肯，他們放火燒圓明園，園中三百多中國人都燒死在裏面，爲了洋人二十條人命，中國人戰死的、燒死的、自殺的，已經不知多出幾百倍了。

不幸的報告，終於傳到熱河，咸豐皇帝吐了血。

咸豐皇帝在圓明園的時候，有四個漢族女人分住四座花園宮殿，叫牡丹春、海棠春、武陵春、杏花春，外加上一個滿族女人，住在天地一家春，被稱為「五春共度」。這個滿族女人，姓葉赫那拉氏，名叫蘭兒，為他生下一個兒子，他死的時候，這小孩只有六歲，繼位做了皇帝，就是清朝第八個皇帝——穆宗同治皇帝。

滿族女人剛進皇宮的時候，地位很低。她早年的身世，很費猜疑。官書上記載她是滿族人，她的曾祖父、祖父、父親都做過中級官吏，三代的官場地位都不高。她三歲的時候，父親就死在安徽。十六歲以前，一直住在南方，傳說她根本就是漢人，籍貫廣東，父親姓周，是一個下級軍官，因犯罪被殺，她給轉賣到滿族人惠徵家裏做丫鬟，就這樣冒充起滿族人來。十六歲後，她和妹妹北上，被當宮女選進皇宮，住在圓明園。因為她在南方住得久，會唱南方的流行歌曲，被皇帝注意到，於是開始晉級。當時皇宮女人的級位是：最高級是皇帝的祖母，就是聖祖母——太皇太后；第二級是皇帝的母親，就是聖母——皇太后；第三級是皇帝的大太太——皇后；第四級是皇貴妃，是姨太太的頭兒；第五級是貴妃，等於二姨太，兩個；第六級是妃，等於三姨太，四個；第七級是嬪，等於四姨太，六個；第八級是貴人，等於五姨太，人數不定；第九級是常在，等於六姨太，人數不定；第十級是答應，等於七姨太，人數不定；第十一級是宮女，人數不定。宮女只算是丫鬟，還不夠資格做姨太太，要被皇帝看中，有了性行為才能升級做姨太太。清朝的宮女約在兩千人以下，在中國朝代裏，還算是少的，因爲唐朝有過四萬人的記錄。專制時代帝王的橫淫，光此一件事，就可想而知。

這個會唱南方流行歌曲的滿族女人，在圓明園裏逐步向上爬，由於她爲皇帝生了兒子，立刻身價百倍，她又會討皇太后的歡心，所以不久，就升爲貴妃。大家稱她懿貴妃。

文宗死前，當政的是三個滿族人，由遠房的親王怡親王載垣、鄭親王端華、和端華的弟弟肅順。三人中以肅順最有眼光、最能幹。肅順是滿族中最能認淸與漢族合作的先知，他深深知道漢族的人才多，要借重這些人才來治理中國。他特別改正了滿族防範漢族的毛病，而與漢族的卓越人士交往。曾國藩沒有他，無法大用；左宗棠沒有他，也早被人陷害了。其他如郭嵩燾、如王闓運，這些漢族的人才，都是他欣賞的。他爲人豪爽，常請漢族的卓越人士到家裏來喝酒。他對滿漢的評語是：

「咱們旗人混蛋多，懂得什麼？漢人是得罪不得的，他那支筆厲害得很！」

肅順爲了整頓政治的腐敗，得罪了不少人。比如他認爲滿族軍人——八旗——不能打仗，要減少俸餉待遇，得罪了不少人；爲了考試舞弊，嚴辦貪汚，也得罪了不少人；他年少氣盛，心直口快，又得罪了不少人。這個毛病，使他還得罪了一個女人——那個滿族女人。

英法聯軍逼近，文宗從圓明園出走的時候，走得很倉皇，圓明園的一些妃嬪都不能全帶走，以致英法聯軍進入時，她們都跳水自殺了。文宗向熱河逃難的第一天，晚飯只吃到燒餅、老米膳、粳米粥。第二天早上，才吃到一點豬肉片，連平常山珍海味吃慣的皇帝都吃不到好東西，別人可想而知，大家只能喝豆漿。但這些困難，一些嬌生慣養的妃嬪卻管不了那麼許多，她們就遷怒於直接負責的頭兒——肅順。在路上，滿族女人嫌她坐的車太不舒服了，要肅順給她換一輛。肅順騎在馬上，不耐煩的說，現在兵荒馬亂，是什麼時候了，有這一輛就不錯了。到了熱河，物資缺乏，無法供應這些嬌生慣養的妃嬪們過北京式的日子，於是肅順就更不得諒解了。

文宗到了熱河後，心情很壞，他把戲子們從北京找來，給他唱戲。除了「四海昇平」一齣外，他對聽戲的興趣高過對國事的興趣。他聽得很仔細，唱錯一個字的四聲他都要糾正。有一次糾正一個戲子的字音，戲子說根據舊譜是這樣唱，但皇帝說：

「舊譜錯了！」

文宗身體不行了，雖然還精明得可以改正一個字的字音。但他不得不開始想到：如果他不行了，後事該怎麼辦？

清朝的家法，皇帝位子是父親傳兒子，但沒規定一定傳給老大。當時候選人有他弟弟奕訢，奕訢比他行，以致他父親宣宗始終無法決定。有一次他們去打獵，弟弟奕訢滿載而歸，可是他卻兩手空空，他的師傅教他，等下皇上問你為什麼這樣沒用，你就說：

「春天是萬物生長的時候，殺生對天地和氣有害，所以寧肯空手回來。」這一說詞，使皇帝覺得他比弟弟穩重，所以決定由他做皇帝，弟弟做恭親王。如今他若死了，他的兒子只有六歲，恭親王多少令他不安，所以他在死前一天，在宣布他兒子繼承皇位的同時，宣布怡親王載垣、鄭親王端華和肅順等八個人爲贊襄政務大臣，一齊輔佐他兒子。八個人裏面，沒有恭親王。

至於他的太太，根本沒有參與政治的份兒。母后不能干政，不但是淸朝的家法，也是中國宮廷的傳統，中國傳統女人亡國有功、治國不行。中國最早的名女人像夏朝的妹喜、商朝的妲己、周朝的褒姒、春秋的西施，都是亡國有餘的人物；而漢朝初年，第一個皇帝劉邦的太太呂后，在劉邦死後奪權亂來，更倒盡了人的胃口。所以漢朝第五個皇帝漢武帝，安排他年幼的小兒子繼承他，卻將小兒子的母親殺掉。他的理論是：皇帝小，皇帝的母親就會專權，女人一專權，就會禍國。咸豐皇帝知道這種事，他也感到兒子的媽媽懿貴妃是個厲害的女人，所以，他爲兒子安排輔佐，女人也不能列名。

皇帝死了。六歲的兒子當了皇帝，爲了尊敬他，他的母親不好再做妃子級的人物，所以，她開始升級，和生不出兒子的皇后開始接近，於是，變成了兩個皇太后：原來的皇后變成母后皇太后，上徽號稱慈安太后；懿貴妃變成聖母皇太后，上徽號稱慈禧太后，住在西宮，一般叫西太后。

西太后是個野心勃勃的女人，她認爲目前是一個機會，她向慈安太后說，現在丈夫死了，你我都吃不開了，肅順這些人當起權來，以後我們好日子也沒得過了，我們何不聯絡恭親王，來一次政變？慈安太后被她說服了，於是她們秘密通知了在北京收拾英法聯軍後爛攤子的恭親王，計畫好政變。

政變在文宗棺材運往北京的路上就開始了，載垣、端華都被交給緞帶，強迫自殺，那時候，不殺你，叫你自殺，是一種優待、是一種恩，叫做「加恩賜令自盡」。中國人不喜歡死的時候身首異處，所以不砍頭，而要你自殺是一種恩典。但從速死的效果上看，砍頭的痛苦卻比較輕。至於肅順，西太后恨他，要在北京菜市口刑場上公開殺他。那一天肅順被綁在牛車上，因爲大家都爲咸豐皇帝穿孝，肅順也穿著一身白衣，腳穿布鞋，氣氛淒涼；但他好漢到底，他在死前一直大罵，罵西太后的淫毒。他臨刑時不肯下跪，劊子手用大鐵棍打斷了他的腿，才把頭砍下來。他死後家也被抄了，家財都進了西太后的私房。他死的罪名之一是不給皇太后應用的物件，這種可笑的罪名，顯然在報復她逃難到熱河路上的一幕。就這樣的，爲了一個淫毒女人的權力欲和小心眼，整個清朝的祖制都給破壞了、皇帝的遺命給抹殺了，一股有新頭腦的改革力量，就在絞環和刀血之中，全部摧毀了。

中國在下降。

滿族女人的勢力，卻在高升。西太后和慈安太后，開始垂簾聽政。垂簾是垂下一道黃幔，地點通常是養心殿，兩宮太后分坐在黃幔後面，黃幔前面坐的是皇帝。進宮後三步，就先跪稱「奴才某某，恭請聖安」，然後脫帽、磕頭，並且說「奴才叩謝天恩」，再戴上帽子向前走，在前面的墊子上跪下。按規定，臣子不准同主子平視，要低著頭進去、低著頭應對、低著頭出來，皇宮很大，沒有電燈，只有蠟燭。剛一進去，過一陣才看得清。一般習慣是看皇帝下巴以下的地方，這樣看，既免掉平視的不敬，也可感覺到主子臉上的表情，所以，嚴格的說，除非有技巧的偷看，晉見的人實在也看不清主子的模樣。

西太后垂簾聽政那年只二十七歲，前面有足夠的時間供她奪權和揮霍，她沒有受過什麼教育，只憑一己的機警與毒辣，取得了主政的機會。皇帝是她兒子，並且只有六歲，對她沒有妨礙。能妨礙她專政的人，只有兩個，一個是慈安太后、一個是恭親王。在西太后還是貴妃的時候，慈安太后已經是皇后，儘管穆宗即位後，西太后也升級爲皇太后級，但她畢竟沒做過皇后，在慈安太后面前，總是不對勁。文宗生前，曾給了慈安太后一個密詔，這是一道遺旨，上面說，如果懿貴妃鬧得不像話，皇后可以召集大臣，宣布這個密詔，處懿貴妃死刑。文宗死後，西太后對慈安太后極爲恭敬，恭敬之中，使人覺得還是有嫡庶正側的分寸，使慈安太后感到滿意。有一次，慈安太后生了大病，病好了，看到西太后胳臂上裹著傷，問她怎麼回事，西太后說：

「太后病了，我求神拜佛，發了願，在臂上割了肉，拌在藥裏，爲太后治了病。」

這種割肉拌在藥裏的行爲，是中國的傳統迷信，中國人相信如果一個人病重，他的子女如果割股和藥，給病人吃，這種行爲就會感動上蒼，病就會好。慈安太后聽了西太后的說明，非常感動，便對她說：

「眞想不到你對我這樣好，簡直和姐妹一樣，先帝眞看錯了人！」

於是把咸豐皇帝留有密詔的事，透露出來；同時取出密詔，當著西太后的面，把密詔燒了。

這一燒，燒掉了西太后所有的顧忌和禮貌，從此以後，一切局面都變了。兩個太后集體領導的局面，愈來愈傾斜了。西太后愈來愈大權獨攬，她的方式是重用宦官。宦官俗稱太監，是一種割掉生殖器的男人，這種人的用處，是在皇宮裏打雜。皇宮裏事多，但皇帝的妻妾也多，男人在裏面辦事，會辦出毛病，但女人又不如男人能幹，於是就有了這種沒有生殖器的男人。古代的皇宮眞是一種畸型的結合——有成千上萬的女性生殖器，有上千上百的沒有男性生殖器，卻只有皇帝一個人有男性生殖器。

男人被割掉生殖器，又整天伺候在權力中樞，照顧皇帝飲食起居，在皇帝身邊看皇帝表情、代皇帝傳命，很自然的，一種情況就形成出來：他們得到皇帝信任、他們有權力、他們可以上下其手弄權力，並且這種權力的弄，又以強烈的心理變態做背景，於是，天下大亂，就多了一個亂源。

太監一般都是無知的小人，弄權弄得十分離譜。中國第一個出名的太監趙高，就表演過「指鹿爲馬」的干政技術，弄亡了秦朝。到了漢朝，太監們更是鬧得不像話，到處橫行霸道，一個太監有搶奪百姓房子三百八十一幢的紀錄，弄到漢朝亡了，軍人開部隊進宮，一次把太監殺光了兩千多個。可是沒用，唐朝又來了，唐朝的太監更凶，因爲他們不止欺負起官吏百姓了，還欺負到皇帝頭上，唐朝皇帝三分之一都是由太監擁立的，最後又弄完了唐朝，照樣是軍隊開進來，大殺特殺，殺紅了眼睛，甚至連沒有鬍子的人也當太監殺掉。到了明朝，太監又捲土重來。明朝第一個皇帝爲了怕太監弄權，特別規定不許太監讀書識字，結果無知妄作，更是可怕。明朝的太監王振，搜括的金銀竟裝滿六十間倉庫；另一個太監魏忠賢，他的勢力遍達到內閣六部四方督撫。鬧到全國向他拍馬屁，馬屁特色是給他蓋廟——建生祠。祠通常是紀念死掉的偉人的，但馬屁專家認爲魏忠賢活的時候就該享有這份榮譽，於是全國大小官員，都紛紛在各地爲他建生祠，蓋一所要花幾十萬，要砍多少樹、占多少地皮，可是誰也不敢不蓋。光在河南開封建生祠，就毀掉了兩千間民房。另一方面，稱皇帝爲萬歲，可是稱魏忠賢爲九千歲，只比皇帝少一千歲。就這樣胡鬧，鬧到明朝最後一個皇帝，他把魏忠賢辦了，可是明朝也亡了。

明朝初年爲了怕太監弄權，曾在宮門外掛上鐵牌，說太監不得干預政事，干預者殺頭。可是掛歸掛，明朝的太監仍舊鬧到了亡國。清朝初年也掛了鐵牌，規定得更嚴，犯法干政不止殺頭，要一刀一刀剮死，可是掛歸掛，太監還是坐大起來。清朝規定太監不許擅出皇城、不許干涉外事、不許交結外官、不許假名置產。……犯了這些禁條都是死罪，可是得寵的太監都沒看在眼裏。西太后爲了爭權奪利，就運用太監給她做爪牙。最初她用的是太監安德海。安德海在皇宮裏鬧個不停，還鬧到外面去。西太后垂簾聽政第九年（一八六九），安德海坐了大船小船，浩浩蕩蕩到山東去，船上掛著大龍旗，說「奉旨欽差採辦龍袍」，船上有他買來的十九歲女孩，有他叔叔、妹妹、姪女、有跟班的、保鏢的、做飯的、剃頭的、修腳的、說書的，還有個和尚和和尚的廚子。他們在船上，又唱又鬧，又雇來歌女表演，和尚也加入作樂。到了山東，上岸換車轎，騾二十二頭、馬十七匹，還有一隻驢，外帶大車轎車，又浩浩蕩蕩前進。當時山東巡撫丁寶楨看不過去了，秘密通知了恭親王，恭親王認爲該給西太后一點警告，就叫丁寶楨把安德海就地依法殺了。消息傳到了正在聽戲的西太后耳裏，她大爲光火，她恨恭親王，也恨慈安太后，認爲是他們的陰謀，她要報復，她又繼續培養她卵翼下太監的勢力。

又過了十一年(一八八〇)，西太后的勢力更穩固了。這年八月，她叫太監李三順帶東西出宮，送給她妹妹。依照宮例太監不准走正門，只能走旁門，可是太監一定要走正門，還不聽檢查，結果跟守門的發生武打，太監跑回去，加油加醬報告西太后。西太后找來慈安太后，說我還沒死他們就眼裏沒有我了，不殺守門的，我就不想活了。慈安太后害怕，就下令殺守門的，掌管司法的官說這可不行，守門的一來沒犯法，二來根據祖制，守門就該這樣不通融。慈安太后說，什麼叫祖制？等我死了，我豈不也是你祖宗？堅持要殺人。做爲司法首長的刑部尚書潘祖蔭說，既然交犯人到刑部，就得依法處理，依法處理就是無罪開釋，如果太后要殺，太后可以另外自行去殺，不能叫司法官這樣違法殺人。慈安沒辦法，只好告訴了西太后，西太后找來潘祖蔭，大哭大鬧，捶牀大罵，罵潘祖蔭沒良心。後來同意打折扣，不殺，可是要當庭打守門的，要「廷杖」——在朝廷上公然打屁股。恭親王說「廷杖」是明朝的虐政，我們清朝不能學。西太后說你事事跟我作對，你是誰啊？恭親王說我是先皇第六個兒子。西太后說我革你的職，恭親王說革得了職位爵位，可是革不了先皇兒子的身分！西太后氣得要命。最後還是遷就她，再打折扣，把不該處罰的處罰了事。

諸如此類的無法無天，到了同治皇帝十八歲的時候，有了一點轉機。同治皇帝十八歲得結婚，結了婚便算成年人，太后垂簾聽政就得結束，於是，形式上的政權轉移，愈來愈近了。

在皇后的候選人方面，兩宮太后各推薦了一個，同治皇帝選中了慈安太后推薦的封爲皇后，把西太后推薦的封爲慧妃，使西太后心裏老大不高興。結婚後，西太后老是找岔，說怎麼可以天天在房裏鬼混呀，也要到慧妃那邊走走啊，同治皇帝對這樣一個令人痛苦的母親，感到厭倦，於是那邊也不去了，反倒化了裝，溜到皇宮外面去扯，最後生了病。皇后跑去照顧他，沒想到西太后脫了襪子，潛行到幕後偷聽，聽到皇帝說：

「你暫時忍耐、忍耐吧，我們總有一天要出頭的！」

西太后立刻跳出來，抓住皇后的頭髮，一邊拖一邊打，並喊著拿棍子來。使同治皇帝在驚嚇中死去。兩個月後，十八歲的皇后吞下黃金自殺。於是，垂簾聽政的局面又回來了，西太后在形式上失去的政權，在兩年以後，在親生的兒子被她逼死以後，又回到她手中來了。

同治皇帝死後，按照規矩，應該找比他晚一輩的人繼任新皇帝，但是晚一輩的一出來，西太后又老了一級，她是受不了的，於是，她把她妹妹的孩子，她的外甥，推出來做清朝第九個皇帝，就是德宗光緒皇帝。德宗當皇帝時只有四歲，比起穆宗當皇帝時只有六歲來，起算點更低了，西太后更有時間去大權獨攬了。

就這樣的，西太后在光緒皇帝即位後第七年毒死了慈安太后、第十一年開革了恭親王，國家在她大權獨攬下愚昧而自私的統治著，一切都在腐蝕著，中國愈來愈下降了。

在西太后聯合慈安太后、恭親王奪權的時候，她二十七歲、慈安太后二十五歲、恭親王三十歲。三個年輕人，在外患聲中承擔了內憂，內憂中最麻煩的是各地的民變，在三個年輕人奪權成功以前，民變已經持續了十一年之久，此後又持續了十七年，在民變過程中，浙江從三千萬人口，剩得只有一千萬了；號稱人間天堂的浙江杭州，從八十萬人剩得只有幾萬人了；江蘇從四千五百萬，剩得只有兩千萬了。其他各省的荒村、飢民、野火、白骨、人相食，也都經常可見。

但是，雖然內憂外患如此嚴重，愈來愈嚴重，滿洲女人卻逍遙在北京城裏，在她二十七歲奪權成功後三十年，把皇家郊區大花園淸漪園重修成美輪美奐的頤和園。

頤和園是中國最大的園林勝景，有一百多處古典建築，包括宮殿、樓閣、亭台、戲院、寺觀、佛塔、水榭、長廊、長堤、拱橋、石舫等等，是前後經營八百年的帝王行宮。到西太后手裏，她重新整修、擴建，變成了只許她一個人享用的禁苑。最早時候，每年四月初一，她就住到這裏，住到十月初十才回北京皇宮；後來她索性長住在這裏了。

在頤和園裏，這個滿族的女人窮奢極侈是驚人的，她吃一頓飯，要擺出一百二十八道菜，花費白銀一百兩，折合成窮苦中國農民的小米，可供一萬五千個中國農民吃一頓。換句話說，她一天吃的，就是四萬五千個中國農民吃的總合。但是，中國農民還吃不起小米，他們從雜糧到樹皮，都得要吃，小米還是高級食品呢！

西太后從北京皇宮出發去頤和園的途中，總要下轎休息一下，休息地點，就是萬壽寺。就這樣的，萬壽寺變成了炙手可熱的一座寺，西太后的親信李蓮英等，做起佛事來，就非萬壽寺莫屬了。

第五章　康進士

當西太后從萬壽寺，坐著轎子，又「迴避」又「肅靜」的西去頤和園的時候，康有爲從法源寺走出來，孤零零的，南下廣東了。

他這次北京之行是失敗的。他來北京的目的是上書皇帝，請求改革政治。在做這上書之前，他在廣東南海西樵山，做了五年的準備，在西樵山裏，他埋頭研究中國古書，也研究所有西方新書的譯本，他不會外國文，但他搜羅了所有翻成中文的書，從讀書得間裏，去了解外國。結論是：中國必須走現代化的路才能有救，要這樣走路，首先得先說服一個人，就是皇帝。——說服西太后是沒有希望的，西太后是老頑固。——皇帝點了頭，一切才好辦。於是，他千方百計，決定上書皇帝。這次北京之行，是他上書皇上夢想的實驗，但是，他失敗了，因爲書雖寫好，可是上不上去。在中國帝王政治裏，老百姓下情上達——直接的上達，是非常困難的事，皇上極少給老百姓這種機會，想上書可以，必須得跟權貴搭線，由權貴代上，但權貴代上就得對上書的內容負責任，誰又願意沒事惹麻煩呢？何況，權貴的線也不是那麼好搭的，一個人微望輕的老百姓，又那來這種線路呢？

就這樣的，康有爲沮喪的決定南歸，他決定先加強自己的身分、自己的發言權，再捲土重來。那時候，人微望輕的老百姓，使自己有身分、有發言權的起點是應考，考秀才、考舉人、考進士。考進士是最重要的，他那時只是舉人，他決心考進士，並且著書立說、開堂講學，培養自己的班底。

這次北京之行雖然失敗了，但在康有爲心裏，有件事情使他聊以自慰，就是他總算跟權貴——皇帝的老師翁同龢搭上一點線。他先上書給翁同龢，翁同龢拒絕見他；他又託國子監祭酒盛昱介紹，但是翁同龢認爲他的上皇帝書語氣太直了、意見也沒什麼用，還是拒絕代爲上達。雖然這樣，康有爲畢竟給這上了權貴排名榜的大官，留下深刻的印象。碰巧的是，翁同龢是書法家，對古碑頗有研究，康有爲對書法和古碑，也有相當的水準。他在北京研究書法和古碑，把這種心得，在南歸以後，花了十七天的時間，寫成了「廣藝舟雙楫」，寄給翁同龢。翁同龢驚訝這年輕人有如此功力，留下的印象，從深刻中轉有同好之感了。

當然，寫這種「廣藝舟雙楫」，對康有爲說來，絕不是他著書立說的主題，他的主題是經世濟民的大著作，用這種大著作，給中國導航、給知識分子定向。這種大著作，可分三部：第一部是打破傳統學說的「新學僞經考」，告訴知識分子，要敢於擺脫傳統的枷鎖；第二部點破孔子眞義的「孔子改制考」，告訴知識分子，卽使是孔子，也是主張改革現狀的，不要怕改革現狀；第三部是提出未來遠景的「大同書」，告訴知識分子，應先走改革路線以至小康，最後再到大同的境界。

在著書立說以外，他開了一班私塾，收了十幾個學生，其中有一個十七歲就中了舉人的小神童梁啓超，那時十八歲，願意拜他爲師。舉人拜非舉人爲師，看來有點奇怪，但是梁舉人是眞正佩服這位三十三歲的康非舉人的。梁啓超本來是把舊中國的東西，念得頭頭是道的，但是有一天，和一個朋友見了康有爲，卻發現康有爲的學問是海潮音、是獅子吼，他和那朋友又驚又喜、又怨又哀，驚喜的是原來山外有山、海外有海，學問的世界是那麼大，並且能碰到康有爲這種高人，多麼令人慶幸！哀怨的是，他和那朋友一直信仰的那些頭頭是道，竟是如此的此路不通，過去所花的那麼多的氣力，其實都走錯了方向，雖然這種方向是一般中國知識分子人人都走的，但聽了康有爲的高談闊論以後，他們決定跟著康有爲走。於是，在康有爲南歸以後第二年，他的私塾在廣州開班了。私塾叫萬木草堂，教授的科目，從古典到現代、從宗教到演說、從數學到體育，一應俱全。雖然師徒加在一起，也不過十幾個人，可是大家都分工合作，做助教的叫博文科學長、敦品行的叫約禮科學長、帶運動的叫干城科學長、管圖書儀器的叫書器科監督，師生上下，親愛精誠，一起生活著、學習著，爲那渺茫而偉大的前程，共同投下新的信念、新的憧憬。

就這樣的，三年過去了。這三年，跟康有爲前五年的準備是大不同了。前五年的準備是孤獨的，這三年的準備卻是團體的。這三年中，他不但更充實了自己，並且印行了「新學僞經考」「孔子改制考」等主題著作，人微望輕的他，已變得比以前有名，並且有了梁啓超做他最得力的學生、做他最光芒四射的鼓手。他愈發「吾道不孤」了。

一八九四年到了，這是中國的甲午年，這一年，中國的外患更複雜了。過去來欺負中國的洋鬼子，還都是金髮碧眼的，都是白種人，以英國人法國人爲主。在中國古代國威遠播的時候，這些洋鬼子跟中國根本沒碰頭，中國的國威，也施展不到他們頭上，中國國威施展的對象多是黃種人，包括日本越南等。日本在漢朝，就被中國封爲倭奴國王；在元朝，還被中國攻打過，日本在中國眼中，一直是看不上眼的。但在十九世紀到來的時候，日本因爲肯變法，而變得強大，大到要打中國的主意了。日本人眼睜睜的看到，中國在衰弱，中國在一八四二年，被英國城下之盟，訂了南京條約；一八五八年，被英國法國城下之盟，訂了天津條約；一八六〇年，又被英國法國城下之盟，訂了北京條約。……城下之盟以外，雜七雜八的屈辱性條約，也一訂再訂。日本認爲中國這塊肥肉，它也要參加吃一口了。於是，在一八九四年，以朝鮮問題，同中國打起甲午戰爭了。

甲午戰爭是在一八九四年七月一日正式宣戰的，中國打敗了。打敗以後，大家都罵行政上負責人李鴻章，可是李鴻章卻說：「此次之辱，我不任咎也！」他說他久歷患難，知道世界與國家大勢、知道這仗不能打，他早已警告大家不能打，可是人人喊打，說不打不行，不打是漢奸；結果打了，打敗了，大家又罵他沒打贏，還是漢奸。所以他說，這次打敗仗，他是概不負責的。

這次戰爭，在陸上，中國在朝鮮布防，不過一萬五千人，而日本是四萬人猛攻；在海上，中國在黃海軍艦，已經六年沒添新船，英國人建議必須先買兩條快船，可是海軍經費給西太后挪用修理頤和園了，快船乃被日本買去，其中一艘變成了「吉野」號，就憑這條船，日本打沈了中國海軍的主力。

另一方面，戰爭時的同仇敵愾心態，在中國方面，也是一絕的。在戰爭開始時候，日本方面，自天皇以下，大家忙著聽軍情；可是中國方面，卻自西太后以下，大家忙著聽戲。好像仗是別人打的。這種心態，等而下之起來，也就笑話百出。以海軍而論，中國海軍分派系，分出北洋系、南洋系、閩南系、粵洋系，各搞各的。甲午戰爭前，中國舉行海軍大檢閱，粵洋系派來「廣甲」、「廣乙」、「廣丙」三條船。不料檢閱沒完，戰爭突然爆發，這三條船就被留下，以壯聲勢。戰爭下來，「廣甲」擱淺、「廣乙」打沈、「廣丙」投降。戰爭過後，粵洋系的頭子竟寫信給日本受降將軍，說這三條船都有「廣」字頭，是屬於廣東的船，本就和這次戰爭不相干，請你看在我們廣東是局外人的面上，把「廣」字頭的船還給我們！

甲午戰後，有外國人評論，說從某一方面來說，這不是中國跟日本的戰爭，這是李鴻章跟日本的戰爭。以李鴻章一個人跟日本三千萬人作戰，自然勝負分明！

日本在中國人眼中，兩千年來都是蕞爾之邦、是小鄰居、是小藩屬，如今堂堂中國被日本鬼子給打敗了，中國人感到的恥辱，遠甚於被英國鬼子給打敗。在這種恥辱下，中國知識分子們，開始有激烈的反應，其中最特殊的，就是「公車上書」。照中國傳統的說法，秀才考上舉人後，舉人進京去考進士，稱爲在「公車」，「公車上書」就是舉人向皇帝上請願書，也就是聯考前的考生們向統治者上書。這種上書，在中國早有傳統可循，那就是後漢太學生向皇帝上書的事，所以，上書雖然有點越位，卻並非不合傳統。甲午戰爭後第二年，正好是各省舉人到京師考進士的日子，康有爲、梁啓超也都從廣東來了。在中國日本簽訂馬關條約的消息傳來後十三天，梁啓超首先聯合了廣東舉人一百九十人上書陳時局；兩天以後，康有爲聯合各省舉人一千兩百人，聚會在松筠庵，上書請變法。在上書的過程裏，台灣來的舉人更是痛心疾首，因爲在馬關條約中，台灣要割給日本人了。這次上書是由康有爲起草，他花了一天兩夜的時間，寫成一萬多字的請願書，可是，對一個江河日下的政權說來，請願是無效的。上書須經過都察院這衙門轉奏，而都察院卻不肯轉奏，理由是清朝政府已經批准了馬關條約，沒什麼好談的了。

雖然表面上是沒什麼好談的了，但是，清朝政府對這種上千人——尤其是舉人——的民意表現與聯名活動，卻不能無動於衷。舉人中最突出的是康有爲，因爲康有爲已不是康舉人了，他在上書後第二天，就考中了，他眞的成爲康進士了。

康有爲成爲進士前，早已是名動公卿的人物。他在六年前就以上書出名，六年來，他的聲名更大了。尤其他的著作「新學僞經考」在頭一年被查禁，他在舉人中的聲名，更是如日中天，朝廷中守舊派對他頭痛，更是不在話下。他這次中了進士，並且幾乎考了個第一，他的聲名，自然更上層樓。在層樓頂上，他第三次上書皇帝，總算給皇帝看到了。雖然看到了，可是要想發生作用，卻還有一段距離。

康有爲成爲康進士後，爲了鼓吹，他發起辦了一個報——「中外公報」，那時中國人並沒有訂報這回事，要人看報，得白送才看。於是，他們每天印三千份，拜託並買通報童，每天朝深宅大院去送。可是，當時大家弄不淸這份報是怎麼一回事，老是疑心有什麼陰謀送上門來。所以，即使白送，有人也不敢收。弄得報童也害怕了，覺得這個報，一定不是什麼好東西，爲了怕連累，最後也拒絕代送了。

在這次辦報開始後不久，康有爲又發起組織一個救國團體——強學會，出版書刊、鼓吹新潮。這個會很引起開明人士的贊助，甚至英國美國的公使都捐送了圖書和印刷機。但是，很快的，頑固的陰影籠罩過來了，康有爲感到他在北京已難以立足了，他決定到南方去，想在南方計畫一些開展。於是，在強學會被查禁的前夜，他離開了北京。

雖然這一年在北京的活動失敗了，但是康有爲在得君行道的長路上，也有了不少進展。其中最重要的一項是，六年前，拒絕見他的皇帝的老師翁同龢，對他有了更好的印象。翁同龢不但不再拒絕他，並且還和他見了面。翁同龢記得很淸楚：六年前的康有爲，就預言過中國會敗於日本之手，如今不幸而言中，他深深感到：他未免小看了這個名叫「康有爲」的書法專家了。如今康有爲是進士了，早期進士翁同龢，倒也頗想見見這位後期的進士，於是，兩人的會面，便實現了。

這次會面有一段最影響翁同龢的對話。康有爲面對這位相貌忠厚如老農的權貴，做了這樣的談話：

「相國當然深知道光二十年，也就是五十五年前的鴉片戰爭。鴉片戰爭起因，出在洋人損人利己，把他們自己不抽不吃的鴉片煙，運到中國來，結果打出了鴉片戰爭。這個仗中國打敗了，打敗的眞正原因是中國根本落伍，中國的政府、官吏、士大夫、軍隊、武器、百姓都統統落伍。中國那時候沒跟世界全面接觸，不了解自己落伍，是情有可原；但仗打敗了，都還不覺悟，又睡了二十年大覺，鬧到了二十年後英法聯軍火燒圓明園，這就不可原諒了。英法聯軍以後，一部分人開始覺悟了，像恭親王等開始的自強運動，但是由於皇太后以下大家守舊，恭親王他們自己也不夠新，所以，三十五年來不徹底的覺悟成績，跟日本人最後一仗打出了眞相。前後一算，二十年加三十五年，一共五十五年，由於我們沒有徹底覺醒，由於洋人東洋人走得比我們快，五十五年下來，我們比起來是更退步更落伍了。現在我們回想，如果早在五十五年前，鴉片戰爭一打敗，我們就得到教訓，不先浪費第一個二十年，再接下來徹底個三十五年，我們那會像今天！」

「據康先生看，」翁同龢慢慢的說，「五十五年前鴉片戰爭後，我們不能覺悟的原因在那裏？」

「依我看，重要原因固然是中國上下都守舊，看不出來中國在世界上的處境，但能看出這種處境的士大夫，自己潔身自好、愛惜羽毛、怕清議指摘、不願多事、不肯大聲疾呼，更是重要的原因。比如說，春秋責備賢者吧，以林文忠公林則徐爲例。林文忠公在五十五年前，是官聲最好最有作爲的士大夫，也是大丈夫，他被派到廣東禁煙，道光皇帝硃批『卽朕特派，非伊而誰』，對他信任有加·,林文忠公也充滿了自信，他自信可以打敗洋人。但他爲人畢竟高人一等，他一到廣東，實地一看，就先知道中國武器不如洋人，光靠自信是不夠的。因爲中國槍砲都是十七世紀的舊貨，什麼鳥槍、抬砲、百子砲、子母砲、霸王鞭砲等等，都不是洋人的對手。所以他張羅買外國砲、外國船，還叫人翻譯洋人出的書刊，以做知彼的功夫。這些材料，後來他交給魏源編成『海國圖志』，主張以夷器制夷。日本人把這書翻譯成日文，促進了他們的維新。但以林文忠公當時的地位，以他對中國在世界上處境的了解，他做得顯然太不夠了。爲什麼？他也犯了中國士大夫守舊的老毛病——潔身自好、愛惜羽毛、怕清議指摘、不願多事。林文忠公在道光二十二年九月寫給朋友一封信，信裏明白指出洋人大砲可以打得比我們遠、打得比我們快，這個問題不面對，『卽遠調百萬貔貅，恐只供臨敵之一哄。』中國陸軍儘管有作戰經驗，但是那種經驗都是面對面打仗的經驗，現在洋人從十里八里以外，一砲就打過來，面都見不到，就打敗了。所以今天『第一要大砲以用』，沒有大砲，就是岳飛韓世忠在，也毫無辦法。『今此一物置之不講，眞令岳韓束手，奈何奈何！』林文忠公寫了這封信，他囑咐他的朋友不要給別人看，這一囑咐，就完全說明了一切。——林文忠公自己明明知道中國不行的地方在那裏，可是以他的地位，他卻不肯大聲疾呼。若說他寫信當時正走楣運，不便多說話，但是後來他又做了陝甘總督、雲貴總督，他東山再起，竟也不肯大聲疾呼。自己潔身自好、愛惜羽毛、怕清議指摘、不願多事。連林文忠公那麼賢達有爲的人，都對國家大事採取這樣消極的態度，中國的事，又怎麼得了呢？」

翁同龢一言不發，靜靜的聽著，顯然的，他深深受了這個林則徐例子的感動。林則徐死的那一年(一八五〇)，他才二十歲，那時候他人微望輕。如今他六十五了，已經垂垂老去，過去幾十年，爲國家效力，自感成績可疑；今後再爲國家效力，也不過只有幾年了，他感到年華老去，自己已來日無多，人也有代謝，國家需要新的一代來搶救。在他退休以前，如果運用他的眼力和影響力，爲朝廷薦進一些有爲的新人，豈不更好？眼前這位康有爲，倒不失是一位有爲的新人。

過了一會，翁同龢慢慢點著頭，向這三十八歲的康有爲親切的說：「康先生青年有爲，我可以看出來，我想你也知道我這老人家可以看出來，不然你也不會一再想見我了。向朝廷推薦有爲的人才，是我的責任、是我分內的事，何況知道有人才而不薦舉，是不對的。對於康先生，我自然留意。但康先生知道中國政治局面的複雜，就便以我的地位，要想辦成一些事，有許多時候，也不能正面處理，而必須以迂迴委婉的手法處理不可。我想，我會盡量在短時間內想想法子，使康先生能夠得君行道。能不能成功，我不知道，但有一點可向康先生保證的，就是我絕不再愛惜羽毛。康先生知道我在兩宮皇太后垂簾聽政的簾前講過書，是兩朝皇上的師傅，有點地位，可是我絕不持盈保泰，一定找機會大力推薦康先生，卽使羽毛被拔掉也無所謂了。」

翁同龢是江蘇常熟人，近四十年前，他不但考中了進士，還是進士的第一名——狀元，那時康有爲還沒有出生。四十年來，他個人的地位日漸上升，可是中國的地位卻日趨下降，他內心的自責與慚愧，隨著年紀的老去，與日俱增。五年前他六十大壽，西太后賜他匾一方、聯一副、福壽字各一、三鑲玉如意一柄、銅壽佛一尊、繡蟒袍料一件、小卷八個，並卽日召見，有「汝忠實」之諭，對他的籠絡，備極殊榮。可是，他內心裏卻自責、慚愧，認爲他自己的「忠實」是可疑的。這麼多年來，他「忠實」的對象，似乎只是對西太后的私恩而已，而不是對整個國家的公益。其中海軍經費給西太后挪用修理頤和園那件事，更使他痛心疾首。那時海軍的經費是幾千萬，可是實際撥給海軍的，卻不過百分之一。那時管國家財政的，不正是他自己嗎？那時不能據理力爭也不能以進退力爭的，不正是他自己嗎？那時確定十五年之內海軍不得添置一槍一砲決策的，也不正是他自己嗎？……如今仗打敗了，他自己的誤國之罪，怎麼說也有份吧？現在，他老了，他感到在有生之年，必須要做一點贖罪的事了，爲了這樣做，卽使得罪了西太后，他也顧不得了。

第六章　皇帝

翁同龢進了宮，把康有爲的意見，偷偷告訴了皇帝。請皇帝注意這個三十八歲的青年改革家。這時正是甲午之戰的第二年，中國打了敗仗，割了台灣、賠了二萬萬兩銀子，皇帝在苦悶中。

皇帝從四歲登基以來，一直在皇太后威嚴的眼神下長大，二十多年來，沒有一天不感到背後那一對可怕的眼睛。小時候，他坐在皇帝寶座上，可是背後有簾子下垂，皇太后坐在簾子後面「垂簾聽政」，若隱若現之間，使朝臣聽她的，而不是皇帝的。那時候他年紀小，聽誰的，對他都一樣。他小得不能做皇帝，大他三十六歲的大姨媽，不，皇太后，主持一切。她人在簾子後面，可是命令一直在御座前面。每次上朝，他被抱上御座，兩隻靴子底就直直對準大臣的老臉，他們說的話，他全不懂，在無聊中，他只好做一項消遣，他們之中，誰在說話，他便靠住大椅背，把靴子並著對準誰，先使他自己看不見那張說話的老臉，然後靴尖互相抵住，把靴跟偷偷分開，再從靴跟的三角形空隙，去看那張說話的嘴。——每一張嘴都不一樣，但每一口爛牙都一樣。他比較每一張嘴和牙，偷偷的笑。他不敢笑出聲來，大姨媽，不，皇太后就坐在身後。年紀小的時候，他常常聽到什麼「姨指」，後來才知道是皇太后的命令——「懿旨」；又常常聽到什麼「魚指」，後來才知道原來是他小皇帝自己的命令——「諭旨」。他慢慢分辨出「懿旨」是眞的，而「諭旨」卻是假的。這些旨呀旨的，他本來都不懂，而是翁師傅教的。翁師傅在他六歲依制就學時就來上課了。記得上課第一堂就是學寫翁師傅的名字——「內閣學士翁同龢」，好難寫啊！一個人的名字爲什麼有那麼多的「口」字？他想到上朝時靴子縫間的一張張嘴，他笑起來。可是，翁師傅立刻警告他，做皇帝，要莊嚴，請皇上不要笑。……

就這樣的，他在沒有笑容的宮廷裏長大，整天是別人向他磕頭，他再向皇太后磕頭。他夾在兩極之間，兩極之間只有他自己。整天面對的，是一層又一層的人牆與宮牆。人牆都是跪著的，是那麼矮；宮牆都是立著的，是那麼高。他沒有玩伴，要玩自己玩，可是旁邊總有

「他們」在照拂、在偷看，最後玩得也不是自己，而彷彿在戲台上。在宮中的戲台前面，他陪皇太后聽戲，他現在自己玩，被他們看，又和在宮中聽戲有什麼不同？不同的是，他的觀衆比劉趕三還要少。

他眞喜歡看劉趕三的戲，他記得十九歲結婚那年，皇太后說皇帝成人了，要把政權歸還給皇帝，撤掉了背後的簾子，實行「歸政」，他像個皇帝了。可是，在陪皇太后聽戲的時候，他還是得站在旁邊，必恭必敬。有一天，劉趕三在唱一齣扮皇帝的戲，忽然在台上插科打諢，在同台的戲子笑他是假皇上的時候，他坐在那兒忽然說：「你別看我這個假皇上，我還有座位坐呢！」當時因爲戲演得大家高興，劉趕三這一說，居然逗樂了皇太后。皇太后那天特別高興，在台上台下、大家圍著討她歡喜的時候，她居然含笑，慢慢抬高她的食指，說：「那就給我們眞皇上端把椅子吧！」從此以後，他才在聽戲時有了座位。

皇太后是他母親的姐姐，皇太后自己的小孩同治皇帝被皇太后折磨死了，所以把他這外甥找來充皇帝。在他剛出生不久，皇太后就問他母親：「有沒有打了什麼鎖？」他的母親的回話是：「啓稟皇太后：沒有。奴才們還沒有準備，只候皇太后開恩。」所謂的鎖，是掛在剛出生小孩脖子上的鎖片。中國人相信人命無常，爲了要使小孩子平平安安長大，就用象徵性的鎖片鎖住他，使他不能從來的路上走回去。皇太后從俗送了金的鎖片給他，他當然做夢也想不到，這位送鎖片的大姨媽，竟是眞正鎖住他一生的人！

皇太后的親生兒子同治皇帝死後，按照祖制，應該以晚一輩的做接班人，皇帝無嗣，該從近支晚輩裏選立皇太子。可是，皇太后不肯，因爲這樣一來，她自己又高了一輩，變成太皇太后，再去「垂簾聽政」，就不成體統了。因此她不給兒子立嗣，反倒找來外甥充皇帝。當時有御史吳可讀以「尸諫」力爭，可是也沒有用。她的妹夫醇親王聽說自己兒子給派去做皇帝，知道上有威風凜凜的大姨媽，這皇帝可不好做，因此嚇昏了，他跪在大姨子面前又磕頭又大哭，可是卻挽不回這一局面。想到自己的兒子做了皇帝，這是一種殊榮；但一想到從此親情兩斷、骨肉生分，將來的父子關係變成了君臣關係，他又感到一種隱痛。登極大典開始之日，也就是四歲的小兒子永遠離家之時。那是一個夜晚，四歲的小男孩被叫醒，給抱進了鑾輿大轎，唯一他能見得到的熟面孔，是他的乳母，那還是皇太后特詔允許的。

乳母是富貴人家的特產。按照中國的習慣，生母十月懷胎，生下兒子，體力已衰，眞正餵奶的工作，主要要靠更合適的專家來擔任，所謂專家，就是乳母。乳母大多來自農家，農家的女人接近自然、身體健康、性格淳厚，挑選乳母的條件是找到剛生小孩兩個月的、相貌端正又奶汁稠厚的爲上選。選定以後，雙方約好，從此乳母不得回自己的家、不許看望自己的小孩，她每天要吃一碗不放鹽的肘子，以利產奶，日子久了，她不再是女人，而是一條奶牛。很多農家的女人，爲了救活自己的家人，甘心出來做乳母。常見的一個現象是，她養肥了別人的小孩，而自己的小孩，卻往往餓死了。一朝富貴人家的小孩長大，她自己得以回家探親的時候，常會發現，她自己的小孩，早已不在世上多年了。

當四歲的小男孩給抱進了鑾輿大轎的時候，乳母後退，鑽進了一肩小轎，隨在儀仗行列的最後，進了皇宮。她跟小皇帝相依爲命，但是，小皇帝比她還好一點點，——在大庭廣衆的朝見中，他的親人，夾雜在衆人之中，還可以偷著看到；但她的親人呢，卻永遠長在夢中！

皇宮被叫做紫禁城。中國習慣天帝住的天宮叫紫宮，紫是紫微，就是北極星，北極星位於中天，明亮而有羣星環繞，象徵著帝王的君臨。紫禁城的格局，就是這樣建造起來的。太和殿雄踞中央，居高臨下；皇帝寢宮乾淸宮、皇后寢宮坤寧宮，乾坤定位；東邊日精門、西邊月華門，日月分列；十二宮院，十二時辰。東西六宮後面的幾組宮閣，羣星環繞。——從天地乾坤到日月星辰，眞命天子就這樣用宮殿襯托出來了。

紫禁城在白天時候，是瓊樓玉宇、琉璃生光；但一到夕陽西下、暮色蒼茫之際，一層層恐怖氣氛，就襲人而來。那時候，進宮辦事的人都走了，寂靜的乾淸宮裏就傳出太監們的淒厲呼聲：「搭門，下錢糧，燈火小——心——」，隨著一個人的餘音，各個角落裏此起彼落的響起了値班太監的回聲。這種呼叫，使整個的紫禁城，從中央開始，隨著音波傳播出一陣陣鬼氣，令人毛骨悚然。

小皇帝剛入宮的時候，只有四歲。但毛骨悚然的感覺，卻是不分日夜的。在白天，他看到的總是那威風凜凜的大姨媽，不，「親爸爸」，她要他叫「親爸爸」，令他毛骨悚然；在晚上，他看到的卻是巍峨宮殿的陰影，服侍他的尸居餘氣、不男不女的太監，和四處的鬼影幢幢，令他毛骨悚然。他在恐懼中唯一的依靠，只有他的乳母，但是乳母並不准時時在旁邊，大多的時間，他還是孤獨無靠。直到他六歲的時候，翁同龢師傅來教他讀書。他的境界，才開始在知識上有了發展。翁同龢跟他的師生之情是深厚的。從翁同龢那裏，他知道了自己、知道了中國，也知道了中國以外還有世界。人間有的，不只是那一座座皇宮，在皇宮以外，還有大地中國、大千世界。

熬到十九歲時候，皇太后形式上歸政給皇帝，但他這個皇帝，卻是空頭的，眞正的大權，還操在皇太后手裏。皇太后雖然在北京城裏不再垂簾，但在北京城外的頤和園中，卻有一道天網，罩住了北京城。

皇帝十九歲獲得歸政以後，他看到的國事，是一個爛攤子。皇太后那時五十五歲，中國在她手下，已經三十年了。三十多年前，皇太后奪權成功，乃是因爲英法聯軍殺進北京的外患而來，如今三十年下來，又來了甲午之戰新的外患，但是國家在皇太后無知又自私的統治下，更衰弱了。三十年前中國是被洋鬼子欺負，三十年後，竟連東洋鬼子都敢欺負起中國來了。隨著國家局勢的惡化、隨著自己年齡的長大，皇帝決心要翻過這座宮牆，眞正做一個像樣的皇帝。記得他小時候，在紫禁城裏，他奔跑著，奔跑過一層又一層的宮牆，可是，不論他怎麼奔跑，也翻不過它們，他知道宮牆外面是他自己的國家——有一天，他自己將去治理的國家。如今他長大了，他眞的要去治理了，可是宮牆還擋在那兒，不但有形的擋在那兒，並且無形的延伸到北京城外、伸展到城外高高在上的頤和園。那頤和園，他每個月都要去上五六次，去向皇太后請示與請安。雖然貴爲皇上，但他不能直接進入皇太后的宮殿，他得跪在門外，等候傳見，還得偷偷和一般大臣一樣，送李總管他們紅包，才得快一點進去，否則先在門外跪上個半小時，也在意中。這是什麼皇帝啊！

偌大的宮廷、滿朝的文武，除了老師翁同龢外，他沒有可以說貼心話的男人。他被歸政以後，外面傳說有皇太后的「后黨」與皇帝的「帝黨」之分，前者諢名「老母班」、後者諢名「小孩班」，但是，眞正的「帝黨」黨首、「小孩班」班主，卻是孤家寡人！他何嘗有什麼黨派與班子，人人都是皇太后的耳目，連他的皇后都不例外，皇后不是那隆裕嗎？她正是皇太后的姪女！他的身邊簡直連說貼心話的女人都沒有，除了珍妃，珍妃是他心愛的女人。但是，這一心愛，卻適足構成了皇太后用來整皇帝的過門兒。皇太后要時常向皇帝展示她的威權，而展示的方法，卻是透過罰珍妃跪、下令李蓮英等動手打珍妃耳光，做爲對皇帝的警告。有多少次，皇帝到景仁宮、到珍妃的房裏，只見珍妃掩面低泣的時候，皇帝就心裏有數，知道今天又發生了。這一天，他坐在珍妃牀邊，輕拍著她的背，他無法說什麼話，心疼、憐憫、憤怒、內疚、無奈，……所有混雜的情緒一起湧來，淹沒了他。

* * *

有多少次，他從珍妃住的景仁宮那邊回來，帶著慰藉，卻也帶著惡夢。惡夢是夜以繼日的，那是一種強迫觀念，他白天揮之不去、晚上睡中驚醒。惡夢總是從大姨媽，不，皇太后開始，那是一張威嚴的、冷峻的、陰森的大臉，無聲的向他逼進、逼進，愈近愈大，大得使他連哭都不敢，他兩臂伸向左右，十指抓動著，像是去抓住一點奧援、一點溫暖，他彷彿左手抓到了一隻柔軟的手，他感到那是乳母的、乳母的手。但是，那隻手在滑落、滑落。最後，他再也抓不住了，他失去了乳母；另一方面，在恍惚之中，另一隻手在抓他，抓他的右手，那是一隻更柔軟的手，他感到那是珍妃的、珍妃的手。但是，他自己的右手卻那樣無力，無力援之以手。最後，珍妃的手在滑落、滑落。……驀然間，眼前的皇太后後退了、轉身了，漸漸遠去。但是，一些嘈雜的聲音，卻從遠處傳來，他好奇的趕過去，可怕的畫面展示在那兒：遠遠的，皇太后左右擁簇著，高高在上，坐在大轎上面，珍妃跪在地上，衣服被撕破，被李蓮英抓住頭髮，在掌摑，一邊打、一邊以太監的刺耳音調，在數：「一、二、三、四、五。……」

皇帝衝了上去，他顧不得了，大叫：「住手！住手！」他抓住了李蓮英的肩膀，伸手就是一記耳光。李蓮英掙脫了他，彎腰撲向皇太后，跪下去，大喊：

「奴才爲了老佛爺！奴才爲了老佛爺！被皇上這樣下手打！」他一手摀著臉，假哭著。「這差使奴才幹不了了哇！幹不了了哇！」他連磕了五個響頭。「請老佛爺開恩哪！放奴才回老家吧！留奴才一條狗命吧！……」

霍然間，皇太后暴怒了。

「皇上的膽子可眞不小哪！連我的人都敢打嘴巴子了！打狗還得看看主人面子吧？你眼裏沒有李蓮英，還有我這老太婆嗎？……」

「親爸爸！親爸爸！」皇上立刻跪了下去。「兒臣不敢。」

「好吧，」皇太后冷冷的說。「我們惹不起還躲不起，看這樣，我們就躲在頤和園，不敢到你們皇宮裏來了。不過，我告訴你——」皇太后兩眼一睁，威嚴四射。「咱們可是『騎驢看唱本——走著瞧』！別以爲你做了皇上，就可以討了小老婆忘了娘。有人能讓你當上皇帝，有人就能把你給拉下來，當什麼樣的皇帝，你就看著辦吧！」……

「你就看著辦吧！」「你就看著辦吧！」……皇太后那張威嚴的、冷峻的、陰森的大臉，又重新逼近了他，可是這回不是無聲的，他的左手沒有乳母、右手沒有珍妃。他左顧右盼，可是，乳母失蹤了、珍妃也倒下了。……他驀然驚醒，坐了起來，滿頭大汗。屋裏的燭光在閃動著，只有一支燭光，燃燒自己，在陰森之中，帶給人間一點可憐的光明。

* * *

皇帝再也睡不著了，他看看洋人送給天朝的時鐘，時鐘正是兩點鐘。「也該起來了，」他喃喃自語，「今天還要上朝呢！多少官員，已經在路上了。」

祖宗的傳統是「一年之計在於春」、「一日之計在於寅」。「寅」是清早三點到五點，但這三點到五點，是辦事辦公時間，不是起牀上班時間，起牀上班，還得更早。通常凌晨一點，住在南城外頭的漢人官員，就從家裏動身了。漢人官員除非皇帝特賞住宅，是不許住內城的，雖然光緒皇帝放鬆了祖宗的規矩，可是，官員住在內城的，還是有限。滿朝文武，都經過三個門，進入皇宮，王公貴戚走神武門；內務府人員走西華門；其餘滿漢官員走東華門。走這三個門，還有規矩，規矩本來是禁嚴的、本來是要搜查的，但是官員太多，搜不勝搜、查不勝查，日久玩生，乾脆免了。但有一個規矩沒免，那就是官員進城，守門的衛兵必須喊門，喊門就是喊「哦！」一聲，表示我知道你來了。這一聲「哦！」也因官大小而異。大官來，「哦！」的聲音長；小官來，「哦！」的聲音短。有時候，衛兵愛睏，乾脆在地上鋪上席子，在門洞內、躺在被窩裏頭喊「哦！」了。爲什麼可以這樣？因爲天氣太黑、燭光太暗、門洞又長。所以縱使天低皇帝近，照樣腐化胡來。上朝的人，在「哦！」聲中，打著小燈籠，一個個魚貫前進，從三個門前進到宮裏去。當然，年高德劭的大臣還是不同的，有時候，皇帝看他們走得太辛苦，特賜紫禁城內乘二人肩輿，叫做「穿朝轎」；或乘馬，叫做「穿朝馬」，但這種優待，也只是到隆宗門前爲止。翁同龢是皇上老師，也是年高德劭的大臣，也不能例外，這天，他在隆宗門前下了轎，滿懷心事的走進養心殿。

*　　*　　*

北京城從外城朝裏走，有三座大門，中間的是正陽門、左邊的是宣武門、右邊的是崇文門。進正陽門直往裏走，就是皇城的正門——天安門。由天安門再直往裏走，就是午門，午門是一座成三邊包抄形狀的大建築，正面是一座大樓，兩邊是四座角樓。它的前面，空間很大，可容納兩萬人。明朝清朝的國家大典，常在這塊地方舉行。當然這塊地也別有他用。例如明朝的「廷杖」，皇帝發威，當場打大臣屁股，就在午門；又如清朝的「申飭」，皇帝發威，叫宦官做代表把大臣臭罵，也在午門。還有大臣們向皇上謝恩，一羣人滿地下跪，也在午門。

進了午門，就是金水橋，過橋一直走，是太和門。太和門是太和殿的正門，進了這門，皇城內最偉大的建築出現了，就是外朝的正殿——太和殿。殿前面圍著三層龍墀丹陛，第一層二十一級，第二層第三層各九級，每層都圍有白石雕成的雲龍欄杆，曲折而上，再上面就是金碧輝煌的中國最大的木構大殿。殿基高二丈（約六公尺）、殿高十一丈（約三十三公尺），是用八十四根楠木大柱做骨架造成的。

太和殿因爲是外朝的正殿，所以國家大典及元旦、冬至、萬壽等節日，都在這裏隆重舉行，這個殿，俗稱金鑾寶殿。它和後面的中和殿、保和殿，形成了三大殿，是外朝的政治中心。再往前走，就是乾清門。紫禁城的外朝與內廷之分就在這道門上。進了這門，就是內廷了。進乾清門往前直走，就是乾清宮，這是皇帝的寢宮。但是，皇帝日常眞正的活動中心卻不在這裏，而在乾清宮前右側的養心殿。養心殿是皇帝日常辦公的所在，召見臣屬、舉行宴饗，都在這裏。這個殿有皇帝的小套房，在偌大陰寒的紫禁城裏面，是比較溫暖的所在。養心殿取自「孟子」「養心莫善於寡欲」的典故，但是，「寡欲」固然太難，「養心」自也不易，這處神經中樞，其實倒是最擾人的地方。

這天，皇帝在養心殿裏單獨召見了翁同龢。

* * *

翁同龢概括的報告了中國已經面臨三千年未有之變局，請皇上從變的角度，盱衡大計。「我們的國家，也不是不變啊，三十多年前，就開始了。」皇帝對翁同龢說。「同治元年曾國藩就在安慶設立軍械所，李鴻章就在上海設立製砲局了，後來有上海的外國語言文字學館、南京的金陵兵工廠、上海的江南機器局、福州的船政局、天津的械器局、大沽的新式砲台，乃至成立招商局，這些都是先朝同治時代的變啊。即以本朝而論，從本朝元年舉辦鐵甲兵船，在各省設立西學局開始，後來設立電報局、鐵路、礦務局、武備學堂、北洋海軍、漢陽兵工廠。……直到今天。……」

「皇上說得是。」翁同龢答道。「我們的國家，三十多年來，的確已經開始變了，可是，我們變的，多是在船堅砲利方面『師夷之長』，想從這方面『師夷之長以制夷』。船堅砲利固是『夷之長』，但不是根本的，根本的長處是他們變法維新所帶來的政治進步，這才是眞正的『夷之長』。而我們卻忽略了這些，沒有去學。結果，我們不但打不過眞正的『夷』，甚至在眞正『師夷之長』的日本變法維新以後，我們都打不過。這個教訓告訴了我們：我們只有變法維新，才能救中國。伏請皇上聖裁。」

皇帝坐在寶座上，右手拇指支著下巴，其他四指揉著臉，他沈思著。他已經二十五歲，身體雖不壯碩，但是青春擺在那裏、朝氣擺在那裏，從翁師傅的口裏，他對變法維新有了具體的概念。但是變法維新需要新人、需要幫手，找誰呢？翁師傅嗎？

「臣已經太老了！老的不止臣年已六十五歲，老的是臣只能看到時代，卻已跟不上時代。」翁同龢力不從心的說。「不過，前一陣子臣向皇上提到的那個三十八歲青年人康有爲，卻是一把好手。臣願大力保薦。康有爲今年中進士第五名，表面看來，雖然不過是名優秀的進士，但這個進士卻不同於別的進士，他其實是進士中的進士，學問極好，人又熱情，能力也強。他做舉人時候，就著有『新學僞經考』等書，被兩廣總督李瀚章下令叫地方官『令其自行銷毀，以免物議』，可見他不是等閒之輩。今年割讓台灣等條款傳到北京，他又聯合各省舉人一千兩百人上書請變法。目前又在京師開強學會，想開風氣、暢智識，袁世凱他們都參加了、張之洞他們都捐了錢，做得有聲有色。他們發現，在整個的北京城，竟買不到一份世界地圖，可見中國人的民智是多麼閉塞，連京師都如此，何況其他地方？一個民智如此閉塞的國家，是無法在世界上立足的。若說洋人們一定樂見中國不能立足於世界，也不盡然。他們搞『強學會』，英國人李提摩太也來參加了。英國公使、美國公使也派人送去不少圖書。總之，一個進步的中國也是世界各國有識之士所樂見的，而這一切，都有賴於皇上聖裁。」

皇帝微微點頭，沒有說話。他緊咬著嘴角，向遠方望去。養心殿中，並沒有好的視野，好的視野，有賴於當國者的想像。養心殿西暖閣裏有一副對聯，忽然從他心中冒起，那是：

惟以一人治天下；
豈爲天下奉一人。

做爲皇帝，天下已經以一人奉他了，但是，天下已經瀕臨絕境，如何治天下，他感到責任愈來愈重了。

*　　*　　*

一八九五年過去了，一八九六年來了；一八九六年過去了，一八九七年來了；一八九七年過去了，一八九八年來了。

兩年的光陰過去了，光緒皇帝已經二十八歲了。他已經即位二十四年，他不想再等待了。他看了康有爲上書的「日本變政記」、「俄皇大彼得變政記」，更加強了他要學日本皇帝、俄國皇帝的願望，從事變法維新，他決心不讓大淸的江山斷送在他這皇帝手裏。

就在皇帝加緊進行變法維新的前夜，翁同龢被罷黜了。這個在政海打滾四十年的老臣，被皇帝「開缺回籍，以示保全」了。這一天，正是翁同龢的生日。他去上朝，忽然被擋在宮門口，不准他進去了。不一會兒，命令下來了。皇帝的無情命令，顯然是在西太后的壓力下發出的。皇帝硃諭宣布的第二天，翁同龢去辦離職手續，正趕上皇帝出來，翁同龢恭送聖駕，在路邊磕頭。皇帝回頭看著、看著，沒有說一句話。是生離？是死別？師徒二人，心頭都有說不出的滋味。事實上，生離即是死別。二十四年的朝夕相聚、二十四年的師生之情，眼睜睜的告一尾聲。

六年以後，七十五歲的老師傅在軟禁中死於故里。這個人，他爲變法維新搭了棧道，當別人走向前去，他變成了墊腳石。兩朝帝師也好、四朝元老也罷，一切的累積，只是使後繼者得以前進。他老了，他沒有力量去搞變法維新了。事實上，維新分子在歲月的侵蝕後，往往就是新一代維新分子眼中的保守分子。那咸豐皇帝的弟弟恭親王，不就是活生生的例子嗎？恭親王當年雄姿英發，不是不可一世的維新分子嗎？可是，當他老去，他卻變成了絆腳石，當翁同龢安排皇帝召見康有爲的時候，恭親王就力持反對。這一反對後四個月，六十七歲的恭親王死了，死後十八天，皇帝就召見康有爲了。

* * *

召見康有爲那天，也正是皇帝跟翁師傅生離死別的同一天，翁同龢引薦康有爲，自己不但做了墊腳石，並且招致西太后對他的忌恨。他默默承接了所有的忌恨、集中了所有的忌恨，犧牲了自己，把後繼者送上了枱面。召見康有爲的地點是頤和園仁壽殿。春夏之際，皇帝常來頤和園聽政，所以臣子也就在北京西郊的道上，絡繹於途。通常是先出北京，在頤和園戶部公所過夜，第二天清早可以爭取時間。皇帝召見是何等大事，做臣子的，必須先預補一點朝儀和規矩，正在康有爲要向人請教的時候，大頭胖子袁世凱派人來邀請了。他坐上派來的專車，直奔袁世凱的海淀別業。

「久違了，長素兄。」袁世凱迎在海淀別業門口。一邊迎康有爲進入客廳，一面寒暄過後，表明了邀請之意。「今天約老兄來，是聽說明早皇上要召見老兄。因爲這是首次，請老兄注意一些儀注。首先，老兄天沒亮就得到頤和園外朝房伺候。然後有太監引導，進宮門，到仁壽殿門，太監就退走了。這時老兄要特別注意那門檻，門檻有二尺高，門上掛有又寬又厚的大門簾，由裏面的太監掀起來，讓你進去。要特別注意，門簾起落，會特別快，老兄動作得跟得上，不小心就會一隻腳在門檻裏頭，一隻腳在門檻外面，也可能官帽被打到，打歪了，就是失儀。好在我已爲老兄先打點過，請他們特別照顧。還有……，」袁世凱站起來，從桌上拿起一包東西。「這是一雙『護膝蓋』，綁在膝蓋上，見皇上要下跪，跪久了容易麻，到時候站不起來，又是失儀。這些都是我們的經驗，特別奉致老兄。我要趕回北京有事，不能久陪了，晚上也不一定能趕回，已吩咐這邊總管照料一切，老兄盡可使喚。今天送老兄到頤和園後，明早他們會等在門口。晉見皇上後，他們再送老兄回北京。」

康有爲表達了感謝之意。心想這袁慰庭眞是老吏，他這麼細心、這麼圓到，眞是不簡單。三年前辦強學會，他還捐了錢，跟他交情不深，但他在刀口上總是出現，幫人一把，這個人眞不簡單。

* * *

頤和園的凌晨比北京多了不少寒意，大概那地方有山有湖，還有那無所不在的西太后。走到仁壽殿的時候，殿外已站了不少太監。康有爲被安排在第三名召見。前兩名召見過後，天已微曙，輪到康有爲進去，首先感到的是殿內一片漆黑，稍閉眼，再定神看，發現殿座雖大，在御案上，卻只有兩支大蠟燭。御案下斜列拜墊，康有爲走上前，跪了下去，脫帽花翎向上，靜聽問話。

一般召見時候，太監要先送上「綠頭籤」給皇上，籤上寫明被召見者的年齡、籍貫、出身、現官等履歷，以備省覽。可是，這回「綠頭籤」在旁，皇帝看都不看，表示皇帝對康有爲已有相當的了解，雖然初次見面，並不陌生。

「朕很知道你，」皇帝輕輕的說。「翁同龢已保薦你很多次了。今年正月初三，朕曾叫翁同龢、李鴻章、榮祿、張蔭桓這些大臣在總署跟你談過一次話，你說的話，朕都知道了。那天榮祿說祖宗之法不能變，你說祖宗之法以治祖宗之地，今祖宗之地不能守，又何有於祖宗之法，即如此地爲外交署，亦非祖宗之法所有也。……你那段話，說得不錯，他們報上來，大家爲之動容。後來朕再看到你的上書，朕深覺不變法維新，朕將做亡國之君，因此決心走這條路。你呈上來的『日本變政記』、『俄皇大彼得變政記』，朕都仔細看過了。據你看來，我們中國搞變法維新，要多久，才能有點局面？」

「皇上明鑑。依卑臣看來，泰西講求三百年而治，日本施行三十年而強，我們中國國大人多，變法以後，三年當可自立。」康有爲沈著的答著。

「三年？」皇帝想了一下。「全國上下好好幹三年，我相信三年一定可以有點局面了。你再說說看。」

「皇上既然高瞻遠矚，期以三年。三年前皇上早爲之計，中國局面早就不同了。……」

「朕當然知道。」皇帝特別用悲哀的眼神，望了一下簾外。「只是，掣肘的力量太多了。在這麼多的掣肘力量下，你說說看，該怎麼做？」

「皇上明鑑。依卑臣看來，眞正的問題是大臣太守舊。他們爲什麼守舊？因爲制度害了他們。中國的人才政策是八股取士，學作八股文的，不看秦漢以後的書，不知道世界大勢，只要進考場會考試，就可以做上官、做上大官。這些人讀書而不明理，跟不上時代卻又毫不自知，所以只能誤國，不能救國。爲今之道，根本上，要從廢除八股取士等錯誤的制度開始；而救急之術，要請皇上自下明詔，勿交部議，因爲任何良法美意，一交大臣去商議，就全給毀了。大臣太守舊，不能推行變法維新怎麼辦？皇上可破格提用小臣，以小臣代大臣用，國家自然就有朝氣，局面很快就會煥然一新了。小臣只願爲國家做事，不必加其官，但要委以事，不黜革大臣而擢升小臣，漸漸完成新舊交替，這樣子變法維新，掣肘的力量就可以降到最低了。」

這次召見，時間很長，皇帝大概知道這種召見的情況也很難得、也不宜多，所以一談就談了兩小時。康有爲告退後，皇帝頒發新職，名義是在總理各國事務衙門章京上行走，這是相當於外交部的中級官員名義，官位不大，因爲大官的任免，都要西太后說了算的，這樣由皇帝賞個小官，自可免得刺眼。但是，五天後就給了康有爲一個「特權」，——使他可以「專摺奏事」，不必再經過其他大臣之手，就可直達天聽。——康有爲從十年前第一次上書給皇帝起，一次又一次，費盡千辛萬苦，找盡大臣門路，都難以下情上達。可是十年下來，他終於建立了直達的管道。他要說什麼、想說什麼、有什麼好意見，總算不必求人代遞、被人攔截了。而他傾訴的對象、條陳的對象，不是別人，而是高高在上的當今聖上。一種得君行道的快感，使康有爲充滿了希望。現在，他四十一歲了，他甘願做一名小臣，在皇帝身旁爲國獻策。召見以後，他又陸續呈送了他著的「日本變法考」、「波蘭分滅記」、「法國變政考」，加深皇帝從世界眼光來看中國的水平，這是一種橫向的努力；相對的，他寫「新學僞經考」、「孔子改制考」，則是一種縱向的努力。他用龐大的證據、深厚的學問，說明中國人信奉的孔子，其實正是主張改革的人，抓住孔子做擋箭牌，守舊分子要反對，也反對不來了。十年來，康有爲在縱橫兩方面的努力，如今都到了最後考驗的關口，他感到無比的欣慰、興奮、與自信。

皇帝在召見康有爲後的第七天，就先下詔廢除了八股取士制度。接著，在康有爲的籌畫下，小臣們一個個被重用了。召見以後不到三個月，皇帝下了命令，給四個小臣均著賞加四品卿銜，在軍機章京上行走，參預新政事宜。軍機章京是軍機處中四品官以下的官，相當於皇帝的機要秘書，軍機處的首領是軍機大臣，都是三品以上的官，都被西太后扣得緊緊的，皇帝無法說了算，只能自己任命四個章京來分軍機大臣的權，把他們特加卿的頭銜，點名參預新政，這種安排，是很費苦心的。四個章京中，小臣楊銳、小臣劉光第是張之洞的學生，小臣林旭是康有爲的學生。他們三個人，都參加過康有爲召開的保國會，很早便與康有爲認識了。可是最後一位小臣，不但沒參加保國會、也沒參加強學會。就跟康有爲的關係來說，是後起之秀。這個人籍貫湖南瀏陽，生在北京，三十三歲，身分是江蘇候補知府；他的父親是湖北巡撫，這位巡撫是翁同龢朋友，翁同龢見過老友此子，在日記中寫道：「……通洋務，高視闊步，世家子弟桀傲者也。」可見他的氣派。軍機章京在皇宮裏分成兩班，這個人分到與劉光第一班。第一天上班，他「桀傲」的走進了內廷外面，御史問他、太監們問他，他一言不發，拿起毛筆，在紙上寫了三個大字——「譚嗣同。」

第七章　回向

北京的十月已經轉冷，可是冷的時候，忽然有一股暖的感覺，那就是俗說中的「溫雪」。「溫雪」就是開始要下雪了。

半夜裏梁啓超在牀上翻來覆去，一直無法成眠。他索性點起蠟燭，擁被看起書來。書是一本講北京古蹟的小册子，叫「京城古蹟考」，作者是奉乾隆皇帝之命，調查北京古蹟，寫了這本書的。書中說北京城內城本來是十一個門的，後來改爲九個門了。梁啓超心裏想，一般說「九門提督」，是掌管北京城治安的將軍，若北京沒有變小，「九門提督」豈不該叫「十一門提督」了？九個門也好，至少他這廣東人記起來，要方便一點。接著他就一邊用指頭計算，一邊背背北京的城門。北京城門一般說是「裏九外七皇城四」。有的城門，由進出的車，就可看出特出。「裏九」是內城的九個城門，南面城牆中間是正陽門，走的是皇轎宮車。正陽門東邊是崇文門，走的是酒車，燒鍋的多在北京東南，就這樣走進來。東邊城牆中間是朝陽門，走的是糧車，南方的糧食都由北運河運到通州，再由通州走大道進朝陽門，所以朝陽門附近的倉庫也最多，像祿米倉、南門倉、北門倉、新太倉等都是。朝陽門北邊是東直門，走的是木材車，附近大木廠也最多。北面城牆接近東直門的是安定門，走的是糞車，附近地壇那邊有許多糞場，把糞曬乾，賣給農民當肥料。安定門西邊是德勝門，走的是兵車，德勝兩字是討個吉利，當然打敗之事，也不在少。西面城牆接近德勝門的是西直門，走的是水車，玉泉山的水，裝在騾車上，運到皇宮。西直門南邊，也就是北京西面城牆中間那門，是阜城門，走的是煤車，附近有門頭溝、三家店等煤礦。再轉過來，轉到南面城牆，正陽門西邊的，就是宣武門，走的是囚車。宣武門外有大名鼎鼎的刑場菜市口，死刑犯都由內城經宣武門遊街到外城，然後在菜市口行刑。……梁啓超數到這裏，想到宣武門外這片北京西南地區，算是他們廣東人最熟悉的。這片地區裏，有南橫街的他們的會館，是上北京的廣東老鄉的大本營。對梁啓超自己說來，米市胡同的南海會館，他是更常去的。因爲南海會館是老師康有爲的居留地。他隨老師一直住在那裏。強學會成立後，他就搬到後孫公園，以便照料會務了。

梁啓超的留守強學會，原因是康有爲南下。那是一八九五年。這一年在北京，康有爲上書給皇帝，失敗了；辦報紙，失敗了；組織救國團體強學會，也在失敗邊緣。康有爲離開北京前夜，查禁這個會的風聲，愈來愈濃了。這個團體是政黨的雛形、也是學校的變相，由於當時氣氛太保守，所以只好用這種不倫不類的團體來過渡。但是，不論怎麼過渡，保守勢力還是要剷除它。康有爲南下後，北京京城的步兵統領衙門帶來了人馬，所有的圖書、器材都給沒收了。連梁啓超私人的一些衣服，也在被沒收之列。梁啓超給掃地出門了。

梁啓超這時只有二十三歲，一天早上，他拖著辮子、也拖著腳步，走到了北京宣武門外，走入了西磚胡同，走進了法源寺。那正是北國的冬天，晴空是一片蕭瑟。法源寺天王殿前，從屋瓦延伸到三級台階、從三級台階延伸到前院，都蓋上了一層白雪。看上去一片寒澈潔白，令人頓起清明之氣。他久已聽老師讚美過法源寺，可是，在北京住了這麼多日子，卻大忙特忙，一直未曾來過。兩天前，強學會被封了，他被掃地出門，這回可閒起來了。趁機浪跡京師，豈不也好，北京可看的地方太多了，首先就想到法源寺。

梁啓超站在雪地裏、站在法源寺大雄寶殿台階旁邊第一塊舊碑前面。他對書法的造詣，趕不上他老師，但他對佛法的研究，卻有青出於藍的趨勢。所以他端詳古碑，不從書法上著眼，而從佛法上寓目。他本是神童，四歲起讀四書、六歲就讀完五經、八歲學作文、九歲就能綴千言、十二歲考上秀才、十七歲就考上了舉人，而他考上舉人後四年，他的老師康有爲才以三十六歲的年紀考上舉人。第二年正是甲午戰爭那年，他跟老師一起進京趕考，考進士，因爲那時老師已名動公卿，主考官怕他考取，如虎添翼，所以全力封殺。在閱卷過程中，守舊之士看到一篇出色的考卷，斷定是康有爲的作品，故意不取它，結果放榜之日，康有爲考取了，梁啓超反倒沒考取，原來那篇出色的考卷是梁啓超的！守舊之士整錯了人。

雖然考場失利，但是追隨老師奔走國事，受到各界的注目與讚歎，卻也少年得志。但是，二十三歲就名滿天下的他，卻毫無驕矜之氣。他志在救世，從儒學而墨學、從墨學而佛學，嘗試爲自己建立一貫的信仰。佛學的信仰是唯心的，寺廟本身卻是唯物的，以心寄物，由物見心，寺廟有它的必要嗎？梁啓超站在石碑前面，思路一直在心物之間疑惑著。接著他走上台階，走進大雄寶殿，仰望著乾隆皇帝那「法海眞源」的匾額，他的疑惑更加深了。「法海眞源」，應該源在無形的明心見性，豈可源在有形的寺廟之中？他搖晃著比一般人要大了許多的腦袋，喃喃自語，有點不以爲然。

在寶殿中，另一個年輕人注意到他。那個年輕人三十多歲，剛毅外露，目光炯炯。看他在搖頭晃腦，走了過來。

「看你這位先生的相貌，像是南方人。」那個年輕人先開口了。

梁啓超側過頭來、側過身來，點了點頭。

「你看對了。我是廣東。不過聽你一開口就湖南話，你先生也像是南邊來的。」

「是啊，我是湖南瀏陽。你是廣東——」

「新會。」梁啓超補了一句。「咦，瀏陽會館就在這附近啊。」

「是的，就在這附近的北半截胡同。我昨天才從上海到北京，對北京並不熟。就住在我們瀏陽會館裏。」

「你先生昨天才到北京，今天早上就到廟上來，一定是佛門人士吧？」

「也是，也不是。我對佛法有研究的興趣，可是並沒像善男信女那樣對佛膜拜，當然也從不燒香叩頭。」

「我也一樣，我們是志同道合了。我對佛法喜歡研究，也喜歡逛逛寺廟。可是，總覺得寺廟跟佛法的眞義，有許多衝突的地方。宋明帝起造湘宮寺，他說『我起此寺是大功德』，可是虞愿卻說了眞話，他說：『陛下起此寺，皆是百姓賣兒貼婦錢。佛若有知，當悲哭哀愍。罪高佛圖，有何功德？』像湘宮寺這種寺廟，古往今來也不知有了多少，可能寺廟蓋得愈多愈大，離眞正的佛門精神反倒愈疏愈遠。當然，這座法源寺有點例外，它本來是唐朝的忠烈祠，一開始並沒有這種大雄寶殿式的佛教氣氛。」

梁啓超的廣東官話，說得很慢，口音有點奇怪，但是見解更奇怪了。——在佛堂裏，他沒有訶佛罵祖，但他似乎根本否定了佛堂的意義。使面前的湖南人聽了，備感好奇。湖南人說：

「你老兄的見解是很高明的，我們又是志同道合了。嚴格說來，寺廟這些有形的東西，除了有藝術的、建築的和一點點修持的功能外，離眞正佛門精神，誠如你所說，十分疏遠。自佛法入中國來，演變得好奇怪，一開始就走入魔障，大家沒能眞正把握住佛門實質，反倒拚命在形式上做功夫，佛門的大道是無形的，可是自命爲佛教徒的人，卻整天把它走得愈來愈有形，蓋廟也、念經也、打坐也、法會也、做佛事也，……這些動作，其實跟眞正的佛心相去甚遠了。『華嚴經』有『回向品』，主張已成『菩薩道』的人，還得『回向』人間，由出世回到入世，爲衆生捨身。這種『回向』後的捨身，才是眞正的佛教。但是，佛教傳到中國，中國人只知出世而不知入世，只走了一半，就以爲走完了全程。他們的人生與解脫目標是『涅槃』，以爲消極、虛無、生存意志絕滅等，是這種路線的目標，他們全錯了。他們不知道，佛法的神髓，到這裏只走了一半，要走下一半，必須『回向』才算。談到『回向』後的捨身，佛門人物也幹過，但那只是走火入魔。五代後期，周世宗就指出：『僧尼俗士，自前多有捨身、燒臂、鍊指、釘截手足、帶鈴掛燈、諸般毀壞身體、戲弄道具、符禁左道、妄稱變現還把身體力行。也只是把魂坐化、聖水聖燈妖幻之類，皆是聚衆眩惑流俗，今後一切止絕。』可見這種捨身，也只是把戲，並非眞的爲生民捨身。五代後期，全國財務困難，周世宗下令毀掉天下銅佛像，用來鑄錢。他的理由是：我聽說佛教以身世爲妄，利人爲急，如果佛本人眞身尙在，爲了解救蒼生，一定連眞身都肯犧牲，何況這些銅做的假身呢？這種理論，才是眞正深通佛法的理論。明朝末年，張獻忠『屠戮生民，所過郡縣，靡有孑遺』。有一天，他的部下李定國見到破山和尙，破山和尙爲民請命，要求別再屠城。李定國叫人堆出羊肉、豬肉、狗肉，對破山說：『你和尙吃這些，我就封刀！』破山說：『老僧爲百萬生靈，何惜如來一戒！』就立刻吃給他看，李定國盜亦有道，只好封刀。周世宗和破山和尙，他們眞是第一流深通佛法的人，因爲他們眞能破『執』。佛法裏的『執』有『我執』和『法執』：我執是一般人所認爲主觀的我；法執是所認爲客觀的宇宙。因爲他們深通佛法，所以能『爲百萬生靈』，毀佛金身，開如來戒。而一般的佛門人物，整天談世間法、談出世間法，其實什麼法都不能眞的懂、眞的身體力行。佛教被這些人信、被這些善男信女信，『佛若有知，當悲哭哀愍。』釋迦牟尼死不瞑目了。」湖南人一口氣說了這些，愈說愈有火氣起來。

「聽你老兄弘揚佛法，見解眞是過人。老兄出口就是『華嚴經』，似乎老兄比較喜歡華嚴？」

「其實那一支都被攪得烏煙瘴氣。華嚴也一樣。只是華嚴一開始就被歧視。一千五百年前『華嚴經』的譯者佛馱跋陀羅到長安，就被三千多和尚排擠，只好離開長安南下，十多年後他譯出『華嚴經』，華嚴在中國，憂患之書也。我特別喜歡它。尤其，它的成書經過也充滿了傳奇，那龍樹，他的朋友被殺了，但是他得以活下來傳播華嚴思想。朋友死了，華嚴思想不死。」

「華嚴經」的全名是「大方廣佛華嚴經」，傳說是由文殊菩薩和阿難編的，由龍神收到龍宮裏。龍樹菩薩入龍宮見到了它而得道，把它流傳人間。這部經有上、中、下三本，傳到中國來的是下本的節本。龍樹菩薩是釋迦牟尼死後七百年生的使徒、是馬鳴菩薩的再傳弟子。他很聰明，與兩個朋友學隱身法，跑到皇宮裏。皇帝下令左右四處揮劍去砍隱身人，結果兩個朋友被殺死了。在敵人揮劍的時候龍樹菩薩發現他們怕誤傷皇帝，不敢在皇帝身邊揮，於是就躲在皇帝身邊，逃過了大難。梁啓超想起了這些，愈發對這湖南人好奇起來。「這位老兄喜歡龍樹，他一定有不少俠氣。」他心裏想。接著，他開口了：

「老兄談到周世宗的捨銅佛身、破山和尚的捨素食身，都可看出老兄能就佛法大義著眼立論。以出世精神，做入世事業，氣魄自是不凡。有俗諦，而後有眞諦；有世間法，而後有出世間法。佛門言轉依，是轉世間心理爲出世間心理，但是，佛門的眞正毛病是，善男信女只知俗諦而不知眞諦，結果渾然不識世間心理，又從何轉之？從何依之？老兄說他們整天談世間法、談出世間法，其實什麼法都不能眞的懂、眞的身體力行，可謂說得一針見血。」

「老兄過獎、過獎。不過，我覺得，一針見血其實也只是說，要做到一刀見血才是行動。古今志士仁人，在出世以後，無不現身五濁惡世，這正是佛所謂乘本願而出、孔子所謂求仁得仁。最後，發爲衆生流血的大願，以無我相卻救衆生而引刀一快、而殺身破家，也是很好的歸宿，這才是眞正的所謂捨身。」說著，湖南人朝佛像一指：「殿上供著大日如來、文殊、普賢菩薩，這是通稱的『華嚴三聖』，我想他們會同意我這種從『華嚴經』而衍發的解釋吧？佛有三身：法身、報身、應身。大日如來卽佛的法身。但是，『佛地經論』說身化三種，所謂『自身相應』、『他身相應』、『非身相應』，在第二種『他身相應』中，有化魔王爲佛身、變舍利子爲天女的說法，如此化身，我認爲才眞是佛的眞身。這樣看來，坐在這裏的大日如來，站在兩邊的文殊、普賢菩薩，其實都是假身，他的本身的塑像，恰好反證了這種造形的虛妄。如果木雕有靈，這三位託假身以現身五濁惡世，眞不知他們做何感想？難道在大雄寶殿中受人膜拜，就算完事了嗎？眞的佛、眞的菩薩絕不如此。所以呀，我看，他們三位眞要不安於位呢！他們與其附託在木雕像上，還不如附身在志士仁人身上，以捨身行佛法呢！哈哈，老兄以爲如何？」

梁啓超點著頭，望著湖南人，微笑著：

「既然可化魔王爲佛身，自然可化佛身爲志士仁人之身，這種推論，是可以成立的。所以，姑且可這麼說：志士仁人的殉道，既是志士仁人捨身，也是佛與菩薩的同死，是不是？」

「可以這麼說。」湖南人微笑著。「不過，佛和菩薩可以化身爲千千萬萬，大神附體在志士仁人身上，所死不過是他們自己千千萬萬分之一，死得不是全部，但是志士仁人卻不然，志士仁人自己只有一個，所以一旦捨身，所死就是全部。這樣看來，未免不公平。哈哈！」湖南人不微笑了。

「你老兄這番議論，別有天地，不過對『華嚴經』的奧義，恐怕發明過多。」梁啓超頓了一下。「華嚴的世界有所謂『一眞法界』，這種法界，主張眞妄俱泯、生佛不分。乃超越一切對待，本體卽現象，現象卽本體，絕對平等。在這種『一眞法界』裏，萬法歸一，從數量上，一個不算少、萬億不爲多，從一粒砂石可以透視無量三千大千世界；從體積上，微塵不算小、虛空不足大，須彌納芥子、芥子納須彌，互納無礙；從時間上，刹那不算短、劫波不夠長，萬物方生方死也好、松鶴遐年也罷，都是一生。在『一眞法界』裏，一切的多少、大小、長短，都是虛假不實的，超越有無、超越時空的『一眞法界』裏，一念百千劫，百千劫在於一念；一粒微塵就是十方國土，十方國土也是一粒微塵，一卽一切、一切卽一。所以，志士仁人以一個自己捨身，其實與千千萬萬佛與菩薩捨身並無不同，佛與菩薩也沒占到什麼便宜。

更精確的說，佛與菩薩縱化身爲千千萬萬，但是千千萬萬分之一的殉道——部分的殉道，其實也就是全體的殉道，全體已隨部分死去，從一的觀點看，縱化爲千千萬萬，也是一而已。這話愈扯愈遠了，也許，佛若有知，會笑你我兩人都是曲解華嚴的罪魁禍首了。」

「沒有，沒有曲解。」湖南人認眞的堅持。「『華嚴經』是經中之王。想想看，佛陀在七個地方，九次聚會，才把華嚴講完，當時說沒有人能了解其中的奧義，除了利根的大菩薩外，鬼神也、天龍八部也、二乘根器的阿羅漢也，……都無法了解。所以這部經，就被藏在龍宮裏，直到龍樹菩薩把它背誦下來，才得流傳在外。雖然龍樹只背了三分之一，但是，華嚴的奧義我們還是能把握不少。其中的『回向』是最精采的，偉大得無與倫比。眞正把握住這種『回向』奧義以後，會發現佛法絕不消極。王安石的一首『夢』詩，老兄還記得嗎？

知世如夢無所求，
無所求心普空寂。
還似夢中隨夢境，
成就河沙夢功德。

這是多麼高的境界！何等華嚴『回向』的境界！王荆公認爲人生如夢，一無可求，他什麼都不追求，心如止水。可是，就在一個夢到另一個夢裏，他爲人間，留下數不清的功德。這種境界，才是深通佛法的境界。這種先出世再入世的智者、仁者、勇者，他們都是『死去活來』的人。人到了這種火候，就是佛、就是菩薩。而這種火候最後以殺身成仁成其一捨，也就正是此夢成眞、此身不妄。一般佛教徒理解佛經，全理解錯了。佛門精神是先把自己變成虛妄，虛妄過後，一無可戀、一無可惜，然後再回過頭來，把妄成眞，這才是正解。從出世以後，再回到入世，就是從『看破紅塵』以後，再回到紅塵，這時候，這種境界的人，眞所謂目中有身、心中無身。他努力救世，可是不在乎得失，他的進退疾徐，從容無比，這就是眞的佛、眞的菩薩。我想，老兄的看法大概跟我一樣吧？」

「一樣，眞的一樣。」梁啓超興奮的說。「你老兄和我萍水相逢，相逢於古廟、相逢於大雄寶殿之內，有佛與菩薩乃至十八羅漢爲證，兩人緣訂三生、積健爲雄、共參『一眞法界』，只談了一些話就投契如此，可謂快慰平生。」

梁啓超向湖南人作揖，湖南人也作揖爲禮。

「對了，」梁啓超補上一句，「談了半天，我還沒請教你貴姓？」

「哦，失禮，失禮。」湖南人趕忙說。「我姓譚，『西』『早』『言』那個譚，名叫嗣同。『縱我不往，子寧不嗣音』的嗣；大同小異的同。——」

梁啓超眼睛一亮，笑起來，伸手握住他。「你不是現今湖北巡撫的少爺嗎？」

「奇了，奇了！」譚嗣同眼睛也一亮，「你怎麼知道我？你是誰？你是誰？」

「我是——我是康有爲先生的學生梁啓超呀！」

「唉呀！原來你就是梁啓超，太幸會了，太幸會了！」他用力搖著梁啓超的手。「我從上海趕到北京，就是來找你們師徒呀！我在南邊就聽說你們在北京搞得轟轟烈烈，因此特地趕來，想參加你們的強學會。怎麼樣？帶我去看康先生，並辦入會手續？」譚嗣同性急了。

梁啓超苦笑了。「眞不巧，康先生八月底就去南邊了，不在北京。強學會呢，你也來遲了，三天前就被查封了，我也被趕了出來。」

「唉！眞不巧。那你怎麼辦？總不能沒地方去。好！就來住在我們瀏陽會館吧。瀏陽會館是二十二年前家父捐出來的，住在那裏跟住在家裏一樣，你不會覺得不方便。怎麼樣？」

「不必了，謝了。」梁啓超答道。「我現改住南海會館，順便給康先生看家。反正兩個會館離得很近，我們隨時可以見面。剛才你說你就是從上海來北京找康先生和我，其實我們也在北京等候豪傑之士光臨。強學會的會員一共才不過二十多個，我們太需要志同道合的同志了。老兄文武全才，我們早就聽說過，今天有緣千里來相會，眞是高興。只可惜會也給抄了家，不能帶老兄到會那邊走走。」

「這次被抄家，損失不小吧？」譚嗣同關切的問。

「當然不小。最可惜的是一張世界地圖，我們在北京找了一兩個月，想買張世界地圖都買不到，最後沒法，託人從上海才找到一張，帶到北京。記得那張地圖來的時候，大家視同拱璧。爲了推廣國人的眼界，我們每天到外面宣傳，找人來參觀這地圖呢！唉，如今這張地圖也給抄走了。」梁啓超不勝感嘆。「北京雖爲首善之區，其實人心閉塞，有賴於我們做強學會式的努力。可是，強學會三個月，就給剷除了。受了挫折，可是我們毫無悔意。陶淵明詩裏說他在長江邊種桑樹，種了三年，剛要收成的時候，忽然山河變色，桑樹『柯葉自摧折，根株浮滄海』，一切成績，都漂失了，但他並無悔意，因爲『本不植高原，今日復何悔？』——本來就不在安全地帶種樹，又有什麼好後悔的呢？所以，我們還是要種桑樹，然後兼做春蠶，自己吐絲。只是地點上，目前不適宜在北京著手了，看樣子我們要從南邊著手，上海啦、湖南啦，都是理想的起點。現在康先生已經先去南邊了，康先生有全套的計畫，我們一定可以在南邊紮根，再徐圖北上。救國本不是速成的事業，可能我們這一代看不到了，雖然有近功的機會，我們也不放棄，但從長遠看，根本之圖，還是辦學校、辦報紙，以開民智。康先生有鑑於此，他的努力重點之一便是培養學生，以人格感化學生，使學生變爲同志，一起參與救國大業。你老兄雖不是康門弟子，但是我們歡迎你一起合作、一起現身。正如龔定盦所希望的：『龍樹馬鳴齊現身，我聞大地獅子吼。』那不是更好嗎？你老兄，……哦，我該改變個稱呼的方式，我稱呼你的字吧。你的字是——」

「復生。光復的復，生命的生。」

「好，復生，我的字是卓如，卓文君的卓、司馬相如的如。我們雖不是同門，卻是同志了。」

「其實，我們精神上是同門。我私淑康先生，願意奉康先生爲師。我早就看過康先生的著作，他的『新學僞經考』在四年前出版時，我就見過翻刻的和石印的本子，雖然康先生的書被查禁了，可是他的思想卻深入人心，他能用那麼大的學問，寫成專書，推翻兩千年來的成案，眞是氣魄非凡，古今所無。對這樣偉大的知識分子，我甘願做他的學生。卓如兄，如蒙康先生不棄，請你務必先婉達此意。」譚嗣同誠懇的說。

「我一定照辦。我想，康先生如收到你這位好任俠、尙劍術、走遍大江南北、塞外東西的豪傑人物，一定高興極了。」

「奇怪，卓如兄，你對我的身世，好像瞭如指掌。」譚嗣同把頭一歪，斜看著。

梁啓超微笑著。「我比復生兄小了七歲，我生在廣東新會南鄉的熊子島，那地方是廣東沿海的漁村，很窮苦，我祖父、父親雖都考上過秀才，但是要吃飯，還是得自己種田才成。我十二歲考上秀才後，還下田呢。我出身普通人家，沒有雲遊四海的機緣，人也文謅謅的，所以非常羡慕你復生兄能夠馳騁中原與大漠，結交四海英豪。聽說你從北京起，十二歲以來，甘肅、陝西、河南、湖南、湖北、江蘇、安徽、浙江、台灣，你都去過，察視風土，物色豪傑，眞不簡單。」

「台灣我沒去過。去台灣的是我二哥譚嗣襄，襄陽的襄。他被台灣巡撫劉銘傳看中，叫他在台南服務，結果六年前，三十三歲年紀，死在台南府蓬壺書院。我差一點去了台灣，本來我要去台灣迎靈的，結果到了上海，唐景崧打電報來，叫我在上海等，我就沒去成。」

「唉，沒去成也好，」梁啓超說，「台灣在今年交接給日本了。唉，台灣是傷心之地！」

「眞是傷心之地！我們中國人爲了建設台灣，花了多少心血、多少人命，我二哥便是其中之一。如今割給了日本，此仇非報不可！此土非光復不可！誠如你卓如兄所說，我走遍了大江南北、塞外東西，在書本上學問我不如你，但在行動上的歷練，我卻自負得不做第二人想。你知道嗎？我雖是世家子弟，但絕非四體不勤五穀不分的公子哥兒，相反的，人間甘苦，我倒深嘗了不少。我十二歲時在北京大疫中被傳染，昏迷了三天三夜，才活回來，我的字『復生』，就是這麼來的。五天之間，我們全家死了三位，母親、大哥、二姐，全死了。我死裏逃生，十三歲父親到甘肅上任，我回到湖南老家。十四歲去甘肅，又碰到河南、陝西大凶年，赤地千里，隨我去甘肅的，路上一死就十多個。我在甘肅，最喜歡出塞探險打獵。可是，碰到西北風時，就好看了，西北風吹起來，眞是飛砂走石，那石塊打在身上，就好像中了強弩一樣。當然冬天下雪就好一點，但下雪有下雪的可怕。有一次在河西，我和一名騎兵迷了路，七天七夜，走了一千六百里，都沒有人煙。脫險回來的時候，屁股上髀肉狼藉，褲襠上都是血。當然，在西北也有悲歌慷慨的一面，夜裏在沙上搭起帳棚，把羊血雜雪而食，或痛飲、或豪賭、或舞劍、或擊技、或彈琵琶、或聽號角，那種豪邁與蕭條的交匯之感，眞是讀萬卷中所無。尤其，當你置身於古戰場中，感覺千百年前，胡人牧馬、漢將拓邊、嘗覆三軍、邊聲四起的氣氛，你眞會有蒼茫之感。你的心胸會開廓無比，但那種開廓，是悲涼的、是流離的、是『地闊天長，不知歸路』的，你感覺到千軍萬馬在你眼前走過，殺聲震天、血流遍地。可是，突然間，一切全停了、全都靜止了，所有的千軍萬馬，都一刹間變成一片塵埃與屍骨，天地爲愁、草木含悲，百年爲之銷聲、千年爲之孤寂。這時候，你彷彿是人間唯一的活人，在行經鬼域，不是你生弔古戰場，而是古戰場把你活活死祭。……有了那種人生歷練以後，卓如兄，我發現我已不再重視一己的餘生，那時候我只有十八歲，可是，我心蒼茫，儼然已是八十。十三年來，我沈潛學問，尤其西學與佛學，對人生的觀點，已愈發成熟，如今我三十一歲了，感到衝決網羅，獻身報國，就在今朝。因此從上海趕來，追隨康先生，希望大家一塊兒做點大事。這次來京，在路上寫了『感懷四律』，正好有謄稿在身邊，特此奉呈卓如兄。我的一生心事，全在這四首律詩中了，務請不吝指教。」

梁啓超接過了詩稿。這時，法源寺的一個和尚走了進來，向兩人合十頂禮。兩人回了禮，走出大雄寶殿，爲時已近中午。梁啓超說：

「你們瀏陽會館在北半截胡同南口路西，在南口有一家坐東朝西的飯館叫廣和居，是個談天的好地方。復生兄北來，我就在今天爲你洗洗塵。那家飯館很特別，它是一家知識分子常聚會的所在，一般市儈商賈倒不敢去那兒。這，就是北京城的味道。在北京城裏，有些地方不失爲乾淨土，水準擺在那裏，風雅人去的地方，附庸風雅的人，也會望而卻步。北京城以外的地方，就不敢說了。」

譚嗣同接受了這一邀請。兩人攜手走出法源寺。

*　　*　　*

從廣和居出來，又在外面料理了許多事，梁啓超回到米市胡同南海會館的時候，已經夜裏十點了。他躺在牀上，輾轉不能入睡，決定找點東西看看。忽然想起，早上譚嗣同不是送了他四首詩嗎？何不現在就看看？於是，他點起蠟燭，讀了起來：

其一

同住蓮華語四禪，
空然一笑是橫闐。
惟紅法雨偶生色，
被黑罡風吹墮天。
大患有身無相定，
小言破道遣愁篇。
年來嚼蠟成滋味，
闌入楞嚴十種仙。

其二

無端過去生中事，
兜上朦朧業眼來。
燈下髑髏誰一劍，
尊前屍冢夢三槐。
金裘噴血和天鬥，

雲竹聞歌匝地哀。
徐甲儻容心懺悔，
願身成骨骨成灰。

其三

死生流轉不相值，
天地翻時忽一逢。
且喜無情成解脫，
欲追前事已冥濛。
桐花院落烏頭白，
芳草汀洲雁淚紅。
再世金環彈指過，
結空為色又俄空。

其四

柳花夙有何冤業？

萍末相遭乃爾奇！
直到化泥方是聚，
秖今墮水尚成離。
焉能忍此而終古，
亦與之為無町畦。
我佛天親魔眷屬，
一時撒手劫僧祇。

梁啓超讀著、讀著、讀著，他驚呆了。天啊！這是多麼好的詩！沈鬱哀艷，字字都是學道有得之作！按說「詩無達詁」，解詩並無清楚的定說，但是，這四首詩讀起來，你立刻就有一股蒼茫的感覺，在這種感覺中去追尋一點文字的痕跡，還是可以「達詁」一下的。於是，梁啓超披身坐起來，開始仔細推敲詩稿。

「譚復生這詩，所受佛學影響之深。一開始就看出來了。」梁啓超自言自語。「佛門把蓮花看做最清淨出凡的花，淨土宗的佛教徒甚至強調死後託生蓮華，花開見佛。佛門有『蓮華國』，這是西方極樂世界的境界。在這種境界中，修四種禪定所生的天——『四禪天』，從初禪天的鼻舌以外眼耳身意四識，直到四禪天的六識之中只剩意識，十八天中境界愈來愈高，高到可以空中一笑，笑聲洋溢。想到弘揚佛法，天雨生色之時，一陣黑風吹來，天空也就慘霧愁雲。『老子』說：『吾所以有大患者，爲吾有身。及吾無身，吾有何患？』只要我不考慮到我自己的生命，我就一切超脫起來，這種超脫，就是佛門中的身無定相，在身無定相下，『莊子』所說的『小言詹詹』也就聊以遣悲懷、破邪道了。正由於自身已無，再回過頭來務實一下，所以雖然無欲心而行事，一如『楞嚴經』所描寫的味同嚼蠟，其實也是不無滋味的，大可跟著『楞嚴經』所列的『十種仙』一塊兒上天下地一番呢！」

「十種仙」是什麼？梁啓超記不清了，他下了牀，在書架上取下「楞嚴經」，查了一下。原來是：

地行仙、飛行仙、
遊行仙、空行仙、
天行仙、通行仙、
道行仙、照行仙、
精行仙、絕行仙。

「好，現在再研究第二首。」梁啓超自言自語。「佛門說三世轉生，是謂三生。『集異門論』說三世是過去世、未來世、現在世。白居易詩有『世說三生如不謬，共疑巢許是前身』。譚復生寫『無端過去生中事，兜上朦朧業眼來』，自然是指前生之事，無始無終的，忽然顯現此生。佛門所說的生死輪迴，是由『業』決定。『業』包括行動上的『業』，就是『身業』；語言上的『業』，就是『口業』、『語業』；思想上的『業』，就是『意業』。業有善有惡。由『業』生出的是『業力』，是指善惡報應的一種不可抗拒的力量，這種力量來自『業因』，達成『業果』、『業報』。『業因』是前世給今生的報應。由於前世有『業因』，所以前世的無始無終的許多事，在朦朧之間，盡入眼底。西太后和小人們，逆天行事，歌舞昇平，只是想盤據高位，位三公而對三槐，滿朝行屍走肉，一如『莊子』所指的『髑髏』，禰衡所指的『坐者爲冢、臥者爲屍』，總該把他們清除。賈島的詩說：『撞鐘飲酒行射天，金虎蹙裘噴血斑。』在小人在位、違反天意的時局裏，我跟他們，展開一場苦戰，悲歌慷慨，動地而來，但這又算什麼？生在鼎食之家，我的一切都得自吾土吾民，我不是我，我只是一具枯骨，今天在尙有血肉生命時候，我要懺悔、我要發願犧牲自己：願我的肉體化爲枯骨、枯骨化爲灰燼，爲吾土吾民獻身。」

梁啓超又進一步自言自語：「這詩的整個意思落在最後『徐甲儻容心懺悔，願身成骨骨成灰』上。是用晉朝葛洪『神仙傳』的典。徐甲是老子的傭人，跟了老子許多年，可是從沒拿到薪水，有一天他忍不住了，向老子算總帳，說老子欠他多少多少。老子眞行，他一言不發，把徐甲化爲枯骨一具。這時徐甲恍然大悟：他淸楚知道，原來自己只不過是一具枯骨，他的血肉生命怎麼來的，還不明白嗎？區區人間小事，還計較什麼？於是他懺悔了。譚復生引徐甲的故事，當然是說我們要粉身碎骨去爲大目標奮鬥，只有這種大目標，才有意義；其他人間小事，都是沒有意義的。」

「至於第三首，」梁啓超尋思著，「就更沈鬱哀艷了。佛門言死生流轉，在人經歷無量度數的輪迴後，跟自己心上的人懷念的人，本已無法相值交會。不料，在天翻地覆的亂世裏，我跟我心上的人懷念的人卻又巧遇了、相逢了。但是，前世的因緣，已杳然難尋，欲尋還休，我也以無情解脫自喜。自古以來，從燕宮歸怨、到吳宮離愁、到人間的雁行折翼，本有著太多的離情別緒，縱使人間因緣，像羊叔子那樣，本是李家七歲墜井而死的男孩的後身，且有金環以爲物證，但是，又怎樣呢？死生又流轉了，再世相逢，最後空空如也，還如一夢中。」

「最後一首也有情詩成分，」梁啓超心想著，「不過，它綜合了前三首，把對生命、對國家、對人情的一切，都串連在一起。這首詩寫人間柳絮飄萍，本寄跡水面，各自東西，雖然今天墮水成離，他年卻會化泥成聚。目前，縱有著屈原『離騷』的痛苦，卻可展現莊周隨緣的無垠。佛門以波旬魔王常率他的眷屬障礙佛法。『楞嚴經』有『如我此說，名爲佛說；不如我此說，即波旬說』之語，足徵天亦有親而魔亦有眷之外，魔眷與魔，又同爲與佛說打對台的魔說。雖然如此，這只是一時的。『佛國記』有『喝言菩薩從三阿僧祇劫苦行，不惜身命』的話，阿僧祇劫是數目的極限，是無數的意思。縱使成佛也擺脫不掉天親魔眷的攔路。但是，從自己終期於盡、歸於死亡看，一切也都是阿僧祇劫的歷程，人生的千變萬化，看開了，不過如此。」

梁啓超在燭光下，勉強把這四首詩解釋出來了，在燭影搖晃中，感到一股逼人的鬼氣。「譚復生眞是奇男子、奇男子。」他喃喃自語。「他的詩，沈鬱哀豔，字字學道有得，這種得，全是積極的、奮發的。佛法的眞義告訴我們：人相、我相、衆生相旣一無可取，而我們猶現身於世界者，乃由性海渾圓、衆生一體、慈悲爲度、無有已時之故。是故以智爲體、以悲爲用，不染一切、亦不捨一切。又以願力無盡故，與其布施於將來，不如布施於現在；又以大小平等故，與其惻隱於他界，不如惻隱於最近。於是淒然出世而又浩然入世，縱橫四顧，有澄清天下之志。『華嚴經』談『回向』，說以十住所得諸佛之智、十行所行出世之行，濟以悲願，處俗利生。回眞向俗、回智向悲，使眞俗圓融、智悲不二，而回向菩提實際。佛法的眞髓、佛法的眞精神，正在這裏啊！這些啊，才是佛法的實際。其他那些吃齋拜佛、手寫『大悲』、手數念珠的動作啊，全是假的！」

＊　＊　＊

梁啓超、譚嗣同碰面後四個多月，他們就先後南下了。他們覺得北京難以發展，所以到南方去做紮根的工作。梁啓超先在上海辦「時務報」、開大同譯書局、發起不纏足會、並且創辦了女學堂。後來發現湖南巡撫陳寶箴思想開通，他的兒子陳三立與手下黃遵憲、徐仁鑄，都協助推行新政，有更好的發展機會，就轉到湖南，做時務學堂總教習。譚嗣同也去做了老師。在時務學堂裏，梁啓超親自教育四十名學生，培養下一代的救國人才。他用的是康有爲在萬木草堂的經驗，師生打成一片，教育學生新思想、變法思想、民主思想。他每天上課四小時，課餘辦理校務、批答學生作文和筆記，每次批答，有的在一千字以上，忙得常常熬夜，最後累出了大病。這時候，湖南地方的守舊勢力也正好檢舉梁啓超他們，說他們非聖無法、妖言惑衆，湖南巡撫也保護不了他們了，所以一一予以解聘。梁啓超只好由學生扶著，登上輪船，東去上海。在學生中，有一位年紀最小的，只有十六歲，他身體瘦弱，可是靈氣過人，一直在梁啓超身邊，替老師整理行裝。他很少說話，他和梁老師從認識到相聚，只不過短短的幾個月，但是，梁老師的言教與身教，卻深深影響了他。梁老師先用「學約十條」開拓了學生的眼界，十條裏告訴學生：「非讀萬國之書，則不能讀一國之書。」要知道中國以外還有世界，了解世界才能爲中國定位、才能了解中國，「孔子之教，非徒治一國，乃以治天下。」因此爲學當「求治天下之理」。知識分子要求得此理而努力「成大丈夫」，「以大儒定大亂」，這才是讀書上學的目的。那時候，中國的教育風氣，都是教人把讀書當敲門磚、當成考科舉、謀干祿、光宗耀祖的工具，但是，梁老師卻完全撇開這些，他用更高層次的目標，來期勉學生，使學生在入學起點，就進入新境界。這個十六歲的小男生，是四十個學生中最聰明的，名叫蔡艮寅，對這種新境界最爲醉心。他在作文和筆記本中，長篇大論的討論知識分子的使命和中國的前途，梁啓超除了在上面批答以外，還把大家的作文和筆記都攤開來，互相觀摩討論，在討論中，蔡艮寅不多話，但是每次發言，都能把握重點，見人所未見，老師和同學都特別喜歡他。

蔡艮寅出身湖南寶慶的農舍，七歲開始讀書，一邊讀書、一邊種田。夜裏看書，爲了節省油燈的開支，他每在有月色的時候，就盡量利用月光來伴讀。他在十歲以後，就感到無書可讀之苦，他到處打聽有可能借書看的所在，書是借不出來的，他每每一走幾十里，到有書的地方去就地借看，做成筆記，帶回來研習。十三歲時候，他已經讀了不少書。這時候，他拜同縣的樊錐做老師。樊錐是一位思想高超、氣魄雄偉的人物，在「湘報」上發表「開誠篇」和「發錮篇」，感動了蔡艮寅，也召來了湖南地方守舊勢力的憤怒。最後，樊老師被驅逐出境了。蔡艮寅爲樊老師整理行裝，直送老師上路。那是一個陰雨的清早，樊老師背著行李，提著書袋，走出家門，蔡艮寅背著另一書袋，跟在後面，在地方守舊人士的叫囂下，師徒二人，默默走到馬車邊，馬車太小，老師只分到一個座位，所以東西必須堆在腳下，有的要抱在胸前。樊老師上了馬車，蔡艮寅吃力的把書袋推上去，老師接過了，從書袋旁擠出頭來，向學生告別。蔡艮寅小小年紀，眼睜睜的看著自己的老師被這樣趕走，他含淚點著頭、伸出胳臂，遲緩的招了手、招了手。馬車逐漸遠去，直到在陰雨中變成了一個逐漸縮小的黑點，那手才放下來。可是，心卻沒放下，他浮動的心，打定主意要離開這錮人心智的地方。三年以後，他隻身到了長沙，進了時務學堂。運氣眞好，他碰到了梁老師，一位比樊老師更光芒四射的人物。樊老師使他知道中國、梁老師卻使他知道世界；樊老師使他知道家鄉以外有一片天、梁老師卻使他知道天外有天。可是，因緣是那麼容易破碎，梁老師也遭到被驅逐的命運。如今，他又背著書袋，送梁老師上船了。

梁老師被學生扶著，躺進了臥艙，他吃力的咳嗽著，蔡艮寅趕忙跑去找開水，一衝出艙門，跟一個人撞了滿懷。抬頭一看，原來是譚嗣同譚老師。譚老師扶住他肩膀，拍拍他，下了艙去。

蔡艮寅找到開水，回來的時候，正聽到梁老師對大家說的一段話：

「……我們不能捨身救國的原因，非因此家所累，就因此身所累。我們大家要約定：非破家不能救國、非殺身不能成仁。誰同意這一標準，誰就是我們的同志。……」

送行的人們點了頭，譚嗣同補充說：

「我們大家在時務學堂這段因緣，恐怕就此成爲終點，但是我們的師生之情、相知之情、救國之情，卻從梁先生這一標準上，有了起點。我們時務學堂的師生都是有抱負、有大抱負的。此後我們會從不同的方向、不同的角度，去救我們的國家，成敗利鈍，雖非我們所能逆睹，但是即使不成功，梁先生所期勉的非破家不能救國、非殺身不能成仁，相信我們之中，一定大有人在。在看不見想不到的時候、在不可知不可料的地方，我們也許會破家殺身，爲今日之別，存一血證。那時候，在生死線上、在生死線外，我們不論生死，都要魂魄憑依，以不辜負時務學堂這一段交情。……」

譚嗣同從牀邊站起來，向梁啓超抱拳而別，大家也魚貫走出艙房，蔡艮寅走在最後一個。他轉身向梁老師招手，眼中含著淚。梁老師微笑著望著他，招手叫他過去：

「艮寅，臨別無以爲贈，我送你一個名字吧，艮寅的名字不好，又八卦又天干地支，不能跟你相配，改個單名，叫『蔡鍔』吧。鍔是刀劍的刃，又是很高的樣子，又高又鋒利，正是你的前途。至於字，就叫『松坡』吧。歲寒然後知松柏之後凋，有松樹那種節操，再加上蘇東坡那樣灑脫，正是蔡鍔的另一面啊！」

第八章　大刀王五

梁啓超回到上海，已是一八九八年的春天。這一年是光緒二十四年戊戌年，過去多少年的經營，都在這一年快速有了結果。先是四月二十八日光緒皇帝召見了康有爲；十七天後，五月十五日，皇帝又召見了梁啓超，賞給梁啓超六品官頭銜，要他辦理印書局事務。這是一次很奇怪的召見，按照朝廷定例，一定要四品官以上，才有資格被皇上召見，皇上是不召見小臣的。那時候梁啓超只有二十六歲，不但不是小臣，根本是一介布衣，由皇上召見布衣，這在清朝開國以來，都是罕見的事。

罕見的還不止此。七月間，譚嗣同也被召見了。七月二十日，發表了四個軍機章京，軍機章京像是唐朝參知政事的官，官位不算大，但接近皇帝，有近乎宰相的實際權力，光緒皇帝認爲康有爲名氣太大，怕刺西太后的眼，所以把康有爲安排在皇宮外面，雙方透過四章京，保持聯絡。於是，在退朝以後、在下班歸來，在南海會館、在瀏陽會館，就多了大家聚會的足跡。

不過，聚會對譚嗣同說來，是不很單純的。康有爲、梁啓超、乃至其他三位章京——楊銳、劉光第、林旭等人，他們都純粹是知識分子，就是一般所說的書生，他們的交遊範圍，是狹窄的，但是譚嗣同卻不然。他的交遊，除了和他一樣的書生以外，還包括五湖四海的各行各業人物，也就是書生眼中的下層階級。譚嗣同小時候讀左太沖的詩，讀到「何世無奇才，遺之在草澤」，非常欣賞。他相信「草澤」之中，必有「奇才」存在，一如孔子相信十室之內必有忠信一樣。而這種「奇才」，在書生中，反倒不容易找到，黃仲則的詩說「仗義每多屠狗輩」，就是這種觀點。譚嗣同要結交五湖四海中的豪傑之士做朋友，爲的是他相信救中國，光憑書生講空話寫文章是不夠的，還得伴之以行動，而這種崇尚行動的人，卻只有從下層階級去找，尤其是下層階級的幫會人物。他首先想到的，就是「洪門」人物。「洪門」是明末遺民反抗清朝的秘密組織。它的遠源來自台灣。當年鄭成功義不帝清，退守台灣後，他和部下歃血爲盟，宣誓大家結爲兄弟，從事反清復明的大業。他開山立堂——開金台山、立明遠堂，成立了「漢留」，表示是滿族統治下不屈服的漢族的遺留。再派出了五員大將，潛入大陸，就成爲「洪門的前五祖」，以福建九連山少林寺爲大本營。爲了向台灣溯源，譚嗣同說動了他二哥譚嗣襄去台灣，追蹤鄭成功「漢留」的足跡。可是二哥追蹤的結果，卻很洩氣，他寫信告訴譚嗣同，台灣已經不是鄭成功時代的台灣了，台灣變了，變得只見流氓不見大俠了，要找大俠，還得從大陸去找。於是，譚嗣同決定在中原的下層階級裏去找同志，就這樣的，他認識了王五。

王五是北京人，他本姓白，八歲時就成了孤兒，他和弟弟沿街討飯，討到了北京順與鏢局，鏢局的王掌櫃看他長得相貌不凡，就收留了他，認爲養子，改姓王。十一年後，王掌櫃死了，他就繼承了鏢局。由於他行俠仗義、爲人直爽、武功又高，就被人叫做「大刀王五」，他的本名，是王正誼。

鏢局是一門奇怪的行業。幹這行的人，被達官貴人大商巨賈請來做保鏢，保護人身或押運貨物上路，直到目的地爲止。這種業務，叫做「走鏢」。幹「走鏢」，或走「水路鏢」、或走「陸路鏢」，都要冒不少風險，風險就是路上的強盜，一般叫做賊。

開鏢局的不能見賊就打，那樣代價太高，打不勝打。相反的，不但不是打，而是和談。遇到有賊攔路，鏢局的頭兒總是近上前去，一臉堆笑，抱拳拱手，向賊行禮，招呼說：「當家的辛苦！」那做賊的，也得識相，能放一馬就得放。也會回答：「掌櫃的辛苦！」接著賊會問鏢局的名字：「那家的？」保鏢的就會報上字號。於是，就開始用「春點」談，「春點」，就是黑話。

「春點」的範圍包括江湖上的師承與幫派，如扯上遠祖或同門關係，大家都一師所傳，就好說了。給賊面子，承認賊給方便，是賞飯給鏢局。然後就有這樣的對話：

「穿的誰家的衣？」賊問。

「穿的朋友的衣。」保鏢答。

「吃的誰家的飯？」賊問。

「吃的朋友的飯。」保鏢答。

這是眞話，因爲保鏢的，正是吃的是賊的飯。——沒有賊這一行，誰還要找保鏢呢？賊正是衣食父母啊！

一陣「春點」拉下來，賊把路讓開，表示放行了。臨走保鏢還得客氣一番。說：

「當家的，多謝『借路』。你有什麼帶的，我去那邊，幾天就回來。」

「沒有帶的。」賊也客氣。「掌櫃的，你辛苦了。」

賊不託帶東西，但賊會進城來玩。玩的時候，也會找上鏢局，鏢局一定會保護他們，不讓官方捉到。要是給捉到，招牌就砸了。以後上路，江湖絕不好走了。

大刀王五的鑣局，雖然是北京城裏八個鑣局中的一個，但是，由於王五的名氣大，所以，在「走鑣」時候，只要一亮出王五的堂號，四方綠林，無不買帳。正因爲王五跟賊的關係好，所以，有些痲煩，也就惹到頭上。有一次，一連發生了幾十件刼案，被搶刼的，又多是貪官汚吏，引起刑部的震驚，下令叫濮文暹太守去抓。濮太守派了官兵幾百人去宣武門外王五家抓人，可是王五以二十人拒捕，官兵不敢強進宅內，相持到晚上，官兵暫退，王五也穿著兵士制服，混在其中脫走。第二天，王五忽然到濮太守那兒自首。濮太守奇怪：

「抓你你拒捕，不抓你你自首，怎麼回事？」

王五說：「你來硬的，我就硬幹；你既撤兵，我就投案。」

濮太守說：「我知道你早已洗手不幹強盜的事，但你總要幫我破破案，幾十個案一齊來，豈不給做官的好看！」

王五說：「大人的忙我一定幫，問題是你大人要贓還是要人？要贓，我可幫忙追回；要人，只好拿我去頂罪。」

濮太守決定但求追贓而已。就這樣的，問題解決了。

後來，王五感於濮太守是淸官是好官，沒有栽誣他是匪類，在濮太守下台去河南的時候，還派人送了他一程。

王五外號「京師大俠」，這是人們讚美他的俠氣。另一方面，他的武功也是第一流的，大刀只是他武功的一面而已，他還精於劍術，在跟他學劍的學生裏，有一個湖南人，就是譚嗣同。

譚嗣同是外號「通臂猿」的胡七介紹認識王五的。他稱王五爲「五爺」、胡七叫「七哥」。王五、胡七叫譚嗣同做「三哥」。王五的哥兒們一律跟著叫「三哥」。譚嗣同是這些人中唯一的知識分子，但他毫不以此自驕，反倒跟這些粗人相偕，稱兄道弟。大家都知道三哥書讀得好，有學問，並且肯教他們，沒有架子。大家樂意跟三哥接近，聽三哥談古論今。大家知道三哥的老太爺是做官的，三哥是官少爺，三哥不會幹他們那一行，各幹各的。但是，大家是哥兒們，大家肝膽相照，就這樣的，大家交上朋友，並跟王五和胡七拜了把兄弟，轉眼十年了。

十年間，王五和哥兒們有好多次跟譚嗣同談到幫會的事，他們很明顯表達出他們反對滿洲人的傳統。但是，一碰到滿洲人這個問題，譚嗣同好像就有點不願多說。不過，他也不掃他們的興，也不說他們不是，笑著看他們叫罵。大概是態度不明朗，哥兒們頭腦簡單，就以爲三哥也是反對滿洲人的。

大家做朋友，做到了第十年，一八九八年到了。譚嗣同應召進宮見光緒皇帝，並在軍機處做了四章京之一，消息傳遍了北京城，也傳到了鏢局。

* * *

「他去見了皇上！」「他去見了皇上！」六個字，像空氣中釘進六顆釘子，王五他們呆住了。他們互相看著，都不說話。有人沮喪的低了頭。

「譚嗣同背叛了我們！」胡七突然斷釘截鐵。

「沒有，譚嗣同沒有背叛你們！」一個堅定的口音響在門口，站在那裏的，正是譚嗣同。

「三哥啊！」王五大叫了起來，他突然站起來，滿臉通紅。「三哥，你去見他幹什麼！我們是什麼立場？他們是什麼立場？我們和他們之間，有什麼好談的？我們和他們之間，沒有好談的！要有，就是他們擦我們，我們擦他們！」王五的右掌做成刀狀，來回各做一個砍頭的姿式。「三哥啊，你是有大學問的，不像咱們哥兒們是老粗，你比我們讀書明理，你說說看，你爲什麼去見滿洲人，要幹這種事，你叫我們怎麼辦？怎麼對待你？」

「這就是我不先告訴你們的原因，我不能使你們爲難、使你們精神上先有負擔。我若先告訴了你們，你們一定不同意我去。我去以前，結果是好是壞我也沒把握，所以，我寧願先去試試看，如果結果不好，那就是我一個人判斷的錯，不牽連五爺和各位。如果先告訴了你們，你們一定不同意我去，如果去了結果好，你們就擋住了這個結果，豈不我又陷你們於判斷錯誤？所以，我決定還是不先告訴你們。我。……」

「你！你！你他媽胡說！」胡七陡的站起來，撩起了袖子，大家也都站起來。王五把左手手心向下，從左胸前向外劃過，暗示不要輕舉妄動。譚嗣同坐在方桌的一邊不動，神色安詳的說：「五爺、各位，你們總該先聽我把話說完。說完了，大家好合好散，也落個明白！」

「他媽的你去見了滿洲人，並且一見還見的是滿洲頭子，你背叛了我們，你還有什麼話好說完！我們這樣看得起你，原來你背叛了我們！」胡七吼叫。

「七哥！……」譚嗣同開口。

「你別叫我七哥！七哥是你叫的！我們的交情，今天就是完了！你別叫我七哥！」

「好吧，我不叫，我只是請問你，我。……」

「我不要聽你我、我、我，我們拜了把子，今天就要同你拔香頭；我們發誓同年同月同日死，你記住，明年的今天，就是你的忌日！」胡七一邊吼著，一邊越過方桌，直朝譚嗣同撲過來，大家也一擁而上。茶杯滾到地上。

「住──手！」王五的洪亮喊聲，使人人都立刻縮了回去，譚嗣同安詳的坐在那裏，鼻孔流下血，茶水濺滿了一身。他任鼻血一滴滴淌下，擦都不擦。他穩定得像一尊佛像，不是金剛怒目，而是菩薩低眉。

王五突然翻開了小褂，掏出了腰間的匕首，明晃晃的，大家望著他，可是譚嗣同若無其事。王五把自己白色小褂最後一個鈕扣解開，左手拉起了衣角，用匕首朝小褂割去，割下一塊方形的布，收起匕首，把布鋪在左掌上，朝譚嗣同鼻子摀上去，他右手按住譚嗣同的肩，說：「到牀上仰著躺一下。」

王五扶譚嗣同躺在牀上，叫人拿兩條溼手巾來給他，親手用一條擦掉臉上的血跡，另一條摺好，放在額頭上。他伸手拉開了被，爲譚嗣同蓋上。然後打個出去的手勢，他卻不先走，讓大家先出去，然後輕關上門。

*　　*　　*

大家在房外草地上，蹲著，蹲著。王五不開腔，他拿出旱煙袋，裝上煙絲，從火石包裏掏出黃棉，放在煙上，用打火石打燃黃棉，一口接一口吸著。大家跟進，也點上煙，胡七不抽煙，他蹲在那裏，用一根樹枝，在地上用力畫著叉子，畫了又描上，愈描愈深，嘴角隨著畫線在扭動。

「大哥，」胡七忍不住開口了，「我眞不明白，以譚三哥這樣的人，爲什麼背叛我們？」

王五吸著旱煙，沒有看胡七，眼只望著天，冷冷的說：

「他沒有背叛我們，他如背叛了，他就不來了。」

胡七想了一下，恍然若有所悟：

「說得也是，他若背叛了，他該明白再來不就是送死嗎？他還不明白我們不會饒他嗎？他上次還告訴我們，湖南馬福益那一幫前一陣子四當家的犯了則，兄弟們決議是叫他從山頂跳下去，最後兄弟們送他上山，他一邊走，一邊還照顧送他的大哥，說：『大哥小心走，山路太滑。』馬福益是三哥的同鄉，又是朋友，三哥難道不知道幫裏的規矩？我不信。」

「也許他不認爲他犯了規矩吧？所以他敢回來。」有人說。

「犯規也好、不犯規也罷，問題是他如果背叛了，他回來幹嘛？他總得有個目的啊？」又有人說。

「目的就是拉咱們一起跟他下海，一起做滿洲人的奴才，他自己一個人做還不夠！」胡七把樹枝一丟，大聲說。

王五望著天，含著煙，並沒有抽。終於轉過頭來：

「不要瞎猜了。三哥一定有他的原因，這原因不是你們能猜得透的，也不是我王五猜得透的。他學問太大，我們是粗人，我們不清楚。只清楚譚嗣同絕不是背叛朋友的人，我敢以這顆腦袋擔保，我王五活了幾十年，五湖四海，閱人無數，就沒把人看走眼過，我就不相信譚嗣同有問題！譚嗣同有問題，不要他從山上跳，我先跳！不但先跳，並且挖下我眼睛後再跳！」

「我們當然相信大哥，相信大哥不會看走了眼。」胡七心平氣和的說。「我剛才動手，也說不出爲什麼，大概三哥不告訴我們，不讓我們這些粗人明白，所以氣起來了。」

王五白了他一眼：「不對吧，他是要告訴我們的，他好像說了『你們總該先聽我把話說完』的話，還說了『好合好散，也落個明白』。可是你沒聽進去，就動了手了。」

大家望著王五，低下頭，胡七也低下頭。低了一下，又抬起頭，望著王五：

「這可怎麼辦？大哥你說怎麼辦？」

「還是要先聽聽他的。」王五說著，站起身來。大家也都站起來，一起走進屋去。

*　　*　　*

他們再進房裏的時候，譚嗣同已經起來了，正在洗臉。那臉盆是搪瓷的，可是已很破舊，原來的盆底已爛了，是用洋鐵皮新焊接的。焊工在北方叫鋸碗的，他們把打破的碗接在一起，把破片和原底兩邊外緣鑽上釘孔，再用馬蹄形銅扣扣入釘孔，最後塗上白色膠合劑，就變成了整補過的新碗。鋸碗的同時可用白鐵皮焊壺底、焊臉盆底、焊水桶底。……他們是廢物利用的高手、是家庭日用器材的修補人。工業時代的人們、有錢的人們，腦中很少有修補的觀念，可是農業時代的窮困中國人，他們卻把任何可以報廢的東西都不報廢，他們珍惜舊的、愛護舊的、對舊的發生感情，他們寧肯釘釘補補，也很難汰舊換新。這種情形，變成了一種定律、一種習慣，最後變成了目的本身。所以，最後問題不再是有沒有能力換新的問題，而是根本就先排除換新，一切都先維持舊的爲天經地義，不能維持則以修補舊的爲天經地義。所以，中國人的家裏，有著太多太多十幾年、幾十年、乃至上百年的用品，父以傳子、子以傳孫，相沿不替。農業時代的窮困，形成了中國人的惜舊觀念，從一套制度到一個臉盆，都無例外。

譚嗣同搽臉的時候，王五走過來：

「你流了不少的血。他們太莽撞了。」

譚嗣同苦笑了一下。從水缸裏舀出兩勺清水，洗著血紅的手巾。

「讓他們洗吧，別洗了。」王五說。

「沒關係，還是自己洗吧，有機會能洗自己的血，也不錯。有一天——」他突然若有所思，抬頭，停了一下，又低下來，「血會流得更多，自己要洗，也洗不成了。」

「弟兄們太莽撞，三哥不要介意。」王五說。

「怎麼會。」譚嗣同說。「也要怪我自己。我一直沒好好使大家明白這回事。」

「那就大家好好談個清楚。十多年來，大家跟三哥拜把子，沒人不敬佩三哥。但是，對滿洲人的立場，大家一向分明，如今三哥這樣做，未免傷了弟兄們的感情。我們幫會的人，對滿洲人是絕不諒解的。現在，既然事情鬧開了，大家就弄個清楚。」王五說。

「也好。」譚嗣同說著，把手朝下按示意大家坐下來。

「三哥記得嗎？」王五首先開口，「康熙年間，東北的西魯國老毛子擾亂中國，滿洲人平不下來，因爲需要能夠一邊游泳一邊作戰的，才能跟西魯人打，東北人游泳是不行的，一邊游泳一邊作戰更別提了。那時候有人向康熙皇帝提議，何不徵用平台灣以後移到北京住的這些閩南人，他們都是鄭成功系的海盜世家，用他們來打西魯老毛子豈不以毒攻毒，於是就成爲定案，去打西魯老毛子。」

「你這麼一說，我彷彿記起來了。」譚嗣同摸著頭，「那個仗，不是說福建莆田九連山少林寺一百二十八個和尚幫忙打的嗎？」

「三哥眞是大學問家，一點也不錯。當時康熙皇帝徵用這些閩南人，因爲是海盜世家，所以平台灣後康熙不要他們再在台灣住，免生後患，就都被強逼著移民到北方來。這回爲了打西魯老毛子，徵用他們，有五百人可用，他們不高興幹，這時候從福建趕來一百二十八個少林寺和尙，大家用閩南話商量，少林寺的和尙勸他們說：滿洲人是我們的敵人，抄了我們老家，這個仇，非報不可，這是個機會，滿洲人這回有求於我們，打外國人，我們不妨跟他們合一次作，一來是不管滿洲人怎麼壞，究竟同是中國人、究竟這個仗是打外國人，對外作戰總比對內作戰重要；二來是如果仗打贏，滿洲人欠我們情，至少對我們有好印象，高壓的政策會改緩和，我們可以保持實力，徐圖大舉。於是這些閩南人都願意了，在康熙二十四年，跟西魯老毛子打了一次水仗，打法是中國人每人頭上頂了一個大牌子……。」

「我打個岔，那個牌子是藤子做的。」

「啊，可奇了！三哥怎麼知道？眞奇了！」

「打贏了西魯老毛子以後，滿洲人印了一部書，叫『平定羅刹方略』，裏頭提到過『福建藤牌兵』，就是指這些閩南人。」譚嗣同補充說。

「對了，我們書看得太少，你們有學問就是有學問，眞行！眞行！」

「但我不知道藤牌兵怎麼打的。」

「藤牌兵是在江裏游泳，用藤牌做盾，衝到西魯老毛子船邊，鑿漏老毛子的船，老毛子搞不清怎麼來了這種怪打法，把他們叫做『大帽韃子』。他們眞倒楣，自己在台灣多少年想殺韃子，結果竟被別人叫做韃子。」

「後來呢，後來不說又有火燒少林寺的事？」

「仗打贏了，滿洲人說大家有功，要行賞。和尚們不接受，表面上是說我們是出家人，不受人間榮華；骨子裏是根本不承認你滿洲人有賞的資格。等和尚回少林寺後，不久，滿洲人就去派兵火燒，一百二十八個和尚，僅逃出五個，其餘的都死了。逃出的五個，找到明朝崇禎皇帝的孫子朱洪竹，大家同盟結義，結義時候天上有紅光，紅光的紅與朱洪竹的洪聲音一樣，大家都說是天意，就開始了洪門會，那五個和尚，就是洪門的前五祖。前五祖剛由少林寺逃出來的時候，曾在沙灣口地方折下樹枝發誓：

天之長，
地之久，
縱歷千萬年，
亦誓報此仇！

所以洪門的主義就是報仇，反淸復明，跟滿洲人幹到底。後來在武昌地方打了敗仗，朱洪竹失蹤，大家只好化整爲零，徐圖發展，最後留下一首詩做爲日後聯絡憑證：

五人分開一首詩，
身上洪英無人知，
此事傳與衆兄弟，
後來相會團圓時。

於是各開山堂，秘密發展下去。發展成爲『三合會』『天地會』『三點會』『哥老會』『淸水會』『匕首會』『雙刀會』，……愈分愈遠，誰也搞不淸了。三哥是大學問家，應該比我們更淸楚。」

「話不是這麼說，洪門一直是秘密的，所以簡直沒有任何寫下來的材料，一切都憑口傳，難免傳走了樣。我所知道的，也極有限，但從官方的一些材料裏反過來看，有時候可以正好跟口傳的配合上，像剛才五爺說的藤牌兵，就是一個例子。」

「三哥說得是。」

「又比如說『大淸律例』中有說福建人有歃血訂盟焚表結義的，要以造反罪處分，爲什麼看得這麼嚴重？就是爲了對付洪門。滿洲人注意洪門，搞不淸洪門宣傳，除嘴巴你傳我我傳你以外，一定得有寫下來的才方便，一直扯了一百五六十年，才在咸豐年間發現了一本書，不是別的，就是『三國志演義』。『三國志演義』的特色是提倡恢復漢室，桃園三結義，大家拜把子，可成大事，忠義千秋。所以咸豐皇帝查禁『三國志演義』。」

「哦，原來是這個緣故。洪門以後的事，太複雜了，簡直搞不清楚。只知道成立洪門是爲了反淸復明，可是後來發現很多兄弟又跟淸朝合作，大家搞不淸怎麼回事，要反他，怎麼又跟他合作？合作、合作，洪門前五祖不就是合作上了大當，兎死狗烹，惹來火燒少林寺，怎麼還合作？三哥，這到底是怎麼回事？」

「這說來話長，得先從滿洲人種說起，才能說明白。」譚嗣同先喝了一口水。「世界人類種族有三大類：黃種的蒙古利亞種、白種的高加索種、黑種的尼革羅種。中國人是黃種，其中又分了漢滿蒙等大族。在大族中，漢族一直是中國土地上的老大，幾千年歷史中，中國土地上完全被其他種族統治的時期，只是十三世紀蒙族元朝，和十七世紀到今天的滿族，加在一起，只有三百四十多年。蒙族人長得比較矮，眼珠黑，鬍子少，但蒙族的祖先成吉思汗那一支，卻灰眼珠，長得高，又有長鬍子，可能混有滿族的血液。十三世紀蒙族占據中國後，它把滿族排名第三，叫滿族做漢人，把漢族排名第四，叫南人；十七世紀滿族占據中國，它同樣把蒙族排在漢族之前，跟蒙族通婚，給蒙族和尙蓋喇嘛廟，不許漢族種蒙族的地，也不許跟蒙族通婚，並且規定漢族在蒙族地方做生意，有一定居留期間。滿族的用意很明顯，他要聯合蒙族，抵制漢族。

「滿族爲什麼防範漢族？因爲漢族在中國做老大太久了，根太深了、人太多了，文化又高，不能不約束它的影響力和同化力。滿族南下的時候，自中國東北越過萬里長城，正象徵了漢族的失敗——萬里長城擋不住漢族以外的種族了。當時守長城的漢族總司令是愛情至上的吳三桂將軍，聽說首都北京被流寇攻進，皇帝上吊死了，他按兵不動；但接著聽說在北京等他的情人陳圓圓小姐也被搶走了，他就不再忍耐，於是他跟敵對的滿族拉手，借滿族的兵，去救他的陳圓圓。

「這一後果是可想而知的，滿族進了北京，不再走了。他用最隆重的喪禮來爲明朝的殉國皇帝發喪，同時把孤零零陪這個皇帝同死的一個太監，陪葬在這三十五歲就自殺了的皇帝身旁，他們又消滅了攻進北京的流寇，然後在北京出現了滿族皇帝。

「滿族對漢族說：『殺了我們皇帝的，是我們的仇人流寇；殺了我們仇人流寇的，是我們的皇帝。』這是一種巧妙的代換，把漢族的皇帝的底片，跟滿族的皇帝的底片重摺沖洗，『皇帝』這個名詞沒有變、這個象徵沒有變，但是照片上的相貌，卻不同了。

「滿族決定用一些具體而明顯的方法來使漢族屈從，於是從頭做起，先改變漢族的髮型。用你肯不肯改髮型，一望而知你肯不肯就範。漢族舊有的髮型是留長頭髮，但是滿族卻是留辮子，留到今天，我們儘管恨滿族，可是還是得跟著留辮子。

「不過，滿族雖然被漢族所恨，漢族說滿族是異族、是夷狄，其實這是不對的。因爲大家都是中國人。古代中國小，中原地區只是河南、山西這些地方，那時大家以爲除了這地方的人，其他都是異族，其實都是老祖宗們的瞎扯淡！並且異族的範疇和定義，也因扯淡的扯法不同而一改再改。在當年陝西周朝的眼光中，山東殷朝之後的孔夫子，就是道道地地的異族；可是曾幾何時，殷周不分了，變成了一家子人了；而周朝的晚期，山東幫和陝西幫，又把湖北幫看成異族，所謂荊楚之地，乃蠻貉之區，於是屈原又變成了異族；可是又曾幾何時，湖北人也擠到山東、陝西人的屁股底下，也不是異族了；於是又手拉手起來，向南發展，把四川、貴州人看成異族，所謂『夜郎自大』等挖苦話，就是罵西南人的。

「這些說不盡的有趣的夷狄標準的變化，使我們可用它的觀點，來重新檢討中國的民族歷史。中國民族從遠古以來，就處處顯示出『夷夏不能防』的混同痕跡。第一次混同的終點是秦朝，秦朝時候已完全同化了東夷和南蠻中的荊吳，以及百越、西戎、北狄的一部分；第二次混同是漢至兩晉南北朝，這是一次更大的混同，匈奴、氐、羌、東胡、南蠻、西南夷等等，紛紛大量跟中土人士交配，而生下大量大量的雜種；第三次混同是隋唐到元朝，從突厥、契丹、女眞，直到蒙古，中國又增加了一次新的民族混同的紀錄；第四次是明朝以後，直到今天滿漢通婚，又一批新的雜種出來了。正因爲這種一而再、再而三、三而四的混同，日子久了，我們常常忘了我們漢族中的胡人成分。我們忘了唐太宗的母親是外國人，也忘了明成祖的母親是外國人，其實，唐朝啦、明朝啦，他們皇親國戚的血統，早就是雜種了。於是，一個很可笑的矛盾便發生了。這個矛盾是：明成祖的後人，明朝成祖以後的皇帝們，他們的血裏，豈不明顯的有夷狄因子嗎？有了這種因子，明末孤臣史可法也好、張煌言也罷、乃至顧炎武的母親也行，他們的挺身殉節，所標榜的理由，就未免有點遺憾。明末殉節諸烈士，他們殉節的理由不外是『不事胡人』，但是他們忘了，他們忠心耿耿所侍奉的『當今聖上』，就是一個廣義定義下的『胡人』！

「豈止是『當今聖上』，就便是殉節諸烈士自己，他們也無人敢保證他們是『萬世一系』的『黃帝子孫』，也無人敢保證他們的祖先在五胡亂華那類多次混同時候未被『騷擾』，而在他們的血裏面，絕對清潔，——沒有胡騷味！

「所以，嚴格說來，我們老祖宗流傳下來的那種夷狄觀念，是根本就弄錯了的，到今天誰是中國人，可難說了。回溯中國五千年的歷史，回溯到五千年前，回溯來回溯去，若是回溯的範圍只限於河南、山西等地方，而置其他中原以外的地方於不問，或一律以夷狄視之，這種作法，不是看小中國和中國民族，又是什麼呢？當時住在河南、山西等地的，固然是中國民族，但是在這些中原地區以外的，又何嘗不是中國民族呢？這些在中原人士眼中是東夷的、是荆吳的、是百越的、是東胡的、是肅愼的、是匈奴的、是突厥的、是蒙古的、是氐羌的、是吐蕃的、是苗猺的、是羅羅緬甸的、是僰撣的、乃至西域系統的白種中國人、三國的黝歙短人、唐朝的崑崙奴等黑種中國人，又何嘗不統統是中國民族呢？從這種角度來看，——從這種科學的、博大的角度來看，我們不得不說，中國民族的歷史，打來打去，還不脫是同族相殘的歷史，這種歷史中所謂的『東逐東夷』也好、『西伐匈奴』也罷，乃至南征北討，『多事四夷』，趕來殺去，所趕殺的對象，竟不是眞的什麼『洋鬼子』，而是道道地地的中國人！我們讀古文『弔古戰場文』，必然會記得那描寫所謂『秦漢武功』的句子，那些『秦起長城，竟海爲關，荼毒生靈，萬里朱殷』的悲慘，和『漢擊匈奴，雖得陰山，枕骸徧野，功不補患』的結算，如今我們思念起來，感想又是什麼呢？我們不得不認定，從『中華民族的始祖』——黃帝以下，所謂『秦皇漢武』也好、『唐宗宋祖』也罷，他們的許許多多豐功偉業——尤其是號稱打擊異族統一中夏的豐功偉業，統統値得我們懷疑！五千年的中華史上，除了五十八年前鴉片戰爭英國鬼子首先打進我們的家門以外，一八四〇年以前，黃帝紀元西元前二六七四年以後，漫長的四千五百一十四年裏，壓根兒就沒有什麼所謂異族！更沒有什麼眞正的夷狄！——他們都是中國人！

「由此可知，所謂什麼我中原你夷狄之分、我漢族你滿族之別，都是沒有什麼意義的，大家都搞錯了，搞得度量很狹窄，不像男子漢，男子漢那有這樣小小氣氣的整天把自己同胞當成外國人的？

「至於說到幫會、說到幫會的反淸復明，其實也不是那麼理直氣壯的。以其中三合會爲例，三合會的起源，是始於康熙時代少林寺的和尚被殺，當時是反抗官吏，而不是反抗滿族；又如哥老會，哥老會反淸反得更晚，它的成立已是乾隆當政的時代了，並且它的擴張，還在同治以後，主要的擴張原因還是一部分湘軍被遣失業，覺得替滿族效忠效得寒心，才憤而反淸的。所以幫會的反淸復明，並不如一般人所想像的那麼純粹。至於三合會、哥老會以外，流傳到中國各地的反淸復明，其實也是很有限的，反淸復明到今天，淸朝天下已經兩百五十多年了，明朝亡了兩百五十多年都沒給復回來，誰還好意思再說反淸復明？誰還有臉面再說反淸復明？又有什麼必要還說什麼反淸復明？

「並且，復明、復明，復了明又怎樣？明值得一復嗎？懂歷史的人，一比較，就知道淸朝政治比明朝像樣得多，淸朝的皇帝，除了西太后外，都比明朝的皇帝好，制度也好。試看明朝太監當政，淸朝的太監只是弄點小錢小權而已。至多只是李蓮英這種貨色，又算什麼，比起明朝，全不夠看。明末李自成進北京，宮中的太監就有七萬人，連在外面的高達十萬人。

每個太監平均有四個家奴，算起來就是四十萬。用來非法控制天下，這成什麼世界！清朝的太監那有這種場面！明朝上朝的時候，五百名武夫就排列在奉天門下，說是要糾儀，一指出有那個官員失儀了，立刻抓下帽子，剝開衣服，痛打一頓。現在清朝的午門，至多只是皇上叫太監『奉旨申斥』罵一兩個官員的地方，但在明朝，就是當衆脫褲子打屁股的地方，有的還先罰跪。有一次一百零七名官員一起罰跪五天，然後一律打屁股，每人分到三十廷杖。像這類羞辱臣下，被當場打死或打得終生殘廢的，數也數不清，有的還說奉有聖旨，打到家門來的；有的還打到別的衙門去的。……像這樣子胡鬧的、黑暗的明朝政治，清朝是沒有的。滿洲人的天下也黑暗，但是天下烏鴉，絕不一般黑，五十步和百步，對受害的老百姓而言，還是不同的。因此，我們除非有辦法驅逐黑烏鴉，否則的話，如果有不那麼黑的、有可能變白一點的，我們還是不要失掉機會。這樣才對老百姓眞的好。

「今天的皇上雖是滿洲人，但卻是個好人，是個想有一番大作爲的好皇帝，他既然有心在西太后選出的爛攤子上變法圖強，既然找到我們漢人頭上，我們應該幫助他。這種幫助，是對大家都好的。你們哥兒們人人留著辮子，口口聲聲的反對滿洲人，從前輩的哥兒們起算，反了兩百五十多年了，還反不出成績來，可見此路不通，大家方向都搞錯了。今天我話就說到這裏，各位兄弟願意平心靜氣的想想，想通這番道理，你們自然還把我譚嗣同當兄弟；如果想不通，或想通了仍認爲你們對，你們可以說服我，說服我我辭去這軍機章京不幹，跟你們去三刀六眼的幹。怎麼樣？」

說著，譚嗣同站了起來、氣雄萬夫的站了起來。所有的眼睛都盯住他，全屋是一片死寂。王五的旱煙早都熄火了。他盯著譚嗣同，緩慢的點著頭。他挺著腰桿，魁梧的上身，隨著點頭而前後搖動。弟兄們的眼睛，從譚嗣同身上轉到王五身上，他們沒有意見，大哥的意見就是他們的意見，他們要等大哥一句話。最後，王五開口了。

「三哥，我們是粗人，我們不知道那些麻煩的大道理。我們只知道你是我們哥兒們，你贊成的我們就贊成、你反對的我們就反對、你要推翻的我們就推翻。反過來說，欺負你的就是欺負我們、惹了你的就是惹了我們、砍了你的我們就還他三刀。我們心連著心，一條線，水來水裏去、火來火裏去，全沒話說。三哥，你是有大學問的，我們不懂，但我們信你，你是我們的燈、我們的神，我們信你總沒錯，我們懂就懂，不懂就不懂，信你就是。但這次……這……這……次，好像總有點不對勁，不對勁。」

「五爺，有什麼不對勁，你儘管說，咱們哥兒們，有什麼話都不能悶在肚子裏，五爺，你儘管說。」

「咳，到底怎麼不對勁，我也說不大出來，只是……只是覺得……咳……覺得有點不對了半天，說的不是大道理，而是我們的感覺，感覺有點不對勁、不那麼順。三哥，我們跟你根本說不上來。」王五頓了一下。「如果犯了大錯，錯在那兒，我們也根本說不上來。剛才說

「話倒不是這麼說，我們根本不知道康有爲對還是不對，如果不對，爲什麼不對，我們

「如我沒猜錯，五爺你們對信康有爲有點勉強。」譚嗣同說。

「三哥信康有爲，我們也只好跟著信。」王五說。

「我們信三哥。」大家衆口一聲。

「還是老話，我們是粗人，我們只信三哥。」王五說。

「五爺的意思，我懂。」譚嗣同說。

主，三哥了解康有爲，三哥知道康有爲對還是不對，是不是犯了大錯。」

收不了攤，要人頭落地。康有爲天大學問，我們根本沾不上邊，所以全靠三哥判斷、三哥作天大學問，我們不懂，我們只是擔心有天大學問的人除非不犯錯，要犯就一定是大錯，大得爲走跟滿洲人合作的路，這條路，到底行得通不通？是不是眞成了『與虎謀皮』了？康有爲

「那……那倒也不是，康有爲天大學問，那裏會錯。但我們總覺得……只是覺得，康有

「你是說——你是說我不該跟康有爲去？」

勁，覺得有點不那麼順。」

完全不同，你是書裏出來的，我們是血裏出來的，我們從小就在道上混，三刀六眼，整天過著玩命的日子，但玩了這麼多年，居然還沒把命玩掉，原因也有一點：哥兒們的照應、自己的武藝、祖上的積德、佛爺的保佑、再加上大家的運氣，……都是原因，這些原因以外，還有一個，說出來也不怕三哥笑，就是事前的那種感覺。那種感覺到底是什麼，一點也說不上來，但眞的，眞的有那麼一點。那種感覺不是每次都有，但有時候它眞的有，弄得你彆彆扭扭的，心神有點不安，直到換一換、變一變，才覺得順。這麼多年來，有幾次，直到事後回想，才發現幸虧在緊要關頭那麼換一換、變一變，才死裏逃了生。這話說來有點玄，但的確有這麼一種感覺，好像又不能不信。」

「五爺，我跟康有爲的事，五爺有這種感覺？」

「好像有一點。三哥你會笑我？」

「五爺這種感覺，我一點也不笑你，並且可以告訴你，我也有這種預感。但是，我們沒有選擇。不瞞五爺和各位說，我來北方，結交你們這些英雄好漢；我在南方，也結交五湖四海。其中有不少我湖南家鄉的人物，這些人物中，有一位叫黃軫——草頭黃、珍貴的珍字左邊去掉斜玉旁換成車馬炮的車字。他比我小八歲，今年二十五。這人文的考上秀才，出身湖南嶽麓書院；武的能空手奪白刃，南拳北腿，幾個人近不了他的身。他爲人行俠仗義，跟哥老會關係極深。像黃軫這種哥兒們，他們相信要救中國，路只有一條，就是革命，只有趕走滿洲人，中國才有救。跟滿洲人合作，是絕對不行的。他們那種擔心『與虎謀皮』的心理，比五爺還強烈。我這次北上，他們特別爲我餞行，也特別勸我小心，甚至勸我不要應滿洲皇帝之召，而跟他們一起搞革命。坦白說，如果不是受了康有爲影響、如果不是碰到光緒皇帝，我很可能走上革命的路。但是，變法維新的道理，康有爲已寫得那麼頭頭是道，令人心服；而對變法維新的誠意，光緒皇帝又表現得那麼求才若渴，令人感動。我不得不承認這是一個機會、一個千載難逢的機會，也許可以用得君行道的方法救中國，無須人頭落地，革命總要人頭落地的，流誰的血都是中國人的血，總是不好的。我把這番意思講給黃軫他們聽，他們也無法不承認這的確是一個機會，不過『與虎謀皮』，成功的希望很低。我呢，也相信困難重重，希望不高，我心裏也正如五爺所預感的，不覺得順。但是，既然機會是千載難逢的，也只好把握住，要試一試。如果成功了，成績歸大家；如果失敗了，犧牲歸自己。我今天來通知五爺和各位，並不是拉大家一起跟我下水，只是告訴大家：我譚嗣同不論做老百姓還是做官，都沒有變，都是你們的兄弟。各位兄弟如了解我，今天就是來通知；各位兄弟如不諒解我，今天就是來道別。也許有一天，在看不到想不到的地方、在看不到想不到的時候，我們再會相聚，或者化爲泥土，大家相聚，不論怎麼樣，我們一旦是哥兒們，永遠是哥兒們。我此去是成是敗，全不可知，知道的是如果失敗，我將永遠不再回來。保重了，各位弟兄。」譚嗣同向大家拱手爲禮，然後向前一步撲身下跪：「五爺，請受我一拜。」又轉向胡七：「七哥，也受我一拜。」……

王五、胡七都爭著扶起譚嗣同來。譚嗣同轉身退去，大家望著他的背影，消失在黑暗裏。

第九章　戊戌政變

黑暗在北京城處處皆有，即使在皇宮中也一樣。紫禁城的宮牆都相當高，夾在宮牆中的，多是四合房、三合房，晚上到來，更是黑暗處處。

乾清門比起午門、太和門來，雖然規模小了一點，但是它身居內廷第一正門，離皇帝最近，天高皇帝近之下，看來也氣勢威嚴。尤其在天黑以後，黯淡的燭光，自門中搖曳出來，照在階前的一對銅獅背面，更顯得威嚴而死寂。銅獅蹲踞在低矮精雕的石台上，五趾張立，看來在保護皇帝，但是，入夜以後，它們在死寂中沈睡了。

乾清門雖然是乾清宮前面的門，但是，它也內有皇帝寶座，皇帝來這裏，叫做「御門聽政」。聽政時太監將寶座抬到乾清門的正中，前面放一黃案，黃案前放一給官員下跪的氈墊，開的是一個半露天的小朝廷。順著御門的石欄向左看，有斜牆一面，就是照壁，壁上黃綠琉璃瓦，凸起在朱紅的牆上，入夜以後，變成一面黑牆，在乾清門前的外院中，顯得格外突出。沿著照壁再向左，過了內右門，就看到三間與高大的皇宮建築絕不相稱的小矮房，就是大名鼎鼎的小內閣——軍機處。與軍機處成直角的，是隆宗門。過隆宗門又成直角，與軍機處無獨有偶的三間矮房又出現了，就是軍機章京值房。

清朝雍正皇帝設立軍機處的原因，是由於連年用兵西北，爲了軍書快遞與保密防諜，就在隆宗門外蓋了小矮房，叫大臣值班。從此立爲制度，延續了一百八十年。

軍機處是神秘的衙門，它的權力極大，皇帝爲了防止它坐大，也未嘗不限制它。例如軍機處自己的圖章，就另放在內廷，要蓋印時，由值班的軍機章京要去「請印」，才能完成蓋印手續。又如中央和地方官吏，上奏的內容，都不准預先告訴軍機處，而軍機處的重地，沒得允許也不得進入，門上掛著白木牌，上書「誤入軍機者斬」，森嚴情況，六字畢呈。爲了執行這些森嚴的規定，軍機處每天都來一名御史，在旁監視。

巍峨豪華的皇宮與矮小破落的軍機處，是一種強烈的對比，那正象徵著君主的高大與臣下的卑小。軍機處裏除了辦公用品和休息的木炕外，設備簡陋。唯一考究的，是高掛在牆上的「喜報紅旗」木匾，那木匾上的四個字，正是皇帝每次見到軍機大臣的最大盼望。如今，皇帝的盼望對象轉移了，轉移到軍機章京身上，由於西太后的專權，「御門聽政」早就沒有舉行了，被縮小了的皇帝，現在，決心用變法維新做最後的掙扎，在他與軍機章京的謀畫下，展開了滿漢聯手的大改革。不過，所謂滿，滿洲皇帝一人而已；所謂漢，軍機四章京外加康有爲、梁啓超等少數人而已，整個的中國，還像那入夜的銅獅子。

*　　*　　*

變法維新從六月十一日正式開始。這一天，光緒皇帝詔定國是，宣布變法自強，接著就是密鑼緊鼓的一連串除舊布新的改革。除舊方面廢八股、廢書院、裁綠營、裁冗衙冗官冗兵、禁止婦女纏足等；布新方面薦人才、試策論、辦學堂、設農工商機構、設礦務鐵路總局、提倡實業、獎勵新著與新發明、翻譯新知、准辦學會、准開報館、廣開言路、軍隊改練洋操洋槍、準備實行徵兵等。……在光緒皇帝帶頭、在紫禁城推動中國全面現代化的時候，西太后那邊，在頤和園看在眼裏，也就伸出手來。西太后在光緒皇帝詔定國是第四天，就把皇帝老師翁同龢趕走、把自己心腹榮祿安置做直隸總督兼北洋大臣，就是先擺下陣勢，看你皇上有多大能耐。雖然陰雲滿天、大軍壓境，光緒皇帝還是義無反顧的要變法維新，發願不要做喪權辱國的亡國之君，他要在困難重重中向前推進。在白天，他越過守舊大臣，跟軍機四章京推進變法維新；在晚上，他把在軍機章京值房的愛國者叫進乾淸門，在銅獅未醒的當口，秉燭策畫一切。

*　*　*

可是，不論多少夜以繼日的推進，一切卻顯得不對勁了。光緒皇帝終於覺察到危機就在眼前。秘密消息傳來，大概就在十月裏，皇上陪西太后到天津閱兵的時候，廢立皇上、解決新黨的行動，就會展開。光緒皇帝已被逼到牆脚，九月十四日，在四章京正式値房的第九天，他把密詔交給楊銳帶出；三天以後，他又把第二張密詔交給林旭帶出。兩道密詔的內容是：

賜楊銳

近來朕仰窺太后聖意，不願將法盡變，並不欲將此輩老謬昏庸之大臣罷黜，而登用英勇通達之人令其議政，以爲恐失人心。雖經朕屢次降旨整飭，而並且有隨時幾諫之事，但聖意堅定，終恐無濟於事，即如十九日之硃諭，皇太后已以爲過重，故不得不徐留之，此近來實在爲難之情形也。朕亦豈不知中國積弱不振，至於阽危，皆由此輩所誤，但必欲朕一早痛切降旨，將舊法盡變而盡黜此輩昏庸之人，則朕之權力，實有未足。果始如此，則朕位不能保，何況其他？今朕問汝，可有何良策，俾舊法可以漸變，將老謬昏庸之大臣盡行罷黜，而登進英勇通達之人，令其議政。使中國轉危爲安、化弱爲強，而又不致有拂聖意。爾等與林旭、譚嗣同、劉光第及諸同志等妥速籌商，密繕封奏，由軍機大臣代遞，候朕熟思審處，再行辦理，朕實不勝緊急翹盼之至。特諭。

賜康有爲

朕惟時局艱難，非變法不足以救中國，非去守舊衰謬之大臣，而用通達英勇之士，不能變法。而皇太后不以爲然，朕屢次幾諫，太后更怒。今朕位幾不保，汝康有爲、楊銳、林旭、譚嗣同、劉光第等，可妥速密籌，設法相救，朕十分焦灼，不勝企望之至。特諭。

賜康有爲

朕今命汝督辦官報，實有不得已之苦衷，非楮墨所能罄也。汝可迅速出外，不可遲延。汝一片忠愛熱腸，朕所深悉。其愛惜身體，善自調攝，將來更效馳驅，共建大業，朕有厚望焉！特諭。

九月十八日清早，在南海會館裏，康有爲和大家捧著密詔，做了緊急的決定：第一、要想辦法救皇上，譚嗣同提議去勸說有新建陸軍在手的漢族軍頭袁世凱，袁世凱頭腦比較新，辦強學會時他就贊助過，皇上前天昨天已連續召見兩次，已表示重用他。如果他能夠深明大義，事情還有轉機，這一勸說，風險雖大，但值得一冒，譚嗣同自告奮勇，願意隻身前去找他。第二、皇上力催康有爲南下，用意在避免意外發生時，大家被一網打盡，所以決定康有爲速離北京，以保全火種。決定以後，即分頭進行。

當天晚上，譚嗣同聯絡上袁世凱，約好晚上十點，到法源寺去拜訪袁世凱。袁世凱那時事忙，沒住在自己的海淀別業，就便住在法源寺裏，他爲什麼住法源寺，沒人知道，也許在學恭親王吧？

一八六〇年英法聯軍打進北京的時候，咸豐皇帝逃到熱河，留下弟弟恭親王奕訢在北京與洋人談判。那時洋人占據了紫禁城、北京內城，恭親王住不成自己的恭王府，就看中了外城的法源寺，住進了法源寺。咸豐皇帝在熱河遙控交涉局面，他一再叮囑的是：恭親王不可以親自見到洋人，因爲恭親王是中國皇帝的弟弟，地位高高在上，豈可被洋人見到？但是，咸豐皇帝這種叮囑，事實上是做不到的。——你自己打了敗仗，洋人占了你國都，你跟洋人談判，怎麼可以不打照面？事實上，形勢比人強，英法聯軍在北京殺人放火、搶劫強姦，這種無法無天的局面，也亟應趕快解決，在解決過程中，恭親王就無法不見到洋人了。最後，談判完成，英法聯軍同意撤兵，願和中國和平相處，並表示將按國際禮儀派大使來「親遞國書」。不料這一約定，使以天朝自居的咸豐皇帝大大的介意起來，他批恭親王的奏摺說：「二夷雖已換約，難保其明春必不反覆；若不能將親遞國書一層消弭，禍將未艾，即或暫時允許作爲罷論；回鑾後，復自津至京，要挾無已，朕惟爾是問！此次夷務步步不得手，致令夷酋面見朕弟，已屬不成事體。若復任其肆行無忌，我大清尚有人耶？」爲了抗議大清無人和拒見夷使，咸豐皇帝不肯再回北京，他死在了熱河。這一死，造成了西太后的奪權成功、恭親王的終於失勢。他在法源寺折衝尊俎的努力，最後擋不住人爲刀俎。在法源寺苦心孤詣後三十四年，日本又打敗了中國；再過四年，六十七歲的他，終於在攔阻光緒皇帝變法維新中死去。——年輕時，他是同治中興的急進派；年老時，卻變成光緒變法的保守派，這就是人的一生。譚嗣同在去法源寺的路上，忽然想起近四十年前恭親王在法源寺那段救亡圖存的歷史，他順著想下來，想到袁世凱，他的心，涼了半截。啊！他住的瀏陽會館，不就在附近嗎，這一聯想，可眞是得天時地利呢。他苦笑了一下。

袁世凱簡直在以朝服出迎這位軍機章京了。軍機章京在實權上，相當於副宰相，袁世凱是老吏，對這樣炙手可熱的新貴近臣，不能不另眼相看的。

譚嗣同首先說事屬機密，要求在臥室與袁世凱單獨談話，袁世凱照辦了。在臥室裏，譚嗣同出示光緒皇帝的密詔，以取信於袁世凱。並告訴他，救皇上、救中國，在此一舉。譚嗣同表示，根本的關鍵在西太后，只有清除了西太后，才能解決問題。如今要袁世凱配合的是：

一、殺掉榮祿；二、包圍頤和園。至於進頤和園對付西太后，無須袁世凱派兵，他譚嗣同在北京可掌握好漢幾十人，並可從湖南招集好將多人，足可解決園內的一切。

袁世凱表面上同意了這一計畫。但是，送走譚嗣同以後一個小時，榮祿就得到袁世凱的報告；第二天清早，頤和園的西太后，從榮祿的跪稟裏，也知道了眞相。

同樣的第二天清早，經過一夜的討論，大家在南海會館分別走出來。除了林旭絕對不相信袁世凱以外，其他的人半信半疑，傾向於袁世凱縱使不派兵，大概也不至於告密。譚嗣同的結論是：不管袁世凱可不可靠，這是我們最後的一著棋，死馬如當活馬醫，只好冒險找他。爲了加強袁世凱的信心，他決定今天進宮，籲請皇上明天再召見袁世凱一次。至於康有爲，決定明天就南下。

九月二十日清早，康有爲上了去天津的火車。他的運氣眞好！他上火車後十幾個小時，南海會館就被官軍團團圍住，抓到康廣仁。因爲不見了康有爲，官方下令停開火車、關閉城門，以防康有爲逃脫。又下令天津地區停開輪船、下令煙台地區大肆搜船。可是，幾次劫難他都躲過了，靠英國人的幫助，他終於到了上海。

日本人也不落英國人之後，在公使館裏，他們首先收容了梁啓超。這天正是九月二十一日，西太后正式「臨朝訓政」了，一百零三天的變法維新，從今天起宣告結束。兩天以後，消息傳來，光緒皇帝已失掉自由，被西太后關在皇宮的湖心小島——瀛台——裏。

儘管外面風聲鶴唳，譚嗣同卻沒有逃走。但是，瀏陽會館找不到他，他帶了一個布包，去了日本公使館。

* * *

日本公使館，譚嗣同從來沒去過。走近的時候，最吸引他注意的，是那一大排方形木窗。木窗的規格，跟中國的窗戶完全不一樣，顯得開朗、方正，而透入大量的光明。他走上了三階寬石階，證明了身分，說是來看梁啓超。正巧林權助公使不在，一個矮小機警的日本人接待了他。

「久仰、久仰，譚大人。我名叫平山周。我們歡迎譚大人來。梁先生住在裏面，現在就帶譚大人去。」

開門了，進來的是譚嗣同，平山周一起進來。梁啓超迎上去，雙手握住他的兩臂。「你可來了，復生，你叫人擔心死了。來，坐下，先喝點茶。」

梁啓超接過譚嗣同手中的布包，放在桌上。

「我怕有人跟蹤，轉了好幾條街，最後從御河橋那邊過來的。若有人跟著，他會以爲我去英國使館。怎麼樣，卓如，兩天來睡得還好吧？」

「睡得還好。」梁啓超說。「你還是睡在會館？」

「是啊，你走以後，我一直在會館，沒出來。」譚嗣同答。

「會館附近有人嗎？」

「還看不出來。」

「康先生有消息嗎？」

「沒有。」

「康先生現在應該到上海了。林權助說他已密電天津上海的日本負責人照顧康先生，他叫我放心。他今天早上來過，伊藤博文來，他太忙，現在出去了。」

「林公使說他太忙，一切先由我招待，請不要見怪。」平山周補充說。

「我們感謝他還來不及，怎麼還見怪？」梁啓超說。

「這次也眞巧，伊藤博文伊藤公正好在北京，伊藤公佩服各位、表示要救各位，林公使人同此心，在他們領導下的我們，更心同此理，願意爲你們中國志士效勞。爲免夜長夢多，我們打算就在三五天內掩護你們兩位偷渡，離開中國，如果有別的志士到公使館來，我們也願一體相助。……」平山周興奮的說著。

「不過，」譚嗣同冷冷的揷進嘴，不太友善的盯著日本人，「我今天來，並不是要請你們幫我離開中國，雖然我很感謝你們在危難時相助。我是不打算走的。我今天來，只是有一包東西要交給梁先生帶出去。……」

「可是，復生！」梁啓超急著抓緊譚嗣同的肩膀，「你怎麼可以留下來？留下來是無謂的犧牲、是死路一條！」

「我當然知道。」譚嗣同堅定的說。「並且我非常贊成你走。這是一種分工合作，目標雖然一個，但每個同志站的位置，卻不可能全一樣。有在前面衝鋒的、有在後面補給的、有出錢的、有出力的、有流血的、有流汗的，適合甲的未必適合乙，乙能做的不必乙丙兩人做。我覺得今天的情形適合我留下，也必須我留下，康先生和你要走，走到外面去、走到外國去，回頭來爲我們的事業東山再起。」

「唉，復生！你怎麼這麼固執！留下來，究竟有多少積極意義？留下來做犧牲品，又有多少用處？不行，不行，你得同我們一起走，不能這樣犧牲掉！」

「卓如，你怎麼會認爲犧牲沒有積極意義？你記得公孫杵臼的故事，不走的人、犧牲的人，也是在做事、做積極的事；走的人、不先犧牲的人，也是在犧牲，只不過是長期的、不可知的在犧牲。所以照公孫杵臼的說法，不走的人、先犧牲的人，所做的反倒是容易的；走的人、不先犧牲的人，所做的反倒比較難。公孫杵臼把兩條路擺出來，自己挑了容易的，不走了、先犧牲了。我今天也想這樣。我把難的留給康先生和你去做，我願意做殉道者，給你們開路。以後路還長得很，也許由我開這個路，對你們做起來有個好理由好起點好憑藉，就像公孫杵臼若不開路，程嬰就沒有好理由好起點好憑藉一樣。所以，我想了又想，決心我留下來。」

「唉，你怎麼能這樣！公孫杵臼、程嬰的時代跟我們不同、處境也不同、對象也不同、知識程度也不同，怎麼能一概而論！」

「沒有不同，在大類上完全一樣。我們和公孫杵臼、程嬰一樣，都面對了要把我們斬盡殺絕的敵人，都需要部分同志的犧牲來昭告同胞大衆，用犧牲來鼓舞其他同志繼續做長期的奮鬥。」

「可是，你忘了，當時公孫杵臼犧牲是爲了和程嬰合演苦肉計，我們現在並沒有演苦肉計的必要，爲什麼要學他們那種時代那種知識程度的人，這是比擬不倫的啊！」

「比擬倫的！」譚嗣同堅定的說。「我今天帶來這布包，是我的那部『仁學』的稿子，對我們所爭執的問題，我都研究得很清楚了。交給你處理吧。總之，我決心出來證明一些信念。而這些信念，對我們之中的一部分人，是值得以身示範的。這部『仁學』，卓如兄你是看過的。

有些章節，我們還討論過的。」

「是啊！」梁啓超說，「這部書最精采的部分是反對愚忠、反對糊里糊塗爲皇帝而死。我還記得很清楚。可是今天，你卻感於皇上的慧眼識人、破格錄用，你決心一死，毋乃被人誤會是『死君』乎？就算如你所說，你決心一死，是完成了你書裏所宣傳的信仰：『止有死事的道理，絕無死君的道理，』而你決心死於『事』上面，但我忍不住要問你一句，除了『死事』以外，你對其他的，有沒有也同時爲他一死的原因？」

「也有，不過那不算重要，——比起『死事』來，至少不算重要。」

「我想也很重要，並且我幾乎猜得出來那些原因是什麼。」

「你猜是什麼？」

「我猜錯了，你別見怪。」

「我怎麼會有這種反應。」

「我猜你除了死事以外，另外不想活的原因是——『死——君』！」

「什麼？」

「『死君』！我說是『死君』，是你要爲皇上而死！你決心一死的重要原因之一，是這個！」

「你這樣說，我不怪你，但你說得太重了。你這樣說，把我書裏宣傳的信仰置於何地？

你把我看成了什麼？一個言行不一致的人？」

「絕對沒有！你是我的英雄、我的好朋友，我如果認為你言行不一致，那也是認為你做的比說的還要好，你的『行』走在你『言』的前頭，這種不一致，如果也叫不一致的話，是一種光榮的不一致。」

「那你說我不止『死事』，還有『死君』，不是明明說我言行不一致？」

「有什麼不一致呢？你說『死事』，並且你決心一死，為事而死，這件事本身有頭有尾，已經很一致了，又何來不一致？如果你說『死事』而不『死事』，才是言行不一致，你並沒這樣，所以，根本就不發生不一致的問題。你本身，已經很完滿的做到了『死事』的信仰。」

「但我書裏，明明宣傳著『死事』而不『死君』，並且兩者成為對立面。如今你若說我『死君』，縱使不算言行不一致，也有矛盾的感覺。」

「問題發生在你認為『死事』和『死君』是對立面，其實這倒有討論的餘地。中國四千五百年來的皇帝，包括光緒，前後有四百二十三個，其中暴君昏君有多少、聖君明君有幾人，都各有他們的帳，不能一概而論。你書裏說：『……請為一大言斷之曰：止有死事的道理，絕無死君的道理。死君者，宦官宮妾之為愛、匹夫匹婦之為諒。……』看你的話，你只承認為皇帝『死君』的，應該只是他身邊傭人女人，因為他跟他們之間有私恩有私暱有私人感情，所以他們對他有愚忠有偏愛，除了這些人以外，你就認爲『絕無死君的道理』，你這樣劃分，是不是分得太明顯了？」

「難道不應該這樣明顯嗎？」

「讓我們先回憶晏子的故事。齊莊公到大臣崔杼的家裏，竟跟崔杼的太太通姦，崔杼不甘戴綠帽子，當場把齊莊公殺了。晏子是齊國大臣，皇帝被殺，別人不敢去看，但他要去弔，他到了崔家，他的左右問他：你爲君死難麼？晏子答得好，他說皇帝又不是我一個人的，爲什麼我要一個人爲他死？左右又問他：那麼，離開齊國逃走嗎？晏子答得好：皇帝的死又不是我的罪，我爲什麼要逃？我爲什麼要出國？左右又問他：那麼就回家嗎？晏子答得好：皇帝死了，回到那兒去呢？晏子眞是中國第一流的大政治家，看他這三段答話，不死、不逃、也不想回家，說得又識大體、又有感情、又義正詞嚴。當時他去弔皇帝，大家以爲崔杼必定殺他，但是他仍然去弔、去哭，並且『枕尸股而哭』，一點也不怕刺激手裏拿刀的、一點也不在乎。晏子識大體，是大智；有感情，是大仁；不怕死去哭，是大勇。晏子爲什麼有這種大智大仁大勇，我認爲他是眞正深刻洞悟『死事』和『死君』理論的人。他的理論是：做人君的，豈是高高在百姓之上的？而是主持社稷；做臣子的，豈是爲領俸祿混飯吃的？而是維護社稷。所以人君死是爲了社稷而死，做臣子的，就該和他一道死，『君爲社稷死，則死之；爲社稷亡，則亡之。』晏子認爲：如果做人君的，死的原因不是爲了社稷而是爲了他自己，那麼陪他死的，只合該是那些在他身邊，跟他一起混一起謀私利、謀小集團利益的寵幸、私暱、和親信，才有份兒，堂堂大臣是不幹的。齊莊公被殺以後，崔杼決定立齊靈公的兒子做皇帝，就是齊景公。那時景公年紀小，崔杼自立爲右相，慶封爲左相，他們把所有大臣都找來，在太廟裏歃血發誓，說：『諸君有不與崔慶同心者，有如日！』大家一一發誓，可是輪到晏子，晏子卻要改變誓詞，只發誓：『諸君能忠於君、利於社稷，而嬰不與同心者，有如上帝！』當時崔杼他們要翻臉，高國趕忙打圓場，點破說：『二相今日之舉，正忠君利社稷之事也！』高帽子一戴，弄得崔杼他們也只好接受晏子的大條件。由晏子的故事，我反過來，請問你，如果人君之死是爲社稷死、爲國家死，你譚復生又怎麼說？對這樣偉大的人君，難道你也認爲『死君』不對，而『絕無死君的道理』嗎？」

「這種人君當然例外。」

「這就是說，你宣傳的理論有例外。」

「如果人君有，我的理論就有。」

「好了，光緒皇帝是人君，我就問你這麼一句，你坦白說，他是不是人君裏的例外？」

「皇上是。」

「皇上爲什麼是？」

「皇上在變法維新前已經做了二十四年皇帝，他不變法，他還是皇帝，並且在老太婆和滿洲人面前，做皇帝做得更穩更神氣。皇上變法，不是爲他自己，是爲國家。」

「皇上爲變法冒了大險，他很可能因變法送了命。他如果死了，是道道地地的人君爲社稷死、爲國家死，是不是？」

「是。」

「那就是了。那我就沒猜錯。」

「沒猜錯什麼？」

「沒猜錯你除了『死事』以外，另外不想活的原因是『死君』。你怎麼說？你決心一死，死的原因除了事的成分以外，還有人的成分，人的成分就有皇上的成分，皇上就是君呵！」

「你的推論，我仔細想了一下，也不是沒道理，至少皇上死了以後、我死了以後，在人們眼裏，我無可避免的是『死君』，至少『死君』的成分多於『死事』。這原因一來是中國歷史上大多都是『死君』，而不知道『死事』，所以皇上一死我一死，人們就很自然的認定這是『死君』。另一個原因是『死事』的主張根本不普遍，將來縱有人讀我的書，也屬於少數知識分子，這種主張在中國，簡直也沒被明確的宣傳過，所以皇上一死我一死，人們就更會很自然的認定這是『死君』了。所以，從形式上看，我死了，可能還得不到多少『死事』之名呢。」

「這原因，主要是因爲有了光緒，光緒是皇帝，他的名字太響了，你跟他一起變法、一起殉道，你卻另有死的原因，這在人們心中，是很難成立的。——你的目的，都被他吸走了。所以你的『死君』行爲，一定成立；『死事』行爲，反可能被埋沒了。」

「並且，更糟的是，在革命黨的眼中，甚至還解釋成我爲滿洲人而死，我還是漢奸呢！」

「奸不奸要時間來證明，在滿洲人眼中，皇上又何嘗不是滿奸，他如死了，在滿洲人眼中，又何嘗不是爲漢人而死？」

「談到滿漢問題，眞是一個叫人痛苦的問題，我已決心一死，死而無憾，唯一於心耿耿的，就是在這個問題上，我始終沒能說服大刀王五他們一幫兄弟。」

「那該是時間問題，你說服的時間不夠。大刀王五他們是粗線條的人，粗線條的人屬於下愚，惟上智與下愚最難移。」

「我看不是時間不夠，而是別的原因。你說他們是下愚，是對的，改變上智可以用思想用嘴；改變下愚我感到用思想用嘴是不夠的，得用別的。關於滿漢問題，我同他們反反覆覆說了多少次，他們總是聽不進去。我知道他們也很痛苦，因爲他們太相信我了，而我最後不但肯定了該跟滿洲人合作救中國，竟還跟滿洲皇帝搭上了線搞合作，變化太大了，他們簡直難以適應。」

「最後呢？」

「最後我不再使他們痛苦了，我決定大家先不見面，決定用別的方法。」

「你一出去，還見他們嗎？」

「我看不必了。」

「如果有時間呢？」

「有時間也不會有好機會。我一定被注意了，這時候跟他們會面，會連累他們。」

「如你剛才所說，你除了證明各國變法無不從流血開始，你願流血這一點以外，你決心一死，還證明了什麼？還會不會證明了別的出來？」

「人之將死，其言也善。善是什麼？善是一種功德、一種坦白。我可以告訴你我心底的話，我這一死，我在聲名上，會被分屍。」

「分屍？你是說——」

「我是說我的『死事』會有多重的意義、多種的解釋。你到海外以後，會同所有的維新黨舉出我是維新的烈士，說我爲維新走了一大步、走了最光榮的第一步，變法開始了，中國人民必須踏著譚嗣同的血前進。」

「是，我是要這樣說，因爲這是眞的。」

「眞的？眞的在革命黨眼裏，就不再眞。他們會說：看吧，還妄想和滿洲韃子搞變法嗎？連在滿洲皇帝前面得了君，你們都行不了道，都要被老太婆翻掌一撲，所有什麼新政，都煙消雲散，人人頭掛高竿。還妄想與虎謀皮嗎？死了心吧，這就是譚嗣同血的教訓，血淋淋的證明了中國前途只有一條路，就是革命，可別再妄想走改良的路了！想想看，卓如，有沒有這種可能？我一死，反倒幫了革命黨？如果這樣，我的聲名豈不被雙方來搶，給分屍了？」

「我倒沒朝這個方向想過，經你這麼一說，那你到底該不該這麼犧牲掉，倒眞要再考慮、再考慮。」

「我早考慮過了。」

「你還是要走絕路？」

「這不是絕路，這是生路、這是永生的路。」

「你用死來證明生？」

「有什麼不好？卓如，剛才我告訴了你，人之將死，其言也善，我來這裏並不是來做感情的訣別，而是交給你稿本，告訴你我心底的話。如果純粹做感情的訣別，我不會來，這也就是我離開這裏以後，到我死前，我不想再見大刀王五他們的原因之一。我來這裏找你梁卓如，因爲你我之間有特殊因緣，你有大慧根，能夠了解我，也能夠了解我不能了解的，也了解康先生，也了解並且不斷了解中國的前途、中國的路。現在，我告訴你，我死了，人人知道我爲變法而死，不錯，我是爲變法而死，但爲變法我也可以不死，不死也有不死的價值和理由，我也相信這種價值、這種理由，所以我贊成你不死，你走。但我爲什麼要死？孟子說：『可以死，可以無死，死，傷勇。』我爲什麼『傷勇』而死？爲什麼？因爲我有另一個想死的原因，這原因幾年來，一直像夢一樣纏著我，使我矛盾、使我難以自圓、使我無法解脫，這個纏著我的夢，就是革命。有多少次、多少次，我認爲中國的路是這一條、是革命這一條，而不是改良這一條，是別人走的革命這一條，而不是我自己走的改良這一條。有多少次，這個夢在我心裏冒出來；有多少次，我用力把這個夢壓下去、壓下去。我到北京來以前，我雲遊名山大川，結交五湖四海，我的成分是革命的多、改良的少，直到我看了康先生的書，聽說你們的活動，遇到了你，我才決心走這條改良的路。現在，改良已走到這樣子，我有一種衝動，想用一死來證明給革命黨看、給那些從事革命而跟我分道揚鑣的朋友看，看，你們是對的，我錯了。從今以後，想救中國，只有一條路，就是革命。我倒在路上，用一死告訴後來的人：不要往這條路上走，此路不通。」

「哎喲！復生，你在說什麼？你這些話太可怕了，就算你眞的否定改良的路線，肯定革命的路線，那你也不該用死來證明你的否定和肯定，你爲什麼不去加入、不去革命，爲革命貢獻一份力量，爲什麼你要死？」

「死就是貢獻力量的一種方式，當我發現，風雲際會，多少種原因配合在一起，而自己的表現方法竟是一死最好的時候，我就願意一死。」

「你認爲現在就正是這時候？」

「現在就正是這時候。因爲，實在也不瞞你說，我在認識你以前，我本來可走革命的路，認識了你，你和康先生正走改良的路，要幫手，所以我過來。如果當時你走的是革命的路，我會毫不考慮的過來同你一起這樣走，你看了我發表的書，你早就認那些是激烈的革命裏子，你和康先生在湖南保中國不保大清，何嘗不也是革命裏子？我們很苦，我們都知道中國要救，可是誰也不敢斷定改良與革命兩條路到底那一條行得通，或那一條最近最快，或那一條損害最小效果最好。這次政變，本質上是一種戰場上探路的性質，我們探路，證明了改良之路走不通，我決定陳屍在那裏，告訴大家猛回頭。告訴所有的中國仁人志士，以譚嗣同爲鑑，別再有任何幻覺。所以我的死，在這種意義上，有犧牲自己和苦肉計的意味。希望你能留意。我做的，不但告訴改良者不走他們的路，告訴了革命者走他們的路，也告訴了廣大的中國人民、廣大的中國知識分子，到底該走那條路。」

「如果你爲了告訴革命者走他們的路而死，你不必死，革命者無須你告訴，他們就走那條路。」

「革命者是無須我告訴。但有些參加革命的朋友們，知道我用死告訴了他們是對的，我是錯的。也許，我眞正死的心情，沒有人知道。別人從表面上只知道我爲變法而死，卻不知道我爲變法可以不死。從高遠博大的角度來說，我不是爲變法而死，我是爲革命而死。」

「爲革命而死？誰會這麼想？誰會承認？革命黨也不會承認。」

「所謂爲革命而死，意思是一死對革命有幫助、有大幫助，我的死，使改良者轉向革命者、使廣大的中國人民傾向革命者，等於我在爲他們推薦革命的將是正路，我爲他們做了一種血薦。」

「革命黨不承認，也不領情。」

「我何必要他們領情、承認？革命行動像花一樣，有顯性的、有隱性的，我做的是隱性的。他們是顯性。我無須經他們承認我是革命黨，我才是革命黨。」

「那你爲什麼不乾脆去革命？也去做顯性的？」

「我做顯性的，到了海外我是什麼，人家說我，我只是一個改良未成憤而革命的傢伙，甚至說我是投機分子也不一定。我加入革命，不過是一個生員、一個生力軍。但如我做隱性的，情況就完全不同。我覺得死比生效果大得多。因爲死可以血薦。」

「你要血薦，你不說你轉向革命，誰知道啊？你何不先到海外，你那時要血薦，你可以發表大家支持革命的宣言，然後當衆切腹自殺，這不也是很好的血薦嗎？總比你這種一言不發大家猜謎式的好。」

譚嗣同笑了，他拍拍梁啓超的肩膀，站起來。透過公使館的方窗戶，向遠望著。「就是什麼都不能說，才能加強血薦的效果。」他側過頭來，望著梁啓超，梁啓超抬頭看他。譚嗣同笑著：「卓如啊，你一個勁兒的想說動我出走，事事都朝出走有好處解釋，甚至要死也該在海外死，你可太愛朋友了。你明明知道要血薦就是要借這口老太婆的刀才妙！這也叫借刀殺人吧？怎麼可以自殺？老太婆殺了我，才證明給天下這個政府無道，大家該革命；若如你所說，不給老太婆殺而去自殺，不但給這個老太婆脫了罪，自己消滅了他們的眼中釘，並且自殺又變成了種種離奇解釋。比如說，人家就會說自殺是因爲改良失敗而厭世，或是什麼別的，總之，那個時候，整個的效果完全不對了。所以，要血薦，就在這兒血濺，就要血濺菜市口。在這兒，才有最好死的地方、才有最佳死的方式。」

「如果你對改良的路這樣悲觀，你希望我的，是走那條路？」

「我眞的不知道你的路，但我知道康先生的路，他的路好像定了型，如果皇上死了，康先生可能轉成革命;但如果皇上活著,康先生在外面,他絕不會丟掉皇上,他一定還是君主立憲,走改良的路。以你跟康先生的關係,我眞不知道以後的演變。我說過,卓如兄,你有大慧根,能夠了解我,也能夠了解我不能了解的,也了解康先生,也了解並且不斷了解中國的前途、中國的路,你好自爲之吧,你一定會有最正確的選擇、不斷的選擇。人的痛苦是只能同敵人作戰,不能同朋友作戰;或只能同朋友作戰,不能同自己作戰。你可能是一個例外,只有性格上大智大勇又光風霽月的人,才能自己同自己作戰,以今天的自己和昨天的自己作戰。……噢,時候也到了,卓如兄,一切保重了。」譚嗣同站起來。

「可是,復生。……」

「唉,卓如,別以爲我死了,我沒有死,我在你身上,我是已死的你,你是沒死的我,你的一部分生命已隨我一同死去,我的一部分生命也隨你形影長生。記得我的『感懷四律』嗎?第四首——

柳花夙有何冤業?
萍末相遭乃爾奇!
直到化泥方是聚;

祇今墮水尚成離。
焉能忍此而終古，
亦與之為無町畦。
我佛天親魔眷屬，
一時撒手劫僧祇。

我們萍水相逢，如今墮水成離，我們是短暫的；但無論天親魔眷、不論漢滿蒙回，中國是永恒的，我們只不過在永恒中短暫離別，早晚化做春泥，還要相會。再會了，卓如，再會了。」

「可是，復生。……」

譚嗣同把布包交給梁啓超。「豹死留皮人死留名，我關心的不是留名，而是留什麼樣的名。我希望你帶走這些稿本，連同我已經發表的，將來一塊兒代我整理、代我印出來，同時用你一支健筆，代我宣傳我這一點苦心焦思以後生命的成績，也算不虛此生。我這三十三年，活得愈久愈覺得完成了自己，尤其認識了你和康先生以後這三年，它是我生命中最後開花的日子，當然，如『法華經』所說：『佛告舍利弗，如是妙法，如優曇鉢花，時一現耳！』到頭來不過曇花一現，但我希望最後是生命本身的曇花一現，而不是如是妙法的曇花一現。我的生命，我願意在三十三之年，就這樣在花開花謝之間告一結束，但我最後畢竟用我的血來印證了我留下一點妙法。再會了，卓如，你不要送我出來，在裏面安全。再會了，卓如，一切保重。」

譚嗣同放開了梁啓超的手，一轉身，頭也不回的走出了客廳，平山周緊跟著出來，隨手帶上了門。

梁啓超呆望著門，然後快步走到窗前。從窗口朝外望，譚嗣同從大門走出來，平山周陪著他，並肩朝街口走去。那是一個背影、一個前進著的背影，這樣一個偉大的同志，在一同做了驚天動地的事業以後，爲了永恒，一時撒手，只留下背影給你看了。

*　　*　　*

平山周陪譚嗣同走出公使館，要求送他一程。譚嗣同答應了。兩個人並著肩，向西走去。街上很靜、很乾淨，他們經過了西班牙使館、英租地、俄國兵營、荷蘭使館、美國使館、美國兵營，向南轉向正陽門。離開了這些使館區，就是中國的氣氛。正陽門地方是北京最繁盛的地段，正陽門也叫前門，這個前字，說明了一切；前字旁邊就是這麼多使館區，也說明了一切，前門是北京內城南邊正中間的大門，蓋在紫禁城的中線上，高達十二丈，是北京所有城門裏最雄偉的。它的南邊，包了一座半圓的城牆，叫甕城，半圓中點，有一座箭樓，箭樓的目的是保護正陽門的門樓，這是設計時的周到地方。出了箭樓，就是護城河，河上有橋，過了橋，向東的街叫東河沿、向西的叫西河沿，橋頭就是聯在一起的五個牌樓，叫五牌樓，所以正陽門外面，等於有兩道前面的建築——箭樓和五牌樓。出了五牌樓，就是向南的大街，叫正陽門外大街，也叫前門大街，也叫五牌樓大街，這條大街，直奔天橋、天壇、先農壇，以到外城的大門——永定門。出了五牌樓向右轉，就是北京的娛樂區大柵欄，有戲院。從大柵欄後面穿出，就走到李鐵拐斜街。斜街，因爲它的方向是西南斜，北京城的街道大多是南北向、東西向，很整齊，叫斜街，就表示它不整齊。北京是一個古城，到處是歷史、是傳說、是神話和掌故。李鐵拐是中國八仙裏的用拐杖的跛子，叫斜街做李鐵拐斜街。

平山周陪譚嗣同走著，一路談的，多是沿途的地理與掌故。譚嗣同奇怪這日本人對中國了解如此之深。他從平山周機警的眼神裏、淵博的談吐裏，驀然想起：這個人，難道眞是日本外交人員嗎？他愈想愈疑惑。他聽說日本秘密社會像黑龍會等的成員，許多都是「支那通」。眼前這位平山周的東洋人，難道不是黑龍會的人物嗎？

平山周從譚嗣同的機警眼神裏，也有了「高手過招」的默識。最後，在瀏陽會館門口，他鞠躬而退了。他用深情的眼神望著譚嗣同，轉身走上回程。

第十章 搶救

五個小時以後，平山周回到公使館告訴梁啓超，他說他直送譚嗣同到會館，會館附近已經有形跡可疑的人。平山周認爲，他再去想想辦法，看看能不能勸動譚嗣同。他走出房門，去找林權助。

「我剛才送譚嗣同回會館，他已決心一死。」平山周對他的公使說。「但我聽他與梁啓超剛才的談話，感到其中也許有點隱情，例如他跟大刀王五他們的關係，他好像就不願多說。另外在他談話之間，他一再技巧的強調行者與死者都有必要，都不可少，一再站在梁啓超應該逃走的立場講話，我可以看出來，他一再強調的目的之一是使梁啓超不感到內疚、不安、或難爲情。他譚嗣同，眞正是大大的俠骨柔情人物，膽大心細，臨危不亂。這樣的支那人才、這樣的白白送了命，太可惜了！太可惜了！」

「我們還是要想想辦法。」林權助點著頭，兩眼望著窗外。他把右手的五指抵住左手的，兩隻食指對敲著。「問題的關鍵是使譚嗣同所堅持的尋死的理由不能成立，這樣才能勸得他逃。照你所說，你感到譚嗣同跟梁啓超的談話裏也許有點隱情，我想這是關鍵。這些隱情也許構成譚嗣同不肯逃走的原因，如果這些原因能解決，也許他會回心轉意。」

平山周點點頭。

林權助問：「譚嗣同向梁啓超說他不逃的原因是什麼？」

「他說了兩個理由，一個理由是各國變法都要流血，他願意流這個血，用他的血，來振奮人心，以利於變法的宣傳；另一個理由倒很怪，他說他本來決定不了救中國到底走革命的路好呢，還是走改良的路好，只是比較傾向革命。後來碰到了康梁，他才走改良的路，一起搞變法，這次變法結果，他願意用一死來證明改良的路行不通，大家今後死心塌地的走革命的路。」

「這倒怪了，我只聽說人活著騎牆，從沒聽說人死著騎牆。」林權助露出日本政客的奸笑。

「譚嗣同是英雄豪傑，那裏是騎牆的人？並且人活著騎牆是爲了占便宜；人死了，還有什麼便宜好占？如果情況是被逼得非死不可，一個人在死前、在無從選擇的時候，也許會如你所說，多抓幾個漂亮的死的理由，而有騎牆的可能。但譚嗣同明明有選擇權，他明明可以不死，而他決心要死，顯然其中有他眞正信仰的理由。」

「我眞希望知道那是什麼，支那人太難了解了。我在國內，他們說我是支那通，但碰到譚嗣同這種支那人，我簡直想不通他。」

「一般來說，甘心殉死的人，頭腦都比較單純，信仰也比較單純，因爲單純，容易有勇氣，不會三心兩意。但譚嗣同完全不同，他複雜，複雜得令人難以全面了解。他能這樣複雜的殉難，尤其看出他的功夫，眞不可思議。」

「我們能做的，還是盡量做吧。」林權助嘆了口氣。「伊藤公也表示了這些中國青年是中國的靈魂，我們該救他們，伊藤公的看法是不能不重視的，伊藤公最有眼光。純粹站在日本政府的立場，我只是代理公使，我實在也不敢拿這麼大的主意，幸虧伊藤公在北京，他肯定表示該救他們，我才放了心。現在的辦法是，你多約幾位你們的弟兄，再去會館一齊去勸譚嗣同，你可以技巧的用到伊藤公的名義，說是我轉達的。伊藤公盼望譚先生以大局爲重，還是先到日本，徐圖大舉爲上策。日本政府礙於官方立場，不能主動邀譚先生，只能轉告伊藤公的好意，請譚先生三思。並且由你們幾位日本弟兄一齊登門請他去日本，這樣一來，自然也和他自己請求政治庇護情形不一樣。譚的自尊心很強，用以上的方法，也許比較有效。總之，我能做的，一定全做，並且也願意做，但是太明顯太主動的表露日本官方的立場，以我的身分辦不到，並且譚嗣同也不會接受。站在我私人的立場是，對這些中國青年，我極為同情、敬佩，也願意幫助他們；站在日本政府的立場，日本政府不能放棄燒冷灶的機會，只要不明顯的違反外交慣例，日本政府一定暗中支持支那的第二勢力第三勢力，這也是我們外交比西方人高明的地方。會燒冷灶，是支那人的手法，日本人學得會，可是現實的英美人學不會。好了，就這麼辦，你說好不好？」

平山周說：「好主意，等一下弟兄們就到使館來，我就約他們去一趟。政治，我們不懂，我們只知道到中國來幫助這些有理想有勇氣的人。」

「你們的背景，我想我知道。」林權助盯著平山周。「到中國來，像你們這樣比較單純的日本人，太少了。但你們來了，我就不能不告訴你們，在大家眼中，你們一定有後台，後台是誰？是玄洋社？是黑龍會？是軍部？是資本家？大家都心裏有數，支那人也心裏有數。」

「但我們什麼都不是。」

「我想我知道你們什麼都不是，但是大家不知道，支那人也不知道。一般說來，你們這種類型的人，不在日本好好過，卻跑到中國來，來幹什麼？於是就有兩派看法，一派看法是，你們是日本極端國權主義分子，你們形式上屬於黑社會，但黑社會眞正的後台是日本軍部，所以你們是日本軍部擴張領土政策的尖兵，你們以在野身分，拉攏支那在野勢力，做下伏筆；另一派看法是，你們是日本民權主義右翼分子，後台老闆是日本新興的產業資本家，想擴充勢力、強化代議制度、減弱藩閥政府的獨裁政治，先到中國來，做下伏筆，以備將來挾中國以自重，並且掌握中國市場。」

「我說過，我們什麼都不是。」平山周否認。

「我說過，這點我想我知道。我了解你們，所以我說，到中國來，像你們這樣比較單純的日本人，太少了。」

「那你了解我們到底是什麼？」

「你要聽嗎？我開玩笑不生氣嗎？」

「要聽，不生氣。」

「你們是一種狂熱分子。你們在家裏坐不住，所以跑到外面，老是幫別人興風作浪。你們有一種搗亂狂，老是想推翻頭頂上的一切。日本政府太穩了，你們推不翻，所以跑到中國來搗亂。」

「你們日本政府的代表，在中國不也興風作浪嗎？」

「完全不一樣。你們興風作浪，至少外形上，要講理想、議義氣、講良知、講交情、講朋友，你們是幫助弱者打強者。我們卻沒這麼笨。我們公開幫助強者、暗中幫助弱者，取得跟強者討價還價的餘地。有一天，價錢好，我們可以把弱者賣給強者；或者價錢不好，扶植弱者推翻強者，或使弱者割據一方。在整個的作業過程中，沒有任何理想、義氣、良知、交情、朋友，有的只是日本帝國的利益。我們做的，是眞正對日本有利的事；你們卻是胡鬧。你們希望中國強，中國強了，對日本沒有好處。」

「照你們這樣發展下去，只要日本強，那管中國弱，從長遠看，中國弱就是日本的弱，你別忘了都是亞洲人都是黃種人這個事實。將來世界一定朝這樣發展。」

「我是日本外交家，不是日本預言家，也不是日本道德家。一百年以後的事，我不感興趣。我感興趣的，和你們感興趣的不一樣。」

「但現在你和我們一樣，對救這些中國弱者感興趣。甚至你還幫助我們。」

「幫助你們？還是你們幫助我們？你們難道還看不出來，你們代日本政府做了日本政府不便做、也做不到的事。」

「我們不給政府利用。」

「那是你們的想法、天眞的想法。只可惜你們逃不掉被利用的命運，也許你們不知道。

但事實總是：你們無形中在被日本政府利用，或被極端國權主義分子軍部利用，或被民權主義右翼分子財閥利用，甚至，最慘的，被支那人利用。」

「你以爲我們是傻瓜，我們這麼容易給人利用？」

「你們是不是傻瓜，要看你們走的是那條路。你們至少在外形上，要講理想、講義氣、講良知、講交情、講朋友，幫助弱者打強者，在外形上，你們是走上這條路，這就是傻瓜之路，這就註定了你們被利用的命運。你們在這條路上的努力，成了，成果的得利者不是你們；敗了，別人都不負責任，你們被人上墳掃墓。上墳回來，還笑你們是傻瓜。」

「你的意思是我們的路走錯了？」

「看你用那一種觀點來看。大體說來，你們走的路是俠客的路，從這個觀點來看，你們的成敗觀根本和世俗不一樣，別人以爲你們被利用，你們卻冷笑三聲，爲什麼？你們的人生觀是疏財仗義排難解紛，你們根本志不在世俗所爭的功業、權勢、名位與財富。所以，當你們沒得到這些而被別人得到，世俗認爲你們是傻瓜，你們卻冷笑三聲，世俗認爲你們是失，而你們卻怡然自得。所以，從你們俠客的觀點看，你們走對了路。可是，天呵！誰能了解呢？俠客哲學、俠客人生觀，這是九世紀中國唐朝的小說帶給我們日本的，現在是十九世紀。你們太古典了。」

「你笑我們太落伍了？」

「也不一定。古典可能轉生爲未來，只是古典不能轉生爲現代，你們的行爲，不是歷史就是未來，但不是現代。」

「也許你說得對，我們不現代。我們若現代，我們也不會同譚嗣同交上朋友。他們也不現代。他們是古典的中國武士道，他們用古典給中國創造未來。」

「古典的中國武士道，你說得很對。武士道就是我們大和魂，伊藤公說他們是中國的靈魂，中國魂就是古典的中國武士道。中國不是沒有武士道，但中國的武士道的發展太偏向一身一家的私恩私怨，或是一個地區一個幫會的私恩私怨，他們任俠敢死的目標可惜都太窄了、太小了，他們的血，很少爲國家民族這種大目標流，勇於私鬥，怯於公義，這是支那人的大毛病。中國的武士道有兩個大類。……」

這時候，外面敲門，林權助走過去開門，三個日本人走進來，是平山周的兄弟，桃太郎、宮崎、和可兒長。平山周站起來迎上去，說：「剛跟公使商量過，由我們一起到會館請譚嗣同出走，現在我們就一道去。」

三個人點了頭。平山周向林權助說：「要趕時間，又不能坐車招眼，我們得快走了。」

「我送各位下樓。」林權助一邊說，一邊帶上門，陪他們走下樓。「我把最後的一段說完。

剛才我說中國的武士道有兩個大類。這兩個大類一類是專諸型，一類是荊軻型，專諸型的俠客爲私人的小目標賣命；荊軻型的俠客卻爲國家的大目標獻身。這兩個人都被司馬遷記載在『史記』裏，並且放在刺客列傳一章裏。司馬遷是最能欣賞俠客的，可惜他沒能指出他們獻身的大目標和小目標有多大的不同，中國人也不注意，中國武士道的發展竟愈發展愈窄愈小，這是中國的不幸。你們各位這回同中國的靈魂接觸，如在他們身上看到古典的中國武士道，並且看到爲大目標獻身的一面，大家肝膽相照，這就是你們各位最大的收穫啊！」

到了門口，平山周說：「多謝公使指教，請公使上樓時，代爲轉告梁啓超，告訴他我們趕去會館勸譚嗣同了。」

林權助說：「自然，我一定轉告。梁啓超是廣東人，也許吃不慣北方的菜，我已叫廚子給他做牛腩煲，他在這邊，一切由我照應，請放心就是。」

* * *

走在路上，平山周詳細說明了剛才同林權助的談話。可兒長問，林權助說什麼專諸荊軻，是什麼人，平山周說：「他們是中國的俠客，都是兩千年前的人。專諸是吳國的一個孝子，喜歡打架打抱不平，打起架來誰也勸不住，只有他母親來喊一句，他就不敢打了。那時候吳國的公子光跟他堂兄弟王僚爭權，想找刺客殺他堂兄弟，就由伍子胥介紹，認識了專諸。公子光常到專諸家去問候他母親，並且送米送酒送禮物，一再照顧。這樣過了四年。一天，專諸向公子光說，我是一個粗人，而你這樣看得起我，士爲知己者死，有什麼需要我的地方，請你坦白說。公子光就說，我想請你行刺我的堂兄弟王僚。專諸說可以，只是我母親還在世，目前恐怕不行。公子光說，我也知道你有這個困難，可是我實在找不出比你更合適的人來幫我忙。萬一你因行刺出了意外，你的母親就是我的母親、你的兒子就是我的兒子。專諸說，好。但是王僚那邊警衛很嚴，怎麼接近行刺呢？公子光說，我堂兄弟有一個弱點，就是喜歡吃烤魚，如果你烤魚做得好，就有機會殺他。於是專諸就去太湖邊，專門學做烤魚，變成了專家。等了很久，公子光認爲時機成熟了，就交給專諸一把最有名的小匕首，這匕首叫魚腸劍，一句話也沒說。專諸明白他的意思，說這種關頭，我不敢自己作主，還是告訴母親一聲，再給你回話。於是回家，一到家，見了母親，就哭了起來。他母親看出了眞相，就說公子光待我們這麼好，應該爲他賣命，你不要惦記我，現在我要喝水，你到河裏打一點水來。專諸就去打水，等打水回來，發現母親竟上吊死了。於是專諸專心爲公子光賣命，公子光叫他做烤魚給王僚，王僚警衛森嚴，怕他做手腳，限定他脫光衣服上菜，結果他把魚腸劍藏在烤魚裏，還是刺死了王僚，他自己也當場被王僚的警衛砍死。剛才林權助說專諸型的中國武士道爲私人的小目標，認爲太沒意義，就是指這個故事。」

「聽你說這故事，我倒覺得專諸的母親比專諸更武士道。她的死，意義比專諸重得多，專諸是直接對公子光做了士爲知己者死的報答，他只完成了這麼一個目的；但他母親，卻不但完成了這個目的，還完成了更高的目的。」

「你所謂更高的目的是——」

「第一、她爲了使兒子完成一個目的，竟然用一死，並且先死，給兒子看，使兒子不再爲矛盾所苦，沒有牽掛，堅定決心，去完成那個目的。第二、在行動上，她不能同兒子一起去完成這個目的，也不需要她參加，但她一死，爲這個目的而先死，雖沒參加，等於參加，使她兒子知道行動時一點也不孤單；她的贊同兒子的行爲，一點也不是空口叫別人去幹，她自己先走一步給兒子看。第三、她兒子去行刺，事實上不一定必死，事成不成未可知，人死不死也未可知，並非沒有生的機會，但是這位母親卻先把自己推到毫無餘地、毫無僥倖的地步，更顯出她精神的崇高。」

可兒長說完了，轉過頭，問桃太郎有什麼意見，桃太郎想了一下，最後說：

「你說的我認爲都成立。另外最令我注意的是這位母親死的手法，她說得很少，你指出這三點，都是事實，但都是留給人解說，她自己不做任何解說。但她也不完全不說話，她告訴專諸，說該爲公子光而死，這是個重點，必須交代得清清楚楚，她不交代清楚就死，會使兒子有疑慮。重點交代以後，她就不再用任何拖泥帶水的方式、畫蛇添足的方式來訣別、來預告、來暗示，而一死了之。她死得眞是灑脫之至！我覺得她是大俠客，高不可攀，太高了。」

「還有一個高的，」平山周接過來，「那就是林權助說的中國武士道另一個型——荆軻型。荆軻的時間比專諸晚，是在秦國將要滅亡六國前，燕國太子丹想用刺客要脅或刺殺秦始皇的辦法，來免於亡國。於是太子丹去拜訪一位老俠客，叫田光，請田光執行這個行刺計畫。田光說千里馬年輕的時候，一天可跑千里，可是老了以後，一匹差勁的普通的馬都可以趕過牠，你太子丹聽說的我、仰慕的我，其實是年輕時代的我，現在我老了，沒辦法執行這個計畫了，但我有個朋友叫荆軻，他可以擔任。太子丹於是請田光去找荆軻，並囑咐田光不要向其他人洩漏這個計畫。田光見到荆軻，得到荆軻同意後，就叫荆軻直接跟太子丹接洽，他自己就自殺了。田光的死，也像專諸的母親一樣，死得很高，第一、士爲知己者死，太子丹求他幫忙，他願意獻身救國，可是太老了，行刺計畫他答應下來，死的自然該是他本人，他認爲理論上他該死；第二、他請荆軻替他，是叫荆軻去玩命，叫朋友到秦國冒險送命，自己卻在燕國，他認爲說不過去，情誼上他該死；第三、荆軻去行刺，死不死還有待最後確定，但田光自己，卻先示荆軻以他不等待任何生機，以給荆軻激勵，效果上他該死。這三點，他的手法和專諸的母親都很像。不同的是他告訴荊軻他要自殺，自殺的理由是他故意強調了的，他說他是長者，長者的行爲是不容別人懷疑的，太子丹囑咐他不要向其他人洩漏，他願一死來配合這一點，這顯然是不使荊軻爲難。荊軻也高，他居然不勸田光也不攔田光，他知道像田光這樣壯烈的性格，用先自殺來給這件行刺計畫做一道序幕，是很自然的事。他要勸田光攔田光，反倒遠了、俗了。荊軻後來去行刺，失敗了，他是笑著死的。他從燕國出發前，大家就感到成功的希望不多。太子丹和知道這個機密計畫的人，都在易水河邊，穿白衣戴白帽送他，唱的歌是『風蕭蕭兮易水寒，壯士一去兮不復還』。大家的心情，由這條歌就看出來。

「這兩個刺客故事，最動人的部分都不在行刺本身，而是兩個自殺的老人，這兩個人有一個共同的特色，桃太郎，你看是什麼？」

「是老。」

「老是一般現象，不能算特色。」

「是自殺。」

「自殺是特色的結果，也不能算特色。」

「那是什麼？」

「共同特色是『可以不必死，但他卻要死』。他們的最大最偉大的品格，就表現在這裏。

你注意到了嗎？他們若不死，並不算錯；可是死了，卻突然顯得更對。他們若不死，並不少什麼；可是死了，卻突然顯得更充實。我的意思，不知道這樣說能不能說清楚，甚至可能還有點矛盾。但我眞的感覺到，他們不這樣做，並不低；這樣做，就更高。不這樣做，並不渺小；這樣做，就更崇高、偉大。」

「我感覺到你的感覺。」

「英雄與凡人的分野就在這裏，你感覺到的，是一個英雄與凡人的基本問題。」

「這不只是英雄與凡人的基本問題，這不只是英雄，這是聖者的英雄境界，這是聖雄。」

「你談到聖者，使我想起蘇格拉底。蘇格拉底按照當時的法律，根本可以不死。因爲按照當時的法律，由原告和被告分別提出罰的方法，而由法官選擇一種。當時原告方面是新當政者支持的羣衆，提出的罰法是死刑；蘇格拉底如果請求憐憫，他們可以赦免他，但他不屑於這樣，他願意一死，所以他在被告提出的罰法方面，只肯出三十個小錢，數小得叫法官生氣，所以被判喝毒藥。後來他的朋友買通了每一個獄卒，他可以越獄，可是他不肯逃，甘心一死。最後他死得是那麼從容，他喝下毒藥，還告訴圍在身邊大哭的學生們要安靜，因爲『男人要安靜的死』。蘇格拉底是聖者，但死得這麼英雄，是聖雄。我覺得專諸的母親和田光都是聖雄。」

「專諸的母親是一位平凡的老人家，照你說來，平凡的人也可以成聖成聖雄？」

「當然。平凡人成聖成聖雄的時候，更來得難能可貴。像專諸的母親，她的一輩子歷史，我們什麼也不知道，我們知道的，就是她的死，她死得眞好。她一輩子平凡又平凡，她的一切，都化龍點睛在一個死上面，爲成全兒子而死，甚至平凡得沒有名字留下來，她的名字也跟兒子連在一起，她叫——『專諸的母親』。」

* * *

他們到達會館的時候，譚嗣同不在，門房說譚先生一小時以前出去了，一個人走的，沒說去那裏，也沒說什麼時候回來，手裏也沒拿什麼東西。等了一陣，只好留下「有急事，回來時務請跟我們聯絡」的條子，離開會館。他們決定留條子而不留下人等他，有一個好處，就是譚嗣同一回來，立刻可以離開會館去找他們，這樣也減少了他待在會館的時間，——會館太不安全了。

四個人回到了日本公使館，天已經很晚了。林權助不在，他們去看了梁啓超，談話間，使館的一個日本職員走進來，說英國大使館來消息，張蔭桓家昨天來了十多個人，說抓康有爲，卻抓錯了人，抓了一個姓戚的，證明了情況已經非常惡化。張蔭桓與康有爲是同鄉，同情維新，但他不算康派，他自己是總署大臣，等於是外交部長，他的官做得已經很大，不需要另外跟這些新人結盟。他做過到美國、西班牙、秘魯的欽差大臣，又是英國維多利亞女王六十歲慶典的中國代表，他不贊成李鴻章的過分親俄政策，使李鴻章對他不滿；他跟光緒皇帝比較近，他見光緒，時間往往超過規定，引起西太后對他的猜忌。他是當時政府中最清楚外交的一個人，在外國住過，知道外國民情風俗，也知道中國必須現代化，才有前途。在康有為變法前一年，他就找人編成了「西學富強叢書」八十多種，以引起中國人注意。在變法這年春天，德國親王來，在禮節方面，他主張清朝政府要合乎鞠躬握手等國際禮節，守舊大臣反對，可是光緒支持他。他的種種作風，使人認為康有為的變法和他是一氣。八月五日是伊藤博文見光緒，由他帶進宮，他照國際禮節，跟伊藤博文握手，挽伊藤上殿，被西太后在簾子後面看到，認為他勾結伊藤博文，那麼親熱就是證據！所以這次大風波，他也被捲在裏面。

夜深以後，瀏陽會館那邊沒有一點消息。大家決定明天清早再去看看。

*　*　*

八月九日，西曆是一八九八年九月二十四日，北京城是一個陰天，平山周一夜沒睡好，索性早點起來，五點鐘他就叫醒了他們，穿好去外城。他們走進客廳，準備從客廳走出去，在客廳裏，看到梁啓超，一看那樣子，就知道是一夜沒睡。梁啓超從懷裏拿出三張寫好的信，一個信封，交給平山周：

「我不能親自勸他來，只好再寫一封信，盡我最後的努力。信裏面反覆說明昨天他以趙氏孤兒的例子，來做他不走的理由，是很難成立的，麻煩你們看一下，轉給他。譚嗣同是湖南人，湖南人外號是驢，有股驢脾氣，很難聽人勸，同湖南人辦事，你最好提出資料、理由、暗示，讓他自己想通，他自己想通了，他就認爲是他自己的決定，不是你勸的結果，這樣他的驢脾氣，才不會弄糟事情。」

平山周接過了信，和三個人一起看了，放回信封。平山周說：

「梁先生寫得眞好，我們一定盡最大的說服工作，去勸他來。」

「勸不來，也把他綁架綁來。」粗線條的桃太郎挿口說。

大家都笑了，嚴肅的空氣稍微緩和了一下。

四個人到瀏陽會館的時候，正值譚嗣同在。譚嗣同首先爲他沒回話表示了歉意。他看了梁啓超的信，然後當衆人的面把它燒了。

「我不想從這封信上留下蛛絲馬跡，讓他們推測到梁先生在日本公使館。」譚嗣同解釋說。

「請代我向梁先生致意，我很忙，不回他信了。我是不走的。謝謝梁先生的好意、也謝謝你們的好意。」

「譚大人，」平山周說，「梁先生交代我們，務必請譚大人不做無謂的犧牲。梁先生甚至說，如蒙譚大人諒解，不妨勉強譚大人一下。」

譚嗣同笑起來。「怎麼勉強法？我不相信梁先生這麼說，可能你們誤會了。」

「所謂勉強，」桃太郎插了嘴，「就是我們四個人擁著譚大人一起走。」

譚嗣同笑著。「我所以不相信梁先生這麼說，因爲梁先生深深知道我譚嗣同的武功、我的中國功夫。他知道如果我不肯，你們四位日本人根本近不了我的身。並且，開句玩笑，你們想在中國搞綁架，這太像帝國主義了，把人綁到公使館？你太不守國際公法！」

「對滿清政府守什麼國際公法？他們還不是在倫敦綁架孫文？」可兒長說。

「結果不是鬧了大笑話？這種人，你們可丟不起。並且他們是中國人綁架中國人，你們是日本人綁架中國人，這怎麼行？」

「噢，我們是日本人！我忘了我們是日本人了。」可兒長摸著腦袋。

「我提醒你一句，你最好別忘了你是日本人！在中國，你忘了你是日本人，可太危險了。」

譚嗣同笑著。

「危險什麼？」

「日本人就是日本人，你忘了你是日本人，日本人也就忘了你。那時候日本人認爲你是中國人，中國人仍舊認爲你是日本人，那時候你又是什麼？」

平山周猛轉過頭來，望了可兒長一下，一陣狐疑從他眼神裏冒了出來。平山周轉過頭來，對著譚嗣同：

「那時候又是什麼？是在中國的幫助中國在困難時爭取獨立自由的日本志士。日本人不會否定我，中國人也不會。」

「不會嗎？你太樂觀了吧？」譚嗣同冷笑了。「你說這話，證明你太不清楚日本和中國來往的歷史了。歷史上，在中國困難的時候，你們日本從來沒有幫助過它。宋朝的末年、明朝的末年，都是最有名的例子，不但不幫忙，甚至做得不近人情，中國人朱舜水到日本來請求幫助，他在日本受到水戶侯的尊禮，幫助日本改進政治經濟教育，等於是國師，可是他孫子後來從中國去看他，日本竟不許他們祖孫會面。鄭成功的母親是日本人，他是中日混血，但在他困難的時候，日本都不幫忙。另一方面，反倒是中國幫日本忙。宋朝末年，日本人靠中國人李竹隱和中國和尚祖元的幫忙，才有了抵抗蒙古的精神動力；明末時候，靠中國人朱舜水的幫忙，才有了以後王政復古以至明治維新的精神淵源。從國與國的立場來說，日本人實在欠中國的、日本實在缺乏幫中國忙的傳統。所以，日本人到中國來的，就根本不簡單，所以，我勸你最好別忘了你是日本人。」

「照你這麼說，我們跑到中國來幹什麼？這麼大早跑到瀏陽會館來幹什麼？」

「幹什麼？來幫助中國人呀！」譚嗣同笑著。

「不是說沒有幫中國忙的傳統嗎？」

「是啊，你們幫的是中國人，但不是中國。幫中國人當然也是一小部分中國人，不是全部支那人。」

「這是什麼道義？通嗎？」

「有什麼不通？國與國之間是沒有什麼道義可講的，國與國之間講道義，根本是白癡。但人與人之間卻不同。日本人並非不講道義，但只在人與人之間，你們到中國來，至多是站在人與人之間的道義幫助中國個人。」

「未必吧？」平山周不以爲然。

「如果這個幫助跟國與國衝突呢？」譚嗣同再問。

「目前並不衝突。」平山周答。

「如果衝突呢？」

「當然犧牲個人。」

「如果那種犧牲有損於道義呢？如果錯的是日本呢？」

「就讓它有損於道義。但論國界，不論是非。」

「你這是爲了國家的利益，犧牲你個人的道義。」

「是。」

「那麼任何人跟你交朋友，在國家利益面前，都會被你出賣？」譚嗣同逼問。

「是。但你用的『出賣』字眼可不太好。」平山周噘著嘴。

「不好？你現在跑到中國來交朋友，是不是就準備有一天將他出賣？」

「我並不是爲了出賣他而同他交朋友，我的確是來幫助他，我只是不能保證將來而已。」

「那人跟你交上了朋友，就交上了一個潛在的敵人？」

「看事情不必這麼悲觀呵！我們到中國來，不是來交敵人的、也不是來看正陽門的，我們是來做對日本有利的事的。」

「如果這件事對日本不利，你做嗎？」

「當然不做。」

「現在你們做的是什麼？」

「現在做的，對中國對日本都有利。」

「我認爲相反也應該成立——對日本有利的，對中國也有利。」可兒長插進來說。

「這是一個重要的認識，我們不是在這種認識下，才跑到北京，起這麼早嘛！」平山周說。

「那就好了！聽你剛才講話，你好像不單純，很有黑龍會的口氣。」譚嗣同說。

「你看我像嗎？」

「那也很難說。黑龍會的人，很多都看起來好好先生，抱個貓在懷裏，很慈祥，跟他們交朋友，他們忠肝義膽。但一碰到中國問題，他們就凶狠毒辣，立刻就出來另一種標準，一點也不尊重中國的地位。」譚嗣同笑著，話鋒一轉。「不過，今天我們雖然發生了懷疑和辯論，我仍願告訴你們我內心的感覺，我是感謝你們的。並且，就個人的俠義觀點說，我相信你們個人的俠義舉動。好了，今天我還有一大堆的事情要料理。各位啊，想想你們日本月照和西鄉的故事，在一個矛盾局面降臨的時候，總要有死去的人和不死的人。告訴梁先生，月照與西鄉兩位，我和他各自效法一人。順便想想你們日本的維新志士吧，維新的第一功臣，是西鄉嗎？是木戶嗎？是大久保嗎？是伊藤嗎？是大隈嗎？是井上嗎？是後藤嗎？是板垣嗎？我看都不是，眞正的功臣乃是吉田松陰。吉田松陰一輩子沒有一件成功的大業可言，他要逃到國外，失敗了；要糾合志士幫助皇帝，失敗了；要派出同志阻止惡勢力前來，失敗了。最後以三十歲年紀，橫屍法場。但是，吉田死後，全日本受了感召，風起雲湧，最後達成維新的果實，這證明了吉田雖死猶生、雖失敗猶成功，他以敗為成。我就用這日本志士的故事，留做臨別紀念吧！」

*　　*　　*

四個日本人走出瀏陽會館的時候，大家嘀咕起來。

「我還以為我們是支那通。」平山周讚歎著。「想不到原來譚大人是日本通！他脫口而出的這些日本歷史與政情，眞是如屬他家之珍，眞不得了！」

「眞不得了！」大家附和著。

「譚大人說的那一大堆人名，我大體聽說過。可是他提到什麼月照、什麼西鄉，是指誰啊？西鄉是指西鄉隆盛嗎？」桃太郎問。

「西鄉是西鄉隆盛。」平山周說。「月照是西京淸水寺的和尚，為人豪俠仗義，他出國回來，在西方壓力和幕府壓力下，進行勤王尊王的活動。後來事情鬧大，由近衞公安排，避難於薩摩，由西鄉隆盛收容。最後牽連到西鄉。月照不願連累近衞公和西鄉，乃伸頭給西鄉，表示寧死於同志之手。但西鄉卻若無其事，與月照上船喝酒唱歌，最後兩人相抱，一起跳海了。大家搶救，救起了西鄉，可是月照卻淹死了。西鄉後來變法維新成功，完成了月照勤王尊王的遺願。剛才譚大人叫我們把月照和西鄉的事轉告梁先生，就是期勉梁先生以同志的死爲激勵，去努力完成未竟之業。譚大人眞是大人氣象，太教人佩服了。中國有這種偉大的人物，我們日本要亡中國，可早得很呢！」

第十一章 捨生

平山周他們走後，譚嗣同在瀏陽會館動作加快起來。他關著房門，檢查了屋裏的片紙隻字，有的燒燬了，有的又有意保留下來。他神秘工作了一個上午，然後匆匆外出，機警的看了四周，轉入小巷，朝大刀王五的鏢局走去。

鏢局的弟兄們都在應約等他，他出現了。

「今天我來這兒，不是向五爺、七哥兩位師父和各位弟兄來打擾，而是來告別。外面情況已經完全不對了，皇上昨天被老太婆囚禁在瀛台，大抓人就在眼前，一百多天來變法維新的努力，眼看全付流水。我譚嗣同是禍首，決定敢做敢當，一死了之。只可惜皇上年紀輕輕，受此連累，搞不好要被老太婆毒死害死，我實在心裏過不去，因此在向各位告別之時，想以救皇上之事相託，也許各位能夠仗義救救皇上。」譚嗣同拱手爲禮，銳利的眼神，打量著房裏的每一位。

「但是、但是，三哥，你怎麼了？」胡七先開了口，「從認識三哥起，我們三哥說一是一，說二是二，三哥說東我們甘心東，說西我們認爲西有理。但是，今天，三哥，今天三哥怎麼把這個題目給了弟兄們，叫弟兄們救起滿洲人來了？上次說與滿洲人合作，幫著滿洲人維新變法，兄弟們不明白，最後還是不大明白，但不再說什麼。今天更進一步，不但跟滿洲人合作，反倒救起滿洲皇帝來了。三哥，弟兄們能夠維繫到今天，兩三百年全靠這股恨滿洲人的仇，如今大家奮鬥的方向愈鬥愈離譜，這可不太對勁了吧？」

「話不是這麼說，」譚嗣同解釋，「坦白告訴各位，我在南邊北上的時候，還以爲皇上要變法維新，縱然有老太婆高高在上，皇上畢竟還是皇上，還是可以做些重大的決定的。可是，等到我一進了宮，才發現事事掣肘，皇上根本沒有實權。雖然沒有實權，卻使我愈發佩服皇上的偉大。——他本來不缺吃不缺穿，不變法維新，照做他的皇帝的，可是他爲了滿洲人和漢人，卻要在沒有實權的困難下奮勇前進，這種偉大的精神，正是中國聖人所說的『知其不可爲而爲之』。既然皇上這麼偉大，我們應該設法幫助他，不論他是不是滿洲人。人家爲了我們漢人，好好的安安穩穩的皇帝都不怕犧牲了，事到今天，我們怎麼還分什麼滿人、漢人？既然皇上陷於險地，我也義不獨生。所以我以一死相求，盼各位在我走後，對皇上有以救助。」

「這一救助，」王五說了話，「你三哥不參加？」

「我不參加了，我要做的、我所該做的，是先一死來加強這一救助的力量。」

「一死？」王五問。

「一死。」譚嗣同平靜的答。「讓我說個故事來解釋這件事。各位都知道漢高帝劉邦。劉邦是對人最不客氣的流氓皇帝，他把女婿封在趙國，有一天到趙國去，把趙王指著鼻子當衆大罵一頓，嚇得趙王不敢吭聲。但趙王的左右看不過去了，當時左右有個名叫貫高的，他帶頭計畫，決心謀刺劉邦，決定在柏人地方把劉邦幹掉。劉邦到了柏人，晚上睡不著，心神不寧，起來問人，我們住的叫什麼地方啊？人說這地方叫柏人。劉邦說：柏人，就是迫於人的意思、就是被人整的意思，這地方名字不好，不能住，走，立刻都給我走，於是大家全部上路，跑了。半夜裏貫高帶人來殺劉邦，全撲了空。這事情被劉邦知道了，於是大抓人特抓人。這些刺客，知道反正活不成了，於是你自殺我也自殺，獨有一個人例外，那就是貫高。貫高不但不自殺，反倒大罵那些自殺的，他的理由是：我們計畫行刺，趙王並不知道，可是這回劉邦連趙王都抓去了，我們這些惹禍的人若全死了，還有誰來證明趙王的清白呢？於是貫高被劉邦抓去，大加修理。修理得全身都是傷，沒有一塊完整的肉可以用刑了。可是他還是不肯攀供、還是流著血咬著牙說趙王是無辜的。他這種精神，使劉邦很奇怪，於是找了貫高的一個老朋友假借買通獄裏的人，進來送點水果，去套他的話，問他趙王到底知不知情？貫高說：『誰不愛自己的父母老婆呢？可是他們都因為我謀刺而活不成了！我若說是趙王首謀，我的父母老婆都可以減罪。我愛父母老婆當然勝過愛趙王，可是我不能為了自私的緣故而誣攀好人，我要好漢做事好漢當。』貫高的朋友走出監獄，立刻報告給劉邦，說趙王實在沒參加行刺的計畫，而貫高也實在夠朋友、夠義氣。劉邦聽了，很感動，決定放趙王自由，並且也赦免貫高。貫高聽說這個消息以後，想到跟他一起行刺的朋友都死了，他也不想活了，於是也自殺了。我說這個故事，就是證明，好漢做事好漢當。如今大家一起搞變法維新，出了事情，皇上給關起來，死生莫卜；我們這些興風作浪搧風點火的，若全都跑了，沒一個人肯犧牲，這成什麼話！這怎麼對得起人！所以，我譚嗣同非死不可、非先死不可。只有用一死來對得起皇上、對得起朋友。何況，我活著只有失敗，死了方有機會成功。」

「既然這樣，」王五說，「你三哥從南邊北上搞變法維新，就未免太欠考慮。你們是多麼難得的知識分子，是不世出的。結果就這樣草草給犧牲了，這可不太好。你們等於是廚子，廚子要知道怎麼準備、什麼火候，才能炒好這盤菜。這就像你們湖南的名菜炒羊肚絲，羊肚絲是一盤好菜，可是做的方法不對，就難吃得要命，方法太重要，羊肚不先洗乾淨、刮乾淨，就不成，弄乾淨後切成絲，在鍋中放油，先爆葱絲和辣椒絲，然後放下羊肚絲快炒，最後加韮黃和蔴油、醋、鹽等佐料，再來一點高湯，合炒幾下就出鍋，炒久了，韮黃一出水，就不脆，整盤菜，全完蛋。連做一盤菜都講究準備和火候，何況變法維新？準備不夠、火候不對，糟蹋了材料，耽誤了時間，並且，還要倒足了胃口。」

「如果變法維新是做一盤菜，做這盤菜的情況都在眼前，五爺可以看得一清二楚，也可以全盤掌握，自然五爺說得對，要講求準備和火候。但現在這問題太複雜，複雜得什麼都糾纏在一起，整個的局面糾纏得不能動。這時候，我們的目標是先讓它動起來，總不能死纏在那兒，動，才有機會、才有起點；不動，就一切都是老樣，老樣我們看夠了、也受夠了，實在也忍不下去了。所以，目前是要動，準備夠不夠、火候對不對，也顧不了那麼多。何況什麼樣的準備才叫夠，什麼樣的火候才叫對，因爲問題太複雜，實在也很難判斷。所以乾脆來個動，從動中造成的新局面，來判斷得失。」

「這麼一說，你不顧準備和火候了？」

「也不是不顧，至少從時代潮流來看、從大方向來看，我們也不是全無準備、也不是全不顧火候，我們已經把自己充實了十多年或二十多年，個人的準備也都做得很充足；火候方面，現在雖然羣智未開，但也未嘗不人心思變，縱使火候不成熟，可是我們又怎麼再等？康先生已四十開外，我也三十開外，大家都在壯年，已等了一二十年了，又怎麼再等下去？如果火候在三十年後才成熟，我們豈不都報廢了？」

「你們有沒有想一想，救國爲什麼一定要你們？如果火候要再等三十年才成熟，爲什麼不讓三十年後三十歲的英雄豪傑來救國？」胡七問。

「話可不能這麼說。我們不是全沒有機會，何況做和不做的結果，就是不一樣、就是不一樣。你七哥太以一件事的成和敗、成熟和不成熟來作做不做的標準了。」

「這難道有錯？這是穩健啊！」胡七說。

「不錯，是穩健。可是愈是穩健的人，就愈變成愈穩健有餘、行動不足，最後一事無成兩鬢霜、也一事無敗兩鬢霜。所以穩健，最後竟變成不是一種做事態度，而變成了不做事的藉口。」

「但你總不能不在做事以前，先精打細算一下。如果在事情還沒做，就已經敗相畢露，那怎麼還能做？一件事，如果一開始看不出來成敗，也許還值得一試，但一開始就看出不能做，要做一定失敗，那又爲什麼？」

「我們的名義上，是變法維新，從這個標準看，一做就如你七哥所說，是一開始就看出會失敗，你七哥說的未嘗沒道理。但你不知道，我們的名義雖然是變法維新，或者說，開價雖然是變法維新，但我們的底價卻不是變法維新，而是宣傳變法維新，使中國人民知道要改革，就算成功。所以我們知道底價是什麼，並不奢求，正因爲底價不高，所以我們來做的心情也不全是失敗者的心情。」

「那你不能把底價宣布嗎？何必弄得這麼刺激？如果只止於宣傳，當道的人也許會諒解到相當程度，而容忍你們，不下毒手？」胡七說。

「這怎麼行？宣傳變法維新，不是我們最後的目的，只是我們第一個進度，宣傳以後，變法維新的事實遲早總要來的，我們的精神是成功不必在我，但這並不構成自己不做的理由。所以從進度上，這是不可分的連續關係；何況從技巧上，也必須用變法維新的行動來做宣傳的手段，這叫取法其上，或得其中；如果不得其中更可得其上，那不更好。」

「這麼說來，你們把目的——變法維新——當做了手段，當做了達到你們的底價目的——宣傳變法維新——的手段，而宣傳變法維新本是變法維新的手段，卻根本是你們的目的，至少是底價目的。對不對？」王五接過來問。

「說來很好笑，對。」

「將目的做爲手段，將手段做爲目的。」

「對我們自己來說，是將目的做爲手段；對中國人民來說，我們的手段和目的合一，手段是變法維新，目的也是變法維新。」

「無所謂第一個進度，宣傳變法維新的進度？」

「無所謂這種進度。對中國人民來說，沒有宣傳變法維新的第一個進度，只有變法維新成或敗這一個進度。如果失敗，就自然達到了第一個進度，第一個進度是絕對不會失敗的，現在要看的，是它該怎麼成功，成功到怎麼一個程度。」

「在我看來，你們做來做去，都太多做給別人看的價值，只是宣傳變法維新，而不是實行變法維新。」

「你說的，我全明白，我也承認你說的不無道理，但是，你大概沒想到，我的本來目的，根本就是在宣傳。怪事吧？想想看，難道你眞的以爲，變法能夠成功？在這種惡勢力底下，變法一定難成功，其實我早就知道，也早就感覺到。」

「既然你全知道、全感覺到，那你又何必這樣用心做一件明知要失敗的事？」王五嘆口氣。

「知其不可而爲之。」

「那也總有個理由。」胡七追問。

「理由就是要告訴中國人民，改良的時代已經到了，必須改良，中國必須改良。這是一個聲音，第一個聲音，我們目前所能做的，大概只能傳來這麼一個聲音，而不是眞能改變的事實。既然只是一個呼聲，那就愈響愈好，所以，如你所看出來的，我們的行動有太多表演的意味，我也不否認。但是，不是表演玩的，是拿自己腦袋做犧牲品表演的，一個人肯用腦袋做犧牲品去搞宣傳，這就不發生什麼表演不表演的心術問題，也不發生什麼目的手段的本末問題，一切評價，都會被生死問題蓋了過去，生死問題把一切疑慮都解決了。七哥啊，一個人肯爲他奮鬥的目標去死，別人還能苛責什麼呢？還能挑剔什麼呢？」

「何況，」譚嗣同進一步說，「樂觀的說，搞變法維新，實在沒有什麼失敗可言，所謂失敗，只是成功的第一步。成功也許只要兩步，那失敗就成功了一半；成功也許需要十步，那失敗就成功了十分之一。所以，不要把失敗孤立來看，要把失敗當成功的一段、成功的前段來看。把失敗跟成功連續起來一起看。從另一角度看，你說我在努力做一件失敗的事，不錯，這件事形式上是一件失敗，但以我的底價來說，我的底價就是要做成一次成功的失敗。失敗應該有兩種，一種是失敗的失敗，一敗塗地；一種卻是成功的失敗，在失敗中給成功打下基礎，或者完成成功的幾分之幾。你只注意到我在做一件失敗的事，你卻沒注意到我根本就沒想做成功的事，成功需要時間和氣候，我正好被安排在前段，我是註定要做先烈的人，不是註定要做元老的人。像我這樣的人，既是註定要做先烈的，現在我三十多歲就要如此，其實，縱使四十多歲、五十多歲、六十多歲、七十多歲，也是一樣。各位記得那七十歲的老翁侯嬴嗎？侯嬴只是魏國看城門的，可是是俠客。戰國四公子之一信陵君對他禮賢下士，請他吃飯，去接他，他穿著破衣服，很神氣的坐在馬車上，由信陵君給他趕馬車；吃飯時坐上座，大模大樣。後來秦國包圍趙國，趙國求救，魏王不肯。侯嬴乃給信陵君出主意，教他從魏王姨太太那邊下手偷虎符，這樣才能調動魏國前線軍隊，以救趙國，信陵君聽他的話，如法炮製，果然偷到虎符。臨走時，侯嬴推薦他的朋友屠戶朱亥一起上路，並跟信陵君說：我本來應該同你們一起去冒險的，可是我太老了，只好送你們走。不過，爲了表示我們的心在一起、表示我並非不敢冒險，我計算在你們抵達前線的時候，我面朝北，對著風自殺，以表達我們這一番交情。後來，在那邊信陵君抵達前線的時候，這邊侯嬴老先生果然自殺了。唐朝王維寫『夷門歌』描寫侯嬴說：『非但慷慨獻奇謀，意氣兼將身命酬。望風刎頸送公子，七十老翁何所求？』就指的是這回事。以我對侯嬴的了解，我認爲他老先生顯然以一死來表達他並非自己偷生、只陷朋友於險地，相反的，他的朋友雖然照他的主意去冒險，但還有活的機會，而他自己呢，卻一死了之，不求存活。今天，我來到這裏，一方面表達我無法分身救皇上，一方面又要求各位去險地救皇上，做爲朋友，實在說不過去，爲了達到變法流血的效果，我不能望風刎頸的自殺，但我會橫屍法場的讓人去殺，終以一死來表達我們這一番交情。時間不早了，就此永別吧！」

譚嗣同抱拳爲禮，在暮色蒼茫中，退了出去。大家想送他，他張開兩掌，做了手勢。王五會意，說了一句：「就讓三哥自己走吧！」

* * *

譚嗣同回到莽蒼蒼齋。他走進房裏，點亮油燈。燈光下，三個人坐在角落裏。

三個人都穿著黑色小褂，小褂裏頭是白色小褂。小褂第一個扣子沒扣，白領子從裏頭露出來，配上反捲的白袖子。

三個人站起來，爲首的向譚嗣同打招呼：「是譚先生？」

譚嗣同點點頭。「各位是——」

「是來請譚先生的。」

「噢，」譚嗣同笑了一下。從容的說：「我等各位好久了，各位是來辦公的。」

爲首的笑了一下。「譚先生誤會了，我們不是衙門來的。我們是南邊來的。」

「南邊來的？」譚嗣同楞了一下。

「我們帶來一封信，請譚先生先過目。」爲首的從內衣裏掏出一封信，信封上寫——

專送北京

譚復生先生親啓

黃緘

譚嗣同一看信封，就明白了。拆開信，信是：

復生我兄：

不見故人久矣！然故人高風動態，弟等有專人伺報，時在念中。想我兄不以爲怪也。茲由同志四位，前來迎　兄南下，盼　兄盱衡大局，勿爲無謂之犧牲。孟子有言：「可以死，可以無死，死，傷勇。」我　兄大勇，弟等如望雲山；我　兄大才，弟等如望雲霓。事迫矣！亟盼即時啓程，另開戰場，共襄盛舉。輕重之間，以我　兄明達，無復多陳。總之我　兄生還，即弟等之脫死也。生死交情，乞納我言。即頌

大安

弟**黃軫**手啟

譚嗣同看了信，把信湊上油燈，一點一點的，像蠶吃桑葉一般的，給燒掉了。

譚嗣同沒請他們坐下，就開口了：「各位兄弟，情況很急，我們長話短說。黃軫兄和你們的好意我心領了，但我不能離開北京，也不打算離開北京。我到北京來，就有心理準備，不成功，便成仁。如今果然不成功，我願意一死，我譚嗣同不是失敗了就離開北京的人，我不能一走了之。我要死在北京，死給大家看。」

「譚先生的心意，我們全明白。」來人說。「黃軫兄派我們來以前，已經同我們說得很清楚。黃軫兄說，當時他反對譚先生北上，要譚先生東渡日本，一同走革命的路子，但譚先生認爲中國太弱了，底子太差，革命的方法像給病人吃重藥，不一定對中國有利，也不一定成功。如果有緩和的路子，也不要失掉派人一試的機會。北京既然有機會，總不該失去，所以譚先生自己願意深入虎穴，或跳這個火坑。黃軫兄說他完全了解譚先生和他是殊途同歸，譚先生不論走那條路、不論怎麼走法，大家都是同志。只是今天眼看北上這條路走不通了，黃軫兄怕譚先生做無謂的犧牲，所以特派小弟們來接譚先生南下。這條路既走不通，再留在北京，已無意義。請譚先生體諒黃軫兄的一番心意和小弟們走這一趟的目的，不要再說了，先動身再說吧！」

譚嗣同苦笑了一下：「活著留在北京，已無意義；但死在北京，意義卻有的。承黃軫兄和各位看得起我，我眞沒齒難忘。可是我已下決心死在北京，對你們的好意，我眞抱歉。」譚嗣同拱著手，作了揖。「外面風聲緊得很，我也不招待，各位就請趕快回去吧！」

突然間，另外兩個人互望了一眼，一個人在帶頭的耳邊說了些什麼。帶頭的搖手示意，好像在阻止。說：「譚先生的守死善道決心，小弟們很佩服。可是，可是，譚先生這樣做，是叫小弟們空著手回去，南邊同志會怪小弟們辱命，小弟們當不起。小弟們眞要請譚先生原諒：小弟們打算強迫譚先生走了。」說著，三個人就走近譚嗣同身旁。

譚嗣同笑起來，他的笑容裏有莊嚴、有感謝：「各位先停一下，我有話說。就是要走，也得給我一點時間準備一下。」

「對，該給譚先生一點時間準備一下。」一句洪亮的聲音從屋角背後傳來，大家回頭一望，一條彪形大漢出現在門口。壯漢後面，又閃出四條大漢。

譚嗣同向前一步，向彪形大漢打招呼：「五爺，這三位不是別的路上的，是南邊兄弟他們派上來的，派上來接我的。」

「我全知道。」王五說。「你們的話，我全聽到了。他們來的，不止這三位，外面還有一位把風的，被我們兄弟給擺平了。」

「要不要緊？」譚嗣同急著問。

「不要緊，只是昏了過去。這些革命黨，只會革命，功夫卻不敢領教，一碰就完了！」帶頭的厲聲說：「你這什麼意思？」

譚嗣同趕快握住他的臂：「讓我介紹一下，這位是自己人，我一說你就知道了，他就是『關東大俠』——大刀王五！」

帶頭的怒容立刻不見了。譚嗣同轉向王五：「這位南邊來的兄弟。」

「失敬、失敬！」王五作了揖，對方也作了揖。

譚嗣同說：「我們還是長話短說。各位兄弟：你們的好意我全領了，但是我眞的不能離開北京，各國變法無不從流血開始，我願中國流血從我開始。」

帶頭的搖搖頭。「譚先生，黃軫兄告訴我們，譚先生其實是贊成革命的，反對改良的，當然也反對什麼變法維新。譚先生，既然你明明知道那條路才是你該走的路，你爲什麼不走？你爲什麼不去做剷除他們的戰士，而做被他們剷除的烈士？爲什麼？爲什麼？難道你有什麼私人的牽掛、感情的牽掛，還是什麼別的？不管是什麼，譚先生，那些牽掛都是小的，比起我們追求的救國大目標來，那些又算得了什麼呢？牽掛那些，爲那些而因小失大，豈不太婦人之仁了嗎？譚先生，你是我們的大哥，你是我們眼裏的英雄、我們的導師，現在我們全等你，你不走，你怎麼了？我們眞不明白，還有什麼更高的意義能比得上你走，你的走，不是逃掉、不是不再回來，而是回馬一槍、而是重新以戰士身分，凱旋回北京。你不走，這算什麼？我們要的是在城門頂上掛我們的軍旗，不是在城門頂上掛我們的人頭。你不走，頭懸高竿於城門之上，這又有什麼意義呢？」

帶頭的聲音愈說愈高，他把右手舉起，合起了拇指食指做著吊掛的動作，然後，把手突然落到桌上，發出了一聲巨響。燭光跟著急閃著，在光明中，搖撼著人影。

譚嗣同平靜的坐在太師椅上。椅背是直角起落的。他的腰身挺直，直得跟椅背成了平行線。燭光照在他臉上，他的氣色不佳，但是臉安詳肅穆，恰似一座從容就義的殉道者的蠟像。殉道者的死亡的臉不止一種，但是安詳肅穆該是最好的。把道殉得從容多於慷慨、殉得不徐不疾、殉得沒有激越之氣，顯然從內心裏發出強大的力量才能辦到。注意那凶死而又死得安詳肅穆的人、他在生的時候能夠那樣，死的時候也才能那樣。帶頭的從譚嗣同的臉上，看到了死亡的投影。看到譚嗣同的頭、脖子，他感到這顆頭自脖子上被砍下來的景象。他感到那時候，這個安詳肅穆的人，有的只是死生之分，而不是不同的臉相。

在安詳肅穆中，譚嗣同開口了：

「老兄說的去做剷除他們的戰士，不做被他們剷除的烈士一點上，我眞的感動，並且認爲有至理。但是，我所以不走的原因，實在也是因爲我認爲除了做戰士之外，烈士也是得有人要做的。許多人間的計畫，是要不同形式的人完成的，一起完成的。公孫杵臼的例子就是一個。沒有公孫杵臼做烈士，程嬰也就無法做戰士，保存趙氏孤兒的大計畫，也就不能完成。當然我們今天的處境和趙氏孤兒的例子不一樣，但是我總覺得，做一件大事，總得有所犧牲才對，我們不要怕犧牲，既然犧牲是必然的，我想我倒適合做那個犧牲的人。做這樣的人，是該我做的事。……」

「譚先生你別說了！」帶頭的打斷了譚嗣同的話：「你譚嗣同，你是什麼才幹、什麼地位的！你怎麼可以做犧牲，要犧牲也不該是你呀！」

「不該是我，又該是誰呢？」譚嗣同笑了一下，靜靜的說。「我想該是我，眞該是我。我譚嗣同站出來，帶頭走改良的變法路線，如今這路線錯了，或者說走不通了，難道我譚嗣同不該負責嗎？該負責難道不拿出點行動表示嗎？我帶頭走變法路線，我就該爲這種路線活，也就該爲這種路線死。這路線不通了，我最該做的事，不是另外換路線，而是死在這路線上，證明它是多麼不通，警告別人另外找路子。……」

「可是，就算你言之成理，你也不需要用這種方法來證明、來警告啊？」

「除了死的方法，又有什麼方法呢？如果死的方法最好，又何必吝於一死呢？請轉告黃軫兄，我錯了、我的路線錯了、我譚嗣同的想法錯了，我完全承認我的錯誤。不但承認我的錯誤，我還要對我的錯誤負責任，我願意一死，用一死表明心跡、用一死證明我的錯和你們的對、用一死提醒世人和中國人：對一個病入膏肓的腐敗政權，與它談改良是『與虎謀皮』的、是行不通的。我願意用我的橫屍，來證明這腐敗政權如何橫行；我願用我的一死，提醒人們此路不通，從今以後，大家要死心塌地，去走革命的路線，不要妄想與腐敗政權談改良。我決心一死來證明上面所說的一切。」

房裏一片沈寂，除了譚嗣同的蒼涼聲調與慷慨聲調，沒有任何餘音。最後，王五開口了：

「既然譚先生決心留在北京，南邊的朋友也就尊重他的決定吧！」

* * *

南邊的朋友走後，王五開口了：「三哥，你一離開鏢局，大家就衆口一聲，決定遵照你的話去做，除了另派弟兄去打聽皇上囚在瀛台的情況與地形外，並決定也保護你三哥，所以我暗中跟著你，沒想到在會館卻碰到南邊的朋友，只好打照面。我跟來，要跟三哥說的是：我們弟兄同意去救皇上了，暗號爲『崑崙』計畫，細節你三哥不必操心。問題是萬一我們成功了，皇上又有機會執政了，搞變法維新了，而你三哥卻可以不犧牲而犧牲了，豈不誤了大局。所以，我們還是勸你躲一躲，固然不必躲到外國公使館，但至少不要留在會館裏等人來抓。

務請三哥看在我們弟兄的共同希望上，不要再堅持了。」

王五的聲音很沈重，那種聲音，從虬髯厚唇的造形發出來，更增加了力量與誠懇。譚嗣同被說得爲之動容。可是，他內心的主意已定。爲了不願使這些弟兄們當面失望，他緩慢的點了點頭，說：

「給我點時間，我願靜靜考慮五爺的話。這樣吧，你們各位先請，先去籌畫救皇上，我這邊，要把一些雜務料理一下，料理定了，我就去鏢局找你們。」

「要料理多少時間？」胡七問。

「要料理三四個小時。」

「這樣好不好？不晚於清早五點前，你就過來。」胡七逼問。

「好吧！不晚於淸早五點前。」譚嗣同心裏敷衍著。

「一言爲定啊！」

「一言爲定。」

*　　　　　　*　　　　　　*

王五他們走後，譚嗣同囑咐老家人先睡一下，就開始料理，接續上午的工作。最後，該燒的燒了，該保存的保存了。他伏案寫了五封信。

第一封是寫給王五、胡七他們的：

五爺、七哥及各位兄弟：變法維新本未期其能成，弟之加入，目的本在以敗爲成，叫醒世人。眞正以爲能成功者，大概只有康先生一人而已。皇上是滿人中大覺悟者，受我等漢人影響，不以富貴自足而思救國，以至今日命陷險地，弟義不苟生；兄等崑崙探穴，弟義不後死。特留書以爲絕筆，願來生重爲兄弟，以續前緣。**嗣同**頓首。戊戌八月九日。

第二封信是寫給他父親的：

父親大人膝下：不聽訓誨，致有今日，兒死矣！望大人寬恕。臨穎依依，不盡欲白。**嗣兒**叩稟。戊戌八月九日。

第三封信是寫給他夫人李閏的：

閏妻如面：結褵十五年，原約相守以死，我今背盟矣！手寫此信，我尙爲世間一人；君看此信，我已成陰曹一鬼，死生契闊，亦復何言。惟念此身雖去、此情不渝，小我雖滅、大我常存。生生世世，同住蓮花，如比迦陵毘迦同命鳥，比翼雙飛，亦可互嘲。願君視榮華如夢幻、視死辱爲常事，無喜無悲，聽其自然。我與殤兒，同在西方極樂世界相偕待君，他年重逢，再聚團圓。殤兒與我，靈魂不遠，與君魂夢相依，望君遣懷。戊戌八月九日，**嗣同**。

第四封是寫給他佛學老師楊文會的：

仁翁大人函丈：金陵聽法，明月中庭，此心有得，不勝感念。梁卓如言：「佛門止有世間出世間二法。出世間者，當伏處深山，運水搬柴，終日止食一粒米，以苦其身，修成善果，再來投胎入世，以普度衆生。若不能忍此苦，便當修世間法，五倫五常，無一不要做到極處；不問如何極繁極瑣極困苦之事，皆當爲之，不使有頃刻安逸。二者之間，更無立足之地，有之，卽地獄也。」此蓋得於其師康長素者也。嗣同深昧斯義，於世間出世間兩無所處。苟有所悟，其惟地藏乎？「一王發願：早成佛道，當度是輩，令使無餘；一王發願：若不先度罪苦，令是安樂，得至菩提，我終未願成佛。」「一王發願：早成佛者，卽一切智成就如來是；一王發願：永度罪苦衆生，未願成佛者，卽地藏菩薩是。」嗣同誦佛經，觀其千言萬語，究以眞旨，自覺無過此二願者。竊以從事變法維新，本意或在「早成佛道，當度是輩」；今事不成，轉以「未願成佛」，「我不入地獄，誰入地獄。」自度不爲人後，赴死敢爲天下先，丈夫發願，得失之際，執此兩端以謀所處，當無世間出世間二法之惑矣！吾師其許我乎？戊戌八月九日，受業**譚嗣**

同合十

第五封是寫給老同學唐才常的：

常兄大鑒：弟衡決網羅，著「仁學」以付卓如，朝布道，夕死可矣！「仁學」題以「台灣人所著書」，假台人抒憤，意在亡國之民，不忘宗周之隕。前致書我兄，勉以「吾黨其努力爲亡後之圖」，意謂「國亡，而人猶在也」。今轉而思之，我亡，而國猶在也。我亡，則中國不亡。嗣同死矣！改良之道，當隨我以去；吾兄宜約軫兄東渡，以革命策來茲也。臨穎神馳，**復生**絕筆。戊戌八月九日，於莽蒼蒼齋。

信寫完了，一一封好，已是三更。譚嗣同叫醒老家人胡理臣：

「給老太爺的信、給太太的信、給楊老師的信，都留在你身邊，由你轉送。老太爺給我的信，給太太的一些禮品，以及我包好的一些紀念品，也都由你保管。帶回家鄉去。其他大的物件，由你整理。現在，你把給五爺的信立刻送到鏢局，把給唐先生的信也帶去，託五爺轉給唐先生。這兩封信不能留在這裏，要立刻帶出會館，就麻煩你現在就跑一趟。並告訴五爺，我不能去鏢局了，不要來找我，因爲我大概不在了。……」

「老爺！您不在了？您去那兒？」

「我去那兒？」譚嗣同笑了一下，拍著老家人的肩膀。「我一定會讓你知道。你先去吧！」

第十二章　從監牢到法場

一八九八年九月二十五日，中國農曆戊戌年八月十日，北京城的鬼月剛過去不久，可是一片陰霾與鬼氛，卻籠罩在全城。天還乍亮的時候，日本公使館的大門慢慢開了，八個穿著和服的日本人，戴著壓低帽沿的大帽，魚貫走了出來，上了馬車。到了火車站時候，他們又魚貫走進。可是到了進月台之前，十幾個滿清官員趕了過來，半強迫半禮貌的攔阻了他們，說按照手續，請他們拿出護照看看。護照一一是平山周、山田良政、小村俊三郎、野口多內、桃太郎、宮崎滔天、可兒長、月照。滿清官吏由翻譯官用熟練的日語，向他們問話寒暄，可是問到月照的時候，平山周搶著用中國話說：

「這位月照先生是啞巴，不能說話，請原諒。」

滿清官員以驚奇的眼神盯著月照看，又盯著平山周看。平山周嚴峻的用日語向翻譯官耳邊補了一句：

「請貴國尊重我們大日本帝國的外交人員，不要惹起什麼誤會才好！否則事情鬧大，大家都不好看！」

翻譯官識相的在官員耳邊做了私語，大家再交頭接耳一陣，把路讓開了，心照不宣的盯著月照，讓他上了火車。

一星期後，八位日本人乘大島軍艦到達了日本。日本報紙頭條報導著：「大隈重信首相正式宣布，清國變法維新志士梁啓超君在日本國民的道義協助下，已安抵日本。」

*　　*　　*

在日本公使館開大門的同時，瀏陽會館的大門也慢慢開了。開門的只有一個人。他穿著上朝衣服，神色夷然的把門左右固定住，保持大開的狀態。他在院裏踱了一陣，然後挑起簾子，再走回屋內。他燒了一壺水，倒在蓋碗裏。

早起喝茶是他從北京人學到的習慣，北京人喝茶考究，茶葉從龍芽、雀舌、毛尖，到雨前、珠蘭、香片等等，一應俱全。一般人都是喝香片，用黃銅茶盤子，擺上一把細瓷茶壺，配上六個同色同花樣的茶杯，成爲一組。不過，官宦之家用的茶杯就是蓋碗了，用蓋碗喝茶，顯得更高貴、更正式、更莊嚴。

他坐在太師椅上，側過頭來看著西洋鐘，已經清早六點半。突然間，外面人聲嘈雜起來，由遠而近，一剎間門簾忽地拉起，衝進武裝的衙門官員，一進屋就五六個。

一衝進來，他們嚇了一跳。主人正襟危坐，安靜的看他們張皇失措。他不慌不忙，從桌上端起蓋碗，挑開蓋子，還悠閒的喝了一口茶。

官員們驚魂方定，帶頭的九門提督欠身爲禮，恭敬的說：

「譚大人，上面奉旨，擬請大人到部裏走動一下。」

「我知道了。」主人笑了，笑得那樣從容、那樣會心。「我知道你們各位會來的，我已經開門恭候了。」

主人安穩的放下蓋碗，站起身來。

「會館裏只有我一個人在。」主人笑著說。「等一下我的老家人會回來，請留下的人轉告他一聲。」

說罷，他戴上官帽，擺正了，挺胸走出來。兩邊的官員慌忙讓出路，護送他上了馬車。

*　　*　　*

馬車在刑部停下，大人被前呼後擁進了刑部。刑部的值班人員拿出收押簿，問他身分、請他簽到，他的「桀傲」，又展現了。他一言不發，拿起毛筆，在上寫了三個大字——「譚嗣同。」

他被帶到刑部監獄南所的第一間——頭監牢房裏，房裏一牀一桌一椅，陰暗、骯髒而簡陋，和他身穿的雍容華麗的上朝衣服——朝衣來，構成了非常不搭調的對比。他首先感覺到這一對比，他笑了，他脫口吟出龔定盦的詩句：

朝衣東市甘如飴，
玉體須為美人惜。

吟完了，他笑得更開心了。他想起兩千年前的漢朝大臣，爲國家籌畫長遠的前途。可是，一旦天威莫測，縱爲大臣，也不由分說，回家一下都不准，身穿朝衣就斬於東市。清朝最有才華的龔定盦寫這首「行路易」詩，道出謀國者捐軀爲國而死，死得固然快樂，可是，想到此身不能再與美人燕好，也未嘗不爲之惜也！其實，這就是人生，你不能全選全得，你有所取有所不取，有所不取就該坦然面對有所失，有所失就有所惜。他想起他那別妻書：「……生生世世，同住蓮花，如比迦陵毘迦同命鳥，比翼雙飛。……」雖然，對來生來世備致希望，但是他生未卜此生休，卻是眼前的事實。自己求仁得仁，固毫無所憾，不過，那「同命鳥」的一方，他單方面就替她決定了生離死別，做為志士仁人，在小我立場上，未免也難逃「自私」之譏吧？他坐在牀上，天南地北的亂想起來，腦中不免有點困惑。還好，困惑很快就消失了，這就是人生。人間雖衆生百相，但只能做一種人——只能選擇做一種人，同時還得拒絕不做其他許多種的人，儘管其中還不乏有趣的、吸引人的成分。我不能做烈士又做壽星、不能做改革者又做隱士、不能做天仙又做牛頭馬面、不能獻身給國家又獻身給妻子。……我所面對的是兩個方面，一面是選擇做什麼、一面是拒絕不做什麼，然後進一步對選擇的，寄以前瞻；對拒絕的，砍掉反顧。——承認了人生必須選擇又承認了人生那麼短暫，自會學著承認對那些落選的，不必再花生命去表現沾戀與矛盾。生命是那麼短，全部生命用來應付所選擇的，其實還不夠；全部生命用來做只能做的一種人，其實還不夠。若再分割一部分生命給以外的——不論是過去的、眼前的、未來的，都是浪費自己的生命，並且影響自己已選的角色。不過，今天，人已在這裏，就不同了。眼看已經沒有未來了，今天的生命已經無從浪費、今天充滿了空白與悠閒、今天是一個假期，是永遠的假期的開始，眞奇怪，這樣的一開始，他就先想起那在瀏陽家鄉、孤苦無依的妻子，結了十五年的婚，只生了一個小男孩，還夭折了，他對她未免愧疚。他想到他的死訊傳到家鄉後、他的靈櫬運到家鄉後，她將如何面對這種淒苦與長夜，他想不下去了。……他又想到他的父親，多少年來，由於後母的虐待，導致了他與父親的不合，直到最近幾年，他長大了，情況才好轉。他父親是湖北巡撫、是封疆大吏，可是他不願連累父親，所以，昨天早上，他燒掉了一些父親贊助他的信，捏造了一些父親斥責他的信，用維妙維肖的書法，表達了父親在激烈反對兒子去搞變法維新的活動，並聲言與兒子斷絕父子關係。想到這裏，他露出一絲慧黠的笑。——「這些假信，在搜查會館時，一定被他們搜查到，他們一定被騙，父親大人就可脫身了！」……

就這樣天南地北的想著、想著，已近中午。獄吏從通道外，把午飯從欄杆下推進來，只有簡單的窩頭一個、菜湯一碗。獄吏長得尖嘴猴腮，一副小人模樣，並且裝出神聖不可侵犯的嘴臉，盯著譚嗣同看。然後東張西望，突然間伸手掏進上衣，快速的將一包東西，丟進牢房，正丟到譚嗣同腳下，然後用眼神示意，低聲說：「送給你的。」接著，凶惡的大喊一聲：「吃完了，湯碗丟出來！」就轉身走了。

譚嗣同機警的撿起小包，退到牆角，背對著，打開了，原來是一包醬牛肉，配上十多條湖南人愛吃的紅辣椒。他立刻明白了：「這裏有好心人惦記著我。」在孤獨中，他感到一絲暖意。

下午，仍舊在天南地北的亂想中度過。他想累了，決定看一看，不再想了。他把椅子放到牀上，站上去，勉強可攀住高窗，朝外望去，正看到刑部獄的內院，院中那棵大楡樹，忽然提醒了他：「這不是明朝楊椒山楊繼盛在獄中親手種的那棵有名的大樹嗎？楊繼盛三百五十年前，不正關在錦衣衛嗎？錦衣衛獄不就正是今天這個刑部獄嗎？而楊繼盛住的，不正是編號頭監的這同一間牢房嗎？」他驚奇得想叫出聲來。楊繼盛一代忠良，可是由於向明朝世宗皇帝說了眞話，上奏指摘奸臣誤國，結果被皇帝當廷廷杖，打了一百四十棍，打完以後，又下獄三年，最後還是把他殺了。他死的那年，只有四十歲，他的夫人上書要代他死，她哀求皇帝准許她代丈夫死，可是還是不准。楊繼盛倒是鐵漢，他被廷杖後，昏倒了許多次，但最後活了過來。他被打得屁股都爛了，在牢裏他用破碗的瓷片，把腐爛的肉一塊塊切下來，連在旁邊執燈幫他打光的獄卒，看得手都發抖了。在他被打之前，有人送他蚺蛇膽，說吃了可以減少痛苦，可是他的回答是：「椒山自有膽，何必蚺蛇哉！」他臨被砍頭時，作詩二首，一首是：

浩氣還太虛，

丹心照萬古。
生前未了事，
留與後人補。

眞的補了。他死後二十年，左光斗出生了。在左光斗五十一歲時候，又和他一樣的做了烈士。而左光斗坐的那個監獄，不也正就是今天這個刑部獄嗎？如果是頭監，豈不又是這同一間牢房嗎？左光斗爲了說眞話，被下獄、被廷杖，被刑求，刑求中主要是炮烙，用燒紅的鐵條去渾身燙，燙得左光斗體無完膚。他的學生史可法買通獄卒，穿著破衣服、草鞋，化裝成清潔工，偷偷進來看他，看到的竟是面額焦爛無法辨識的左老師了。左老師身靠著牆，渾身血肉模糊，左膝以下，筋骨盡脫，已殘廢得站不起來了。史可法一見，跪上前去，抱住左光斗大哭，左光斗眼睛燙瞎了，可是聽出聲音是史可法，乃大罵他你來幹什麼！國家之事，已經糜爛了，你不去救，反倒「輕身而昧大義」，婦人之仁，跑來看我，一旦被奸臣發覺，你還活得成嗎？你快給我走，不然我就打死你。說著就抓起地上鐵鍊刑具做投擲姿式，史可法只好含淚而出。史可法後來說：「吾師肺肝，皆鐵石所鑄造也！」後來左光斗也在獄裏被殺死了。這是楊繼盛以後的又一個！左光斗死在明朝熹宗年間，一轉眼又是兩百七十年了。譚嗣同想著。

從三百五十年前的楊繼盛，到兩百七十年前的左光斗，這個刑部獄、這個頭監牢房，也不知關閉了多少川流不息的過客，他們的身軀已經不存在、血肉已經不存在，但是，鑑不用人，形還問影，他們的影子，其實依然存在。他們的丹青與青史、熱血與冷汗、悲憤與哀呼、長吁與短嘆，其實處處都凝固在空氣裏、嵌入到牆壁裏、滲透到地底下。雖然先後關到同一座監獄同一間牢房，甚至蕭條異代，各不相屬；身世遭際，自有千秋。但是，當一代又一代化為塵土以後，他們終於在不同的時間裏、在相同的空間裏，離奇的累積在一起，做了時空的交匯。也許在子夜輾轉、也許在午夜夢回，同座監獄同一牢房，先驅者的身影卻恐怖的魂影相依，苦難就這樣傳遞下去、接替下去，只有開始，沒有結束，為了中國的傷痕，永遠做出推陳出新的見證。如今，譚嗣同來了，他在看到榆樹以後，頓覺這一刑部獄的頭間押房變得逼進起來，多少滄桑、多少熟悉、多少生離死別、多少幽情暗恨、多少悲慘與淒涼，一一都浮現他的眼前。尤其夜色漸深的時候，這種感覺就更強烈。牢房裏沒有燈光，燈光是油燈的，只在走道上才有，牢房裏幾乎是黑暗的。黑暗之中，自己的影都離開自己了。自己本身就是一個影。影喜歡黑暗，黑暗就是它的家。一回到黑暗它就變成了主人。因為他本身就是黑暗，跟黑暗同一顏色。自己以為自己是形，其實錯了，至少在黑暗籠罩的時候，是錯了。

自己不是純粹的形，乃是形中有影，光明把影從形中推出，但影緊追不捨，直到光明疲倦的時候。在黑暗裏，會慢慢感覺：影進入了形，重合了形，使形融化——不是影沒有了，而是形沒有了。影之於形猶夢之於眠、猶刃之於刀。影並沒在黑暗裏消失，只是染了更深的顏色。這時候，靈魂好像無所依附了。人從不知道靈魂是什麼，現在更什麼都不是。如果有這東西，也是個在黑暗中最先背棄人的，靈魂只是影的影。在黑暗中，譚嗣同化形為影，與同座監獄同一牢房的先驅者，開始魂影相依了。

一夜就這樣過去了。

*　　*　　*

凌晨五更左右，譚嗣同朦朧中聽到有人輕敲木柵欄，他定神去看，一名獄卒在向他招手，另隻手還拿著一支點著的香。香是全根的，常識告訴他：這獄卒是剛接班的。他下了牀，走了過去。

「譚大人嗎？」獄卒輕聲的說。「我是佩服你的人，昨天中午的牛肉和辣椒就是我的一點小意思。你家僕人有信帶來，還託我帶上一點日用品，等下我塞在門後。」獄卒說著，左右張望了一下。「等天亮後，請大人借紙筆，說要寫信通知家中僕人送日用東西來。收到紙筆後，再加寫一兩封信，加寫的信，可說秘密的話，我明天早班來取，我會秘密替大人送去。」說完了，不等譚嗣同開口，轉身就走了。

天亮後，譚嗣同照做了。他把第一封信公開交給獄方轉達。加寫的兩封，也寫得很含蓄，以防萬一。

第一封信

北半截胡同瀏陽會館譚家人胡理臣羅升：送來厚被窩一牀、洗臉手巾一條、換洗衣褲並襪子腳布一套、紫棉馬褂一件、棉套褲一雙、筆墨信紙並白紙等件、枕頭一個、呢大帽一頂、靴子一雙、扣帶一根，均同來人送來爲要。

主人**譚復生**字

又取銅臉盆一個、筷子一雙、飯碗一個。

第二封信

來信知悉。爾等滿懷忠愛，可嘉之至！謝得軍機摺，不用遞了。

昨送來各件，都不差缺。我在此毫不受苦，爾等不必見面，必須王五爺花錢方能進來；惟王五爺當能進來。並託其趕快通融飯食等事。

湖北電既由郭寄，我們不必寄了。戈什可回湖北。昨聞提督取去書三本，發下否？

第三封信

速往源順鏢局王子斌五爺處，告知我在南所頭監，請其設法通融招扶。

再前日九門提督取去我的書三本：一本名「秋雨年華之館叢脞書」；二本「名稱錄」，現送還會館否？即回我一信。

我遭此難，速請郭之全老爺電告湖北。此外有何消息，可順便告我。

主人**譚復生**字

第二封第三封信秘密交出的時候，已是入獄第三天的清早。取信的獄卒偷偷告訴他，抓進來的人有八位，都隔離監禁。除譚大人外，還有楊深秀、楊銳、林旭、劉光第、康廣仁、徐致靖、張蔭桓。譚嗣同心裏想：徐致靖是向皇上保薦他們的大臣，被牽連還有個道理；張蔭桓只是康先生的同鄉而已，且是當朝的辦外交的第一把手，他怎麼也被牽連了呢？

*　　*　　*

同一時間，張蔭桓在南所末監裏，正靠在牆上，以三分玩世的嘴臉，悠然想著：「他們說我勾結康有爲，其實康有爲他們只是新進小臣，我在他們以前，早就做了大官了。說他們勾結我，還差不多。我的被捕，其實啊，結怨在我從英國祝賀英國維多利亞女王登極六十周年回來送禮送出了差錯。我那次回來，在英國買了紅寶石送給皇上、綠寶石送給老太太，但卻因看不起李蓮英那太監，結果在老太太欣賞綠寶石的時候，李蓮英在旁邊挑撥說：『難得他如此分別得明白，難道咱們這邊就不配用紅的嗎？』這下子正挑撥到老太太的痛處。在妻妾衣飾分別上，按規矩，大太太用紅色、小老婆用綠色，西太后這老太太出身小老婆，這下子老太太多心了，把寶石退了回來。當時我磕頭認罪，老太太沒有立刻算帳，今兒卻是趁機來算帳了。」

他又想著：「四天前他們來抓我的時候，我還沒吃飯。我叫九門提督等我吃過飯，他同意了。臨出門時候，他們偷偷提醒我：『有什麼話，跟夫人交代一下吧。』我才知道原來是要殺我了。我很乾脆，說：『不必了。』就跟他們來了。不過，殺我容易，但向洋人解釋卻不容易，看老太太怎麼解釋吧！」想到這裏，他狡猾的笑了一下。

由於張蔭桓是有名的大官，氣焰又盛，他在刑部獄裏，倒比別人拉風得多。這時他六十二歲了，他在官場打滾幾十年，什麼黑暗都見過，在黑暗裏，他以部分玩世的從容，面對著世事的波譎雲詭，也頗能自解、自得、和自脫。但是這次，他彷彿感到自脫不得了，但他仍達觀得不太介意。他雖在清朝中央政府中做了大官，實際上，幾乎已是外相、外交部長的身分，但他並不是科舉出身。在幾乎人人科舉出身的官場裏，顯得非常刺眼與索寞。科舉出身的講究梯次，同一年考取的叫「老同年」、先前考取的叫「老前輩」，在辦公場所、在大庭廣衆，到處是「老同年」「老前輩」稱呼得此起彼落，把他窘在一旁。但是張蔭桓卻別有自嘲嘲人之道。他找來三個名戲子：秦稚芬、王瑤卿、朱霞芬，叫她們戲稱他做「老前輩」，他自己戲稱她們叫「老同年」，以爲反諷。如今，他身陷牢裏，角色換了，所有先他坐牢的，都成了「老前輩」；所有與他同時坐牢的，都變成了「老同年」，他尋思起來，不禁好笑。

他雖不是科舉出身，書卻念得極好，很多古文他都背得爛熟。在無聊中以背古文自遣，背到方苞那篇「獄中雜記」，他忽然大有所悟。近一百九十年前，清朝大學者方苞被判死刑，關在牢裏，那個牢，不正是這座刑部獄嗎？方苞後來被赦出獄，寫的那篇「獄中雜記」，所寫的內容，豈不還流傳到眼前嗎？方苞寫監獄黑暗，寫這監獄一共有四座老監房。每座監房有五個房間：獄卒住在當中的一間，前面有大窗通光線，屋前有小窗透空氣；其餘的四個房間都沒有窗，可是關的犯人經常有兩百多。每天天還沒黑，就上鎖了，大小便都在房間裏，和吃飯喝水的氣味混在一道。加上寒冬臘月，沒錢的犯人睡在地上，等到春氣一動，沒有不發病的。往往一死就死上十來個。監獄的規矩，一定要等天亮才開鎖，整個晚上，活人和死人就頭靠頭腳對腳的睡著，沒法閃躲，這便是傳染病多的原因。還有奇怪的是：凡屬大盜累犯或殺人要犯，大概由於氣質強悍旺盛，反倒被傳染上的不到十分之一二；縱使傳染上，也很快就好了。那接二連三死掉的，卻都是些案子輕的罪犯、或嫌犯、或保人，是些不該繩之以法的人們。方苞問獄中一個姓杜的，說：「京師裏頭有順天府尹的直轄監獄、有五城御史的司坊，爲什麼刑部的監獄還關著這麼多囚犯？」姓杜的說：「近幾年來打官司，凡情節比較重的，順天府尹和五城御史便不敢作主；又九門提督調查抓來的，也都撥歸刑部；而刑部本身十四個清吏司裏，喜歡多事的正副滿漢郎官們，以及司法人員、典獄官、獄卒們，都因爲人關得愈多愈有好處，所以只要沾上一點邊就給千方百計抓進來。人一進監獄，不問有罪沒罪，照例先給戴上手銬腳鐐，放進老監房，使你吃盡苦頭，在吃不消的時候，他們就教你怎樣取保，保出去住在外面，隨傳隨到；再照你的家庭、財產狀況，把錢敲詐來，由他們按成派分。中等以上的人家，都盡其所有出錢取保；其次，要想解下手銬腳鐐搬到老監房外板屋裏去住的，費用也得幾十兩銀子。至於那又窮又無依無靠的，就手銬腳鐐毫不客氣，做爲樣板，以警告其他的犯人。又有同案一起被關的，情節重的反能取保在外，情節輕的、沒罪的，卻吃著苦頭，這種人一肚子冤氣，沒好吃沒好睡，生了病，又沒錢治，就往往死翹翹了。」方苞在「獄中雜記」中又寫道：凡判死刑的，一經判決執行，行刑的人便先等在門外，派同黨進去索討財物，叫做「斯羅」。對有錢的犯人，要找他的親屬講條件；對沒錢的犯人，便當面直接講條件。如果判的是剮刑，便說：「答應了我的條件，便先刺心；不然的話，四肢解完，心還沒死。」如果判的是絞刑，便說：「答應了我的條件，第一絞便包斷氣；不然的話，絞你三次以後還須加用別的刑具，才死得了。」只有判的是殺頭，才沒什麼可討價還價的，但是仍舊可以扣留腦袋不給死者家屬，達成敲詐目的。因此，有錢的自然甘心賄賂幾十百兩銀子，沒錢的也會賣盡衣服雜物報效；只有窮得絕對拿不出錢的，才眞照他們所說的執行。擔任捆綁的也一樣，如果不滿足他們開的條件，五花大綁時便先給你來個骨斷筋折。每年秋決的時候，雖然皇帝朱筆勾掉的只十分三四，留下的有十分六七，但全體囚犯都須捆綁著到西市，等待命令。其中被捆綁受傷的，卽便幸而留下，也必須病幾個月才能好，甚或成爲一輩子也治不好的暗傷。方苞曾問過一個老差役說：「大家對受刑受綁的既沒什麼深仇大恨，目的只不過希望弄點錢而已；犯人果眞拿不出錢，最後又何妨放人一馬，不也算積德嗎？」老差役說：「這是因爲要立下規矩以警告旁的犯人、並警告後來的犯人的緣故。如果不這樣，便人人都心存僥倖了。」擔任上刑具和拷打的也一樣。和他同時被捕受審時挨過夾棍的有三個人。其中有一個人給了二十兩銀子的代價，只骨頭受點輕傷，結果病了個把月；另一個人給了雙倍代價，只傷了皮膚，二十天便好了；再一個人給了六倍代價，當天晚上便能和平常一樣的走路。有人問這差役說：「犯人有的闊有的窮，既然大家都拿了錢，又何必更拿多少做分別？」差役說：「沒有分別，誰願意多出錢？」方苞又寫道：「部裏的老職員家裏都收藏著假印信，公文下行到省級的，往往偷偷動手腳，增減著緊要的字眼，奉行的人是看不出來的。只上行上奏皇帝和咨行各部的，才不敢這樣。依照法律規定：大盜沒殺過人和有同犯多人的，只是主謀的一兩個人立時處決，其餘人犯交付八月秋審後概給減等充軍。當刑部判詞上奏過皇帝之後，其中有立時處決的，行刑的人先等在門外，命令一下，便捆綁出來，一時一刻也不耽擱。有某姓兄弟因把持公倉入獄，依法應該立時處決，判詞都已擬好了，部員某對他們說：「給我一千兩銀子，我弄活你們。」問用什麼辦法，部員某說：「這不難，只消另具奏本，判詞不必更改，只把案末單身沒有親戚的兩個人換掉你們的名字，等到封奏時候，抽出眞奏，換上此奏，就行了。」他的一個同事說：「這樣辦可以欺蒙死的，卻不能欺蒙長官；假使長官發覺，再行申請，我們都沒活路了。」部員某笑著說：「再行申請，我們固然沒活路；但長官也必定以失察見罪、連帶免官。他不會只爲兩條人命把自己的官丟掉的，那麼，我們最後還是沒有死的理由的。」結果便這麼辦，案末兩個人果然被立卽處決。長官張口結舌給嚇呆了，可是終於不敢追究責任。方苞說他關在監獄的時候，還見過某姓兄弟，同獄的人都指著說：「這便是把某某人的命換來他們的頭的。」……

張蔭桓在牢裏一邊背誦著方苞的文章，一邊從現場印證，他發現他置身的，是刑部監中最受優待的牢房。「獄中雜記」說做官的犯案可住優待房，現在他一人住一間，看不到其他牢房的更黑暗場面，也算優待的項目之一。……想到這裏，遠處聞來哀號的叫聲，斷續的、陰慘的，使他更有動於心。他是老官僚了，見聞極多，他記得有人跟他談到刑部獄的黑暗，禁子牢頭受賄，名目繁多。有一種叫「全包」，就是花錢從上到下，一一買通，可得到最大的方便；還有一種叫「兩頭包」，就是買內不買外、買上不買下；還有一種叫「撞現鐘」，就是按件計酬，每得一次方便，付一次錢；還有一種叫「一頭沈」，專在受刑時付錢，藉以減輕皮肉之苦。……張蔭桓想著、想著，笑了起來。他自言自語：我這回遭遇的，可算是「全包」，不過不必我花錢買通，光憑我這「戶部侍郎」的大官銜，就足以通吃這些禁子牢頭了。俗話說「朝裏有人好做官」，我今天卻是「牢裏有官好做人」。——要不是這個大官頭銜擋着，「獄中雜記」的全套場面，我都要全部見識了。

*　　*　　*

與刑部獄相對的，其實另一座監獄也形成了，那就是瀛台。瀛台是中南海湖中的一個小島。瀛台從明朝以來，便蓋有宮殿廳堂，到了清朝，由名建築師樣子雷根據中國蓬萊等仙山的傳說，把它變成人間仙境似的造型，但是，現在這一人間仙境，卻變成了人間最豪華的監獄。——光緒皇帝被囚在這裏，這裏，幾百年來，曾有歷代皇帝的尋歡作樂、流連忘返，但是現在啊，剩下的只是可憐的青年皇帝孤零零在假山怪石旁邊，流連而不能再返。雖然他已經無異囚犯，但用他名義對外發號施令，卻依舊以假亂眞。先是九月二十四日、舊曆八月初九，厲行變法維新的光緒皇帝忽然下了一道命令，把譚嗣同等六個人「均著先行革職，交步軍統領衙門，拏解刑部治罪」。緊接著這道革職抓人的命令，兩天後，九月二十六日，舊曆八月十一日，又下了第二道命令，「著派軍機大臣、會同刑部、都察院，嚴刑審訊。」但形式上只「嚴刑審訊」了一整天，九月二十八日，舊曆八月十三日就下了這樣的第三道命令：

「諭軍機大臣等：康廣仁、楊深秀、楊銳、林旭、譚嗣同、劉光第，大逆不道，著即處斬，派剛毅監視，步軍統領衙門，派兵彈壓。」

在這命令還沒公布的清早，刑部監上下已忙做一團，開始「套車」了。

「套車」是把死刑犯送上刑場前的外部動作，把囚車套在騾馬身上，準備出發。在南所禁子牢頭呼喝套車的嘈雜裏，張蔭桓叫住走道的獄卒，輕鬆的低聲問：「八個人抓進來，有沒有留下一兩個呀？」獄卒說：「聽說留下楊深秀和康廣仁。」接著聽到外面套六車的聲音。

他心裏想：「這回老太太眞算帳了，我就走一趟吧，反正活過了花甲之年了，死就死吧！」

正在張蔭桓靜坐待死的時候，遠處的牢門一個個開了，嘈雜的聲音混成一團，可是，人聲並沒有近逼到這南所末監來。——他居然僥倖的死裏逃生了。

開的牢門共六間，分別提出來的，是譚嗣同、楊深秀、楊銳、林旭、劉光第、康廣仁。

* * *

刑部獄源自前朝的「詔獄」，俗稱「天牢」，幾百年來，累積了它不少的規矩。規矩中南所、北所兩座，東西各有兩道角門，犯人釋放或過堂，走東角門；犯人執行死刑，走西角門。劉光第被捕時，正是刑部的大官，他知道規矩，一出這門，就是死路，六個人中，他最清楚死刑的作業，如今他親身來試法了，他感到尖銳的對比與荒謬。

按照通常的稱呼，衙門除中間的正門外，左爲青龍門，右爲白虎門，白虎門平常是緊緊關著的，只有把犯人押赴刑場前才走這道門。通常的規矩是行刑前提犯人，或騙他說要開庭——過堂，或說有家人來看你了——面會，犯人一走出牢房外的二門，獄吏從他後面突然用力一推，大喊一聲：「交！」藏在二門兩旁的另一批傢伙就一擁而上，抓辮子的抓辮子、提腳鐐的提腳鐐、挾持左右臂的挾持左右臂，一起大喊：「得了！」就蜂擁疾馳，像抬豬一樣的把犯人抬到大堂階下，強迫跪在那兒，由原來抓犯人的差官手執提牌，念念有詞滾瓜爛熟的向堂上報告。由堂上略問姓名、年紀、籍貫，完成「驗明正身」手續後，告以你已死刑定讞，現在立刻就要執行。然後下令「堂綁」，並用紅筆在斬犯標上標朱。一點、一勾後，順勢把朱筆朝前面地上一丟。傳說用這支毛筆可以治瘧疾，於是大家一陣亂搶。

「堂綁」是一門大學問，堂上一聲令下，手下就在犯人身後，手持衣領，往下一撕，把裂開的上衣從兩肩向下拉，這時挾持左右臂的就開始向後扭胳臂，如遇到強悍的犯人反抗，獄吏就把隨身攜帶的小鐵錘，在犯人肩胛骨上一敲，兩臂立刻鬆軟，要怎麼綁就怎麼綁了。標準綁法是五花大綁。用繩子從頭套上，將繩子兩頭從左右分開，再交互一抽，就拉緊了，再將兩頭捆在犯人反背的交叉手腕上，從手腕上再繞過拇指與食指之間，最後打結。這種綁人方法，牢固無比。一經五花大綁後，就給犯人最後吃頓酒肉。所謂酒肉，肉是用篾籤插三塊生肉，在犯人嘴唇上一擦，表示給你吃了；酒是一大碗，拿著給你喝了，有時候，把樟腦放在酒內，喝了可以昏迷，痛苦自然減少。當然，放樟腦是要暗中給好處才有此優待的。酒肉完畢了，把犯人放在籃裏，兩人一抬，就出了白虎門。

劉光第他們六個人除了康有爲的弟弟康廣仁外，都是有頭有臉的大官，所以執行死刑的方式，比較客氣。只是被擁簇著出了西角門，捆綁著各上一輛騾車。騾車上有木籠，人放進去，頭卻伸出外面，遠看起來，頭像是籠蓋上的圓把手。

吆喝聲中，騾車開動了，前呼後擁著幾百個士兵。幾百個人的目的地只有一個，就是——菜市口。

*　*　*

菜市口是北京的鬧市，從南方各省來的人，從官宦仕紳到販夫走卒，過盧溝橋，進廣安門，進入北京內城，大都要經過這裏。菜市口從六百年前就是有名的殺人地方了，那時叫做柴市口。六百年前，一位被元朝統治者關了四年的宋朝丞相文天祥，因爲不肯屈服，最後在菜市口被殺死。當他從獄中走到刑場時候，態度莊嚴而從容，他對監斬官說：「我爲宋朝能做的事，現在終於做完了。」元朝統治者把這位只有四十七歲的宋朝丞相在鬧市殺死，是一種成全，因爲這樣「刑人於市」，對殉道者而言，倒是一種宣傳和身教。中國人民，包括他的敵人在內，都對這位殉道者致敬。後來，一座「文丞相祠」就這樣蓋了起來。

菜市口最精華的所在是丁字路口上，從兩行翠綠的槐樹北望，就是巍峨的宣武門，更是皇權的象徵。高高在上講究「刑人於市」的帝王看中了它，把它當做殺人示衆的好地方。在熱鬧的路口殺人立威，可以達到「與衆棄之」的效果。在這種作用下，菜市口是刑場中的鬧市，也是鬧市中的刑場，因爲在行刑時候，總是就地取材，並沒嚴格的劃分市與場。路北的那家西鶴年堂，就是就地取材的一個。西鶴年堂是幾百年來的老藥鋪，傳說它的匾還是明朝宰相嚴嵩寫的。每到行刑時候，西鶴年堂旁邊就要搭上個棚，棚下放著一張長桌、一把椅子，桌上放著錫筆架，上面插著朱筆，給監斬官使用。

監斬官一般是戎服佩刀、騎著大馬、氣勢洶洶的帶著決囚隊，鳴鑼開道，直奔刑場。衣服上繡著「勇」字的士兵，追隨著他，劊子手也跟著，其中劊子手最令人側目，他們或穿紅衣、或打赤膊，手提大刀，面目猙獰。這種人有很好的收入，一般說來，殺一個死刑犯，可得白銀三兩六，其中高手，一天可殺好幾個人。另外還有死刑犯家屬給的「孝敬」，一給就是三五十兩。這種「孝敬」，是拜託請以「快刀」減少死刑犯痛苦。按照劊子手的規矩，他們用的是「鬼頭刀」。「鬼頭刀」在刀柄上，雕一鬼頭，刀的前端又寬又重，後面又窄又輕，砍頭時，反握刀柄，刀背跟小臂平行，把刀口對準死刑犯頸脊骨軟門地方，以腕肘力量把刀向前一推，就把頭砍下。這種功夫不是無師自通的，也靠祖傳或師傳傳授，做徒弟的，總是先從天一亮就「推豆腐」——反握「鬼頭刀」的刀柄，以腕肘力量，把豆腐推成一塊塊的薄片；熟練以後，再在豆腐上畫上黑線，一條條照線往前推；熟練以後，再在豆腐上放銅錢，最後要練到快速一刀刀朝黑線切，但銅錢卻紋風不動，才算功夫。這種「推豆腐」，推得出師以後，還要練習摸猴脖子，摸出猴子第一節和第二節頸椎所在，從而推廣到人體結構，在砍頭時，做到一刀就朝頸椎骨連結處砍下，乾淨俐落，減少死刑犯痛苦。死刑犯家屬給「孝敬」，其理也就在此。否則由生手或熟手故意裝生手亂砍一氣，死刑犯苦矣。另一方面，由於中國人忌諱身首異處而死，如劊子手砍頭砍得恰到好處——推刀推到喉管已斷時就快速收刀，使喉管前面尚能皮肉相連，頭不落地，照中國人解釋，這就仍算全屍而歸。劊子手收放之間，能做到這種功夫，是要得到大「孝敬」的。一般行刑，都做不到這一點，但是身首異處以後，可以買來專家，把頭「縫」回去，叫做「綴元」，也算聊慰生者與死者。總之，家屬對劊子手的「孝敬」是少不了的，沒有這類打點，花樣就會層出不窮。即使死刑犯死後，花樣也不會中止。例如劊子手怕頸血亂濺，每在刀一落下就用腳朝死刑犯身上一踢，使血向前濺，然後讓人用剝了皮的饅頭就頸腔沾血，沾成所謂「人血饅頭」，照中國人傳說，這種饅頭可以治肺癆、可以大補。除此以外，死者身上的其他器官也會被零星割下，傳說都能入藥，甚至五花大綁的繩子都有避邪之功，也值得幾文。

不過，這些規矩都是對一般死刑犯用的，碰到死刑犯身分是大臣的時候，就得客氣多了。所有的花樣都得收起，也不能將死刑犯放了籃子裏抬到法場，而要正正式式用騾車護送了。到了法場，甚至有劊子手向「犯官」下跪請安的例子，口呼「請大人歸天」以後，方才行刑的。做過大官的，就便是死刑臨頭、刑上大夫，還是有不少尊嚴的。

當然，尊嚴也是相對的，一方面來自對大臣的尊重，一方面也有賴大臣自己的表現。譚嗣同他們六個人從上騾車以後，所表現的氣概，也就有了等級之分。六個人中，有人表現得激越、有人表現得沈痛、有人表現得不服、有人表現得怯懦，但是，譚嗣同表現的，卻是一派從容。

菜市口西鶴年堂旁邊的棚子，已經快速搭蓋起來，棚下的桌椅文具，也布置得一應俱全。這回走出的監斬官可不是泛泛之輩，他是大名鼎鼎的軍機大臣剛毅，是一級的滿洲大員。他下令將犯官們帶到，在形式上，一一驗明正身，用朱筆勾決，然後按照慣例，朝地下丟下朱筆。這時譚嗣同忽然叫住剛毅，要同他說話。剛毅忌諱死囚臨刑前對他說話，他把手一揮，叫左右帶下去，同時用雙手摀住耳朵，表示不要聽。譚嗣同看到這老官僚顢頇尷尬的表情，忍不住好笑，他微笑了一下，也就不再說什麼了。他被擁簇著走到法場正中，滿地泥濘，太陽卻是高照著，放眼望去，四邊人山人海，卻是鴉雀無聲。「這就是祖國、這就是羣衆。」他心裏想著。「在光天化日之下、在黑暗時代，他們在看我們流血。我們成功，他們會鼓掌參與；我們失敗，他們會袖手旁觀。我們來救他們，他們不能自救，如今又眼睜睜看著我們亦無以自救。在他們眼中，我們是失敗者。但是，他們不知道失敗者其實也滿痛快，因為失敗的終點，也就是另一場勝利的起點。這些可憐的同胞啊，他們不知道，他們永遠不會知道。」

在劊子手的準備行刑過程中，他又放眼望去，望著天上的浮雲，隨著浮雲，他的思緒快速的閃過。他想到江湖中人，在臨死前慷慨激昂大喊：「二十年後還是一條好漢！」他感到也該喊一句，但不要喊那種輪迴性的。輪迴是不可信的，死後妄信有來生，是一種怯懦、一種自私，對來生沒有任何指望而死，才算堂堂的生、堂堂的死。想到這裏，他笑了。突然間，像從浮雲裏劃破一條長空，他的喊聲震動了法場：

有心殺賊，
無力回天。
死得其所，
快哉！快哉！

劊子手驚奇的望著他，讚美的點了點頭。他對拿「鬼頭刀」的同胞從容一笑。一般死刑犯會要求劊子手：「給我個痛快！」但他不屑做此要求。——他求仁得仁，早就很痛快了。

*　　*　　*

譚嗣同的軀體靜靜的仰臥在菜市口，他的頭顱滾在一旁，血肉模糊。老家人胡理臣，帶著另一個老家人羅升和瀏陽會館的長班，一起趕過來，料理善後。先從西鶴年堂要來一盆水，抱起頭顱，洗去泥土與血跡。他們含淚望著小主人，小主人的兩眼圓睜著，嘴張開著，又像死不瞑目、又像大聲疾呼。由於被砍下來半天了，面孔已經開始癟下去，癟下乍看是縮小，其實是腫脹的前奏，再過一天，就腫脹得面目全非了。那時候，就很難認出本人來了。

老家人們焦急的等棺材到，在下午，棺材抬來了。「綴元」師傅也請來了。師傅把頭顱端正的接在頸腔上，用熟練的技巧，在脖子正面左右各連一針，又在背面補上一針，就算完成了歸位的手續。大家把屍體抬進棺材裏，釘上了棺材蓋。老家人點了香，撫棺而跪，磕了頭，就由槓房抬起棺材，向西走去。第一個經過的路口就是北半截胡同，胡同南口就是瀏陽會館。老家人胡理臣痛苦的想著：「眞沒想到我家少爺住的地方，離刑場這麼近！」

一行人等再朝西走，越過了一個胡同口，走到了下一個胡同口，開始左轉進胡同，走到盡頭再右轉，一座古廟展現開來。他們在廟門口歇下，胡理臣先進廟裏洽辦，羅升在斜陽中望著廟門，正門上頭有三個大字——「法源寺。」

第十三章　他們都死了

棺材停在法源寺的後房裏，下面用兩個長板凳横撐著，正面沒有任何文字，是誰的棺材，只有知道的人才知道。老家人們幫著抬棺材、架板凳，忙得滿頭大汗。胡理臣從腰間掏出一條毛巾，沒有擦汗，只用來把棺材擦得乾淨、仔細，一如幾個小時前清洗小主人的血臉。最後，擺上香案，一齊下跪，磕著頭，他們終於哭出聲來，一一訴說著少爺的苦命與不幸。

在停柩間的門口，一位老和尚默默站在那裏，他是佘法師，旁邊站著長大了的普淨。他們一言不發，卻滿面悲戚。不久，他們相偕走開，走到大雄寶殿前的舊碑旁邊，沈默著。

「普淨，」佘法師終於開了口。「你看到了，這就是走改良路線者的下場！整整十年前，康有爲在這古碑前面跟我們相識，十年來，他鍥而不捨、失敗了再來、失敗了再來、失敗了再來，終於說動了皇帝，得君行道，聯合譚嗣同他們搞起變法維新了。但是，表面上的成功，其實就是骨子裏的失敗。——康有爲花了十年心血，只證明一件事，就是譚嗣同用鮮血證明的：改良之路是走不通的。他們用失敗證明了此路不通，結論是，要救中國，只好大家去革命。譚嗣同可以不死卻甘願一死，最大的原因，就是要證明這一結論。我老了，不能有什麼作爲了，我看，從今天以後，你還是做離開廟裏的準備吧，到天涯、到海角，把自己投身出去，去做一個眞的革命黨吧！寺廟對眞正有佛心的人說來，其實至多只是一個起點和終站，因廟生佛心，因佛心而離開廟，在外救世，也許有一天，你救世歸來，可在廟裏終老；也許有一天，你救世失敗，和譚先生一樣，可在廟裏停靈。不管怎麼樣、不論那一種，都比年紀輕輕的就在廟裏吃齋念佛敲木魚來得眞實、來得有益。我看，是時候了，你也二十六歲了，你就照師父指示，準備一下吧！」

佘法師說著，輕拍著普淨的頭。普淨深情的望著師父。低下頭，一會兒，再抬起頭來，咬著嘴唇道：

「我從八歲到廟上來，就一直擔心有一天師父會不要我了，十八年過去了，今天我終於從師父口中聽到這種話。當然我知道這不是師父不要我，而是更要我去做我該去做的事，我就照師父指示，到天涯海角去。唯一的遺憾是我不能由早到晚照料您老人家了。……」

佘法師微笑著，又輕拍了普淨的頭。「普淨你看，譚先生死了，他有父親在堂、有妻子在室。他又由早到晚照料誰呢？在四萬萬中國同胞前，他一己之私的親情，一概捨棄，誰也不照料，照料的只是衆生。這種心懷，才眞正是出家人的心懷。儒家是『老吾老以及人之老』，但佛門卻是『捨吾老以及人之老』，有大感情的人是不在意小感情的。」

「那麼，師父，你爲什麼三十歲以後才出家？」普淨頂了一句。「你爲什麼不把廟做爲起點，而在年紀輕輕的時候，就遁入空門，把廟做爲終站？」

佘法師爲之一震。但是他很快恢復了常態，他轉了身，對著廟門，沒有看普淨：「這是你十年前就問過我的問題，我沒答覆你，只說有一天你會知道。那一天啊，現在還沒到來。我只能告訴你，我從三十歲後出家以來，我一直懷疑法源寺是我的終站，我雖然六十二歲了，人已垂垂老去，可是，我總覺得冥冥中還有一件事在等我去彌補、去續成、去做完，我直到今天還不十分清楚那是什麼事，但我可以告訴你那不是什麼事。就是：我不會壽終正寢在這裏，法源寺不是我的終站。普淨啊，我們在法源寺相會，也會在法源寺相離，就讓我們以離爲聚吧！……」

正在佘法師說到這裏，從廟門那邊，走進來兩個彪形大漢。走近的時候，其中一個滿面虬髯的，一直用銳利的眼光，打量著佘法師，他不友善的盯著佘法師看，佘法師察覺了，立刻表情有異，低眉不語。兩個大漢擦身而過，朝裏走去，也連個招呼都不打。普淨看在眼裏，十分奇怪。

「師父，你好像知道他們是誰，但他們對你好像不很友善。」

佘法師兩眼看地，又抬頭看天，輕嘆了一聲。

「普淨，你觀察入微，我的確知道他們是誰。那個留大鬍子的，不是別人，就是大刀王五。」

「大刀王五！」普淨驚嘆起來。

「大刀王五。」佘法師平靜的說。「這位『關東大俠』現在五十二歲，他整整比我小十歲。不過，我認識他的時候，他只有十七歲，那是三十五年前的事了。」

「師父那麼早就認識了大刀王五？」

「那麼早。」

「剛才大刀王五顯然認出了師父。你們很多年不見了吧？」

「三十多年不見了。」佘法師說。「我看，我還是告訴你吧。你一直不知道我當年出家的秘密，如今我們分手在即，我就告訴你吧！」

「大刀王五跟我有一段相同的經歷，這經歷，大家都不願透露的，就是我們都做過『長毛賊』。所謂『長毛賊』，是滿洲人對太平天國中太平軍的稱呼。太平天國起義時，號召恢復漢族蓄髮不剃的風俗、反抗滿清政府剃髮留辮子的制度，所以就被叫做『長毛賊』。近五十年前，金田起義時，天王洪秀全三十七歲、其他各王都三十上下，翼王石達開只有二十歲，當時他們的確有朝氣，同甘共苦，有理想、有革命氣象，可是，到了打進南京城、打下了中國半壁山河，他們開始腐化了、內鬥了，但是其中石達開還是像樣子的。他在武漢前方，聽說京城裏同志內鬥武鬥，東王楊秀清被殺，特別趕回來挽救革命陣營的分裂，但換得的，卻是他自己全家也被殺了。最後他又不見容於洪秀全，他只好出走了，隨他出走的有十幾萬人。他在江西、浙江、福建、湖南、廣西、湖北、四川等省行蹤不定，最後敗退雲南，最後只剩四萬殘部，在西康搶渡大渡河不成，陷於絕境，不但被窮山惡水包圍、也被清軍和土人包圍。那時我和王五都在他左右，我們沒糧食吃，吃野草；野草吃光了，殺戰馬吃馬肉；馬肉吃光了，剩下七千人，拚死突圍，逃到一個叫老鴉漩的地方，又碰到敵人，不能前進。兩天以後，石達開不見了，據說他為了顧全最後七千人的七千條命，自動走到清軍裏投降了。可是，當我們放下武器，一起投降的時候，清軍大開了殺戒，幾千人被殺了、幾千人四處逃命。石達開的家屬早在南京就被自己人殺光了，但僥倖逃出來一個十四歲的女兒，叫石綺湘，人長得漂亮，又會寫文章，六年來，跟著部隊長征，那時我因爲讀過書，被石達開看中，替他掌管文案，與綺湘早晚見面，日久也就生情，石達開也有意把我收爲女婿，但在整天轉戰南北的情況裏，也不便成婚。石達開在老鴉漩不見了，我們事先都不知情，後來傳說，自動走到清軍投降的，是一個面目很像石達開的手下，他冒充石達開，替他被清軍殺了，而石達開本人，卻逃亡了。在清軍大開殺戒的時候，我跟綺湘、王五等一百多人，翻山越嶺而走，藏在深山裏，等待轉機，由於處境絕望，很多人主張還是偷渡大渡河。在偷渡前，我們四下探聽，來了一個離奇的消息。說一個船夫，一天傍晚搭了一個老先生過河，老先生跟船夫滿談得來。船夫是有心人，感到這位老先生來路不簡單，但也不便多問。最後，老先生下船了，回頭望著高山流水，感慨的說了一句：『風月依然，而江山安在？』就快步消失了。據船夫說，那種快步的動作，全是年輕人的動作。天亮以後，船夫發現船裏留下一把傘，傘柄爲硬鐵所鑄，上有『羽異王府』四個小字，乃恍然大悟，這就是翼王石達開啊！這個消息，使大家都興奮起來了。因爲我們都知道石達開有這麼一把大雨傘。綺湘更是興奮，堅持要去找這船夫，追蹤她父親的足跡，於是大家一齊出發了。可是在河邊，我們中了埋伏，清軍一湧而上，我們回身四散逃跑，逃跑中我聽到綺湘的叫喊，好像是出了事，但我不顧一切，還是拚命跑，那天夜黑風高，我身體又有病，突發的事件，使我突然勇氣全無，竟沒有勇氣回頭去救綺湘。

事後聽說石達開的女兒被俘了，被清軍輪姦而死。雖然我事後自解，說我縱使當時回頭救她，也未必救得了她，但以我同她的關係，在亂軍中，我實在不該只顧我自己逃命，我實在可恥、實在不原諒我自己、實在沒臉見人。於是，我輾轉回到北京，回到跟我們佘家有點淵源的法源寺，看破紅塵，最後做了和尚。如今三十年了，我回想三十年前那一晚上，我直到今天，還是弄不清我當時爲什麼突然那麼膽怯、那麼突然間勇氣全無。」

「師父到法源寺做和尚的事，王五他們知道嗎？」

「我想他們知道。大家都在北方這麼多年，都有頭有臉，應該都知道老戰友們後來在幹什麼。不過，我們沒有來往。——他們認爲我應與綺湘同死，他們把我看成苟且偷生之輩，他們看我不起。」

「表面上，師父出了家，王五他們開了鑣局，大家都不再搞革命了。是嗎？」

「是吧。」佘法師淡淡的說，兩眼仍望著廟門以外。他茫然的走向前去，慢慢的，走到了丁香樹旁。十年前康有爲寫的杜甫丁香詩在他嘴邊浮起，他的腦海中，千軍萬馬，呼嘯而來。這時已近薄暮，但在天邊突然起了烏雲。——縱使在夕陽向晚，天要變，也不會等待夕陽的。

*　　　*　　　*

兩年以後，一九〇〇年舊曆七月二十日，向晚時分。一個人坐在孤島的水邊，也不等待夕陽。他年紀輕輕的，卻滿臉病容，有什麼夕陽可等待呢？他自己就是夕陽！

今天又是七月二十日了，他心裏想。整整兩年前的七月二十日，我把內閣候補侍讀、刑部後補主事、內閣候補中書、江蘇候補知府四個小官，擢升爲四品卿銜、在軍機章京上行走，參預新政，那時正是維新變法如火如荼的日子，可是，一切曇花一現，他們四個人，上任不過二十四天，就連同另外兩位，橫屍法場了。他自己變成了傀儡皇帝。最令人氣憤的，殺他們六個人的上諭，竟然還是用他的名義發出的。他還背得出那種官樣文章。上諭中說這六個人「革職拿交刑部訊究」後，「旋有人奏，若稽延時日，恐有中變，朕熟思審處，該犯等情節較重，難逃法網，倘語多牽涉，恐致株累，是以未俟覆奏，於昨日諭令將該犯等即行正法。此事爲非常之變，附和奸黨，均已明正典刑。」這就是說，皇帝「熟思審處」以後，已認定他們「情節較重，難逃法網」了，所以，爲了怕耽誤了殺人時間，另生變化，就先殺人了。這種命令，證明了想殺人的人，可以無須遵守皇帝自己訂的法律。按照大清的法律，執行死刑，要經過「斬監候」或「斬立決」的程序，「斬監候」是把犯人關到秋天，到秋天再奏到朝廷，沒有斟酌餘地的就批准秋決；有斟酌餘地的就免他一死，或者來個緩決，到第二年秋天再說。

至於「斬立決」，那就不要等秋天，只要等到覆文一到，就可以殺人。管殺人關人的是刑部、管糾察的是都察院，判死刑要另得大理寺覆文。所以依照法律程序，殺人不可能這麼快，不可能快到頭天審、第二天就殺。如今皇帝一道命令，公然表示「未俟覆奏」就把人殺了，這叫什麼皇帝！

他又回想著：那六天內四道命令，條條都是以皇帝的名義發出來的，形式上，是皇帝來殺這一周前還和他在一起維新變法的人，這眞是命運的嘲弄，嘲弄我自己是昏君！……

他坐在水邊，思緒飄浮著，一如水面上的浮萍。但是，誰又配跟浮萍比呢？浮萍還是有根的，而我這皇帝呢，卻囚居在小島上，連根都給拔了。

驀然間，遠處傳來了砲聲。怎麼會有砲聲，他納悶著。他不會向看守他的太監去查問，因爲問也白問，什麼都問不到，這些太監都是皇太后貼身的死黨，一切都被交代得守口如瓶。正在他對砲聲疑惑的時候，他發覺背後已經站了四個人，他轉過身去，四個穿民間便服的人下了跪，爲首的卻是李蓮英。

「皇上吉祥！」李蓮英用尖銳的喉音致意著。「好久沒來向皇上請安了，請皇上恕罪。」說著，他磕了頭。其他三個也跟著磕了頭。

「起來，你們怎麼都穿著這種老百姓的衣服？」皇上問。

「不瞞皇上說，」李蓮英報告著，「外面出了事。從去年以來，民間出了義和團，他們拜神以後可以降神附體，口誦咒語，金刀不入、槍砲不傷，他們說：『不穿洋布、不用洋火、……興大清，滅洋教。』到處殺洋人、殺信洋教的、燒教堂、燒火車，剛毅等滿朝文武信了他們、老佛爺也信了他們，害得洋人搞八國聯軍，現在已經殺到北京城來了，義和團根本就抵擋不住了。老佛爺下令接皇上一起逃走，現在我們就是來接皇上。請皇上立刻進來換衣服吧！趁著兵荒馬亂，化裝成難民，還來得及走，再遲就來不及啦！」

光緒皇帝脫下了龍袍，改穿了黑色長衫、藍布褲子。跟他們直奔宮外，轉上了騾車，在慌亂中他頻頻問：

「珍妃呢？珍妃在那裏？」

「車在前面。」李蓮英手一指。「女眷們都跟老佛爺在一起，隨後就來！」李蓮英答應著。「皇上先待在這兒。我去接她們！」說著，就朝前走去。

「我跟你一起走！我要先向皇太后請安。」光緒皇帝喊了一聲。隨即下了騾車，跟李蓮英和衆太監飛奔到宮裏。他們趕到貞順門，正看到前面一堆人，在擁簇著什麼，夾雜著一個女人的哀呼。他們趕上去，正看到珍妃被太監推到井邊，光緒皇帝大叫著奔上去，可是，太遲了，哀呼的嘶喊在快速減弱，撲通的水聲從深井傳出，太監們搶先抓住皇上，在離井十步遠的地方，被太監拖倒在地。

一個鄉村農婦打扮的老女人站在貞順門邊，被一堆化了裝的男女擁簇著，他們都嚇呆了。老女人若無其事，她把雙手上下交互錯打了一下，冷冷的說：「把皇上拉起來，咱們走吧！」一行人等，狼狽的上了路，什麼都來不及帶，也無法帶、不敢帶。走了幾百里路，全無人煙。口渴了，走到井邊，不是沒有打水的桶，就是井裏浮著人頭。直走到察哈爾的懷來，才算得到補給。此後從察哈爾到山西、到河南、到陝西，兩個月下來，終於到了西安。

出走十七個月後，亂局平靜了。中國向八國道歉、懲兇、賠款。賠款總額是四萬萬五千萬兩，而當時中國有四萬萬五千萬人，正好每個百姓平均要賠一兩，相當於中國五年的總收入。中國老百姓爲昏庸狠毒的皇太后又戴了重枷，可是重枷又豈限於賠給洋人嗎？十七個月前，皇太后自北京出走時，身無長物；十七個月後從西安回來時，裝載箱籠的車馬卻高達三千輛，車隊綿延七百里（二百五十英里），興高采烈，不似戰敗歸來，而像迎神賽會。最後一段路，從正定回北京一段，坐的還是火車。——皇太后終於向西方文化搭載了。二十一輛火車，終於開進了北京城。

六年以後，一九〇八年，光緒皇帝在位第三十四年的十一月十五日（舊曆十月二十二日），七十三歲的西太后終於死去，但在她死前一天，三十八歲的光緒皇帝卻神秘的先死了，是毒殺？是巧合？只有埋在豪華墳墓的西太后自己知道。這座豪華墳墓叫「東陵」，距離北京九十英里，是花了八百萬兩蓋成的，治喪費用又花了一百五十萬兩，總數接近了一千萬兩。在她統治的四十七年歲月裏，中國人民爲她花了無數的錢，最後的一千萬兩喪葬之資，可說是大家最願意花的。當她的金棺材被抬出北京城門的時候，一百二十名槓夫都擠不出去了，減到八十四個人，才得脫棺而出。從此，北京城消逝了她的餘暉，夕陽沒落了，大清帝國也榨乾了。三年以後，革命成功了，中華民國建立了。

*　*　*

西太后的死去，卻使某一些人「復活」了。光緒皇帝的另一位妃子——瑾妃，是珍妃的親姐姐，爲她慘死的妹妹立了一個牌位，掛上「貞筠勁草」的匾額，以爲追念與哀思。那恐怖的井，早被人叫做「珍妃井」，在井邊上用鐵條貫穿石柱，封起來了，上面還蓋了厚厚的木塊，一眼望去，倍覺陰森與淒涼。

另一個「復活」的人是張蔭桓。在他被捕以後，由於他實際負責外交多年，出使過美國、西班牙、秘魯，也在英國維多利亞女王六十慶典上做過特使，最後由英國公使、日本公使出面表達了嚴重關切。西太后顧忌了，乃用由光緒皇帝名義發出上諭，說張蔭桓「聲名甚劣，惟尙非康有爲之黨」，但以此人「居心巧詐、行蹤詭秘、趨炎附勢、反覆無常，著發往新疆，交該巡撫嚴加管束」。於是，張蔭桓戲劇性的死裏逃生，以犯官身分，由刑部移交兵部，遣戍塞外。他頗有玩世的氣派，路上還輕鬆得很，向人說：「這老太太和我開玩笑，還教我出關外走一回。」可是，好景不常、壞景失常，兩年以後，義和團扶淸滅洋開始了，西太后不買外國人的帳了，一個電報打到新疆，下令把張蔭桓「就地正法」。封疆大吏通知了他，他神色鎭定，臨刑前，還畫了兩頁扇面給他姪兒，畫好了，振了振衣袖，走到刑場，最後對劊子手一笑，說：「爽快些！」就從容死了。一年以後，清朝政府跟八國和議，外國人認爲張蔭桓死得冤枉，西太后又顧忌了，再用光緒皇帝名義，把張蔭桓「著加恩開復原官，以昭睦誼」。——爲了敦睦邦交而使張蔭桓死後又做上原官，「老太太」的臉面也丟盡了。

* * *

「老太太」從排外到媚外，只在她一念之間，但一念之轉，卻害得多少人枉死了。

「老太太」統治中國四十七年，乍看起來，所向無敵，但她的本領，只是擅長內鬥，鬥中國自己人，碰到外國人，卻顯得無知而幼稚。這種內鬥內行、外鬥外行的極致，就表現在她利用義和團掀起文化大亂命的鬧劇上。義和團是本土文化、鄉土文化的產物，它是民間低級宗教的一支，由神秘信仰到秘密組織，最後發展成公開的民團。團員的基本打扮是頭裹紅布或黃布、腰紮同樣顏色的腰帶、身穿短衫褲紮褲腳、腳上穿靴、上身外面罩上肚兜。肚兜上綉著「易經」八卦中的某一卦。從八卦信仰以下，他們抓到什麼就信什麼，生冷不忌，但全是中國本位文化，並且大多是低級的。他們相信吞符念咒可以刀槍不入，相信鋼叉、花槍、單刀、雙劍可以抵禦洋槍洋砲，他們的道具是引魂旛、渾天大旗、雷火扇、陰陽瓶、九連環、如意鈎、火牌、飛劍等等，顧名思義，妖妄可知；他們的偶像是玉皇大帝、洪鈞老祖、梨山老母、九天玄女、二郎神、哪吒、唐僧、孫悟空、豬八戒、沙和尚、姜太公、關公、張翼德、趙子龍、托塔天王、尉遲恭、秦叔寶、黃三太、黃天霸、楊香武等等小說、戲曲人物，唯一水平以上的，只是一個李太白！他們的入團儀式是乩童式的，從拳打腳踢到口吐白沫、從跳躍暈倒到念念有詞，都一應俱全。所念的咒語大多是「左青虎、右白虎，雲涼佛前心、玄火神後心，先請天王將、後請黑煞神」之類，並口耳相傳，功夫極處，可以由大師兄把手一指，洋人的住處，就可被天火燒光。……

無知而迷信的西太后竟相信了他們，他們串連到北京城，在西太后文化大亂命的帶頭下，在首善之區展開了首惡，殺人放火，瘋狂的排外。他們見到西藥房都要燒，結果引來四千家商店住宅被波及，還不准救火。不過，他們的本領只是對付中國人而已，本領施之於洋人，就力有未逮。他們的口號是：

神助拳，
義和團，
只因鬼子鬧中原：
勸奉教，
真欺天，
不敬神佛忘祖先。
女無節義男不賢，
鬼子不是人所添，
如不信，
請細觀：
鬼子眼珠都發藍。……
神發怒，
佛發憤，
派我下山把法傳。

我不是邪白蓮，
一篇咒語是真言。
升黃表，
焚香請下八洞各神仙。
神出洞，
仙下山，
扶助大清來練拳。
不用兵，
只用團，
要殺鬼子不費難。
燒鐵道，
拔電桿，
海中去翻大輪船。
大法國心膽寒，
英美俄德哭連連，
一概鬼子都殺盡，

但是，口號歸口號，眞正使出的功夫，卻連洋鬼子的使館區東交民巷都攻不下，東交民巷的洋兵不過四百人，義和團圍攻了兩個月，可是都攻不下來，一旦成千上萬的八國聯軍從海外打來，抵禦洋人的本領與後果，也就可知。但是，義和團對洋人的本領雖然有限，對中國自己人倒是極其耀武揚威的。他們把凡是涉洋的東西都一概打砸，抽洋煙（紙煙）的要殺、拿洋傘的要殺、穿洋襪的要殺，有一家八口查出一根火柴，八口全殺；有六個學生身邊有一支鉛筆，六個全殺。至於他們認爲信了洋教（天主教等）的，更在必殺之列。他們把洋人叫做「大毛子」、信教的中國人叫「二毛子」、間接與洋人有關的叫「三毛子」，殺不到「大毛子」，「二毛子」「三毛子」卻不愁缺貨，一經認定，砍殺、支解、腰斬、炮烹、活埋，……樣樣都有。活埋還有花樣，有的信教的婦女，被頭上脚下式活埋，把腰部以上埋在地裏；腰部以下，裸露外面，在陰部揷上蠟燭，取火點燃，以爲笑樂。……不過，認定誰是「二毛子」「三毛子」，標準卻是很寬的，有時候，爲了彰顯成績，他們會大抓農民，一抓就上百男女，一律砍頭。農民在法場號叫哭喊，都不淸楚自己是怎麼被殺的。……

西太后利用義和團掀起文化大亂命的鬧劇，這場鬧劇，惹來了文化的挑戰與浩劫，洋人的船堅砲利文化，形成了新的挑戰，更證實了中國文化與國力的脆弱；另一方面，中國本土的鄉土的低層文化的猖獗與盲動，造成了新的浩劫，也更證實了中國文化與國力的脆弱。按照中國的經典文化，兩國交兵，是「不戮行人」「不斬來使」的，但是，當本土的低層文化竄升到無法控制的時候，自外國的公使以下，就都臥屍街頭了。

西太后本人的文化水平是低層的，她的權勢竄升到高層，文化水平卻沒竄升上去，結果由她點頭肯定義和團、由她帶頭縱容義和團，就上下銜接，串連成騰笑古今中外的文化大亂命。在這種動亂裏，不但中國的農民被殺了、外國的使節被殺了、中國在朝頭腦清楚的大臣被殺了、民間在野的許許多多的志士仁人也都被殺了。中國各地人頭落地，不止北京城；北京城各地人頭落地，不止通衢大道。在閭巷小街裏，也不斷傳出不同的慘劇。西磚胡同的法源寺那邊，就傳出這麼一個。

一天傍晚，幾十個義和團分子追殺一個黑袍大漢，大漢已經負了傷，他閃進法源寺，廟門也就關起。義和團們趕到，他們不尊重什麼廟堂，費了一陣工夫，強行打開了廟門，推開和尙們衝進去，只見那黑袍大漢正伏在大雄寶殿的石階上，他們衝上去，亂刀齊下，砍死黑袍大漢，然後呼嘯而去。黑衣大漢是誰，義和團爲什麼追殺他，眞相不明。

但是，後續的說法也冒出來了。據事後法源寺附近的人透露，那個黑衣大漢，聽說不是别人，就是大刀王五，但義和團爲什麼追殺他，眞相仍不明。

直到十三年後，一個來自南方的行腳僧——「八指頭陀」住在法源寺，在問及當年當家和尚佘法師的下落時候，由於八指頭陀出家時，曾經「燃二指供佛」，自燒指頭的犧牲精神南北馳名，大家佩服他、相信他，才在當年法源寺目擊和尚的口裏，得到眞相。原來自從譚嗣同的靈柩移到法源寺後，佘法師就把普淨「趕走」了，他不要普淨再和他一樣的當和尚。普淨走後，佘法師自己也行蹤神秘起來了，聽說他參加了援救光緒皇帝的行動，這一行動，是譚嗣同死前囑託大刀王五代爲執行的。由於滿清政府保護的嚴密，行動失敗了。但佘法師跟鏢局裏的人物，仍舊保持聯繫。兩年後，義和團在北京大串連，鬧得天翻地覆，聽說大刀王五想混水摸魚，摸出光緒皇帝，重新完成對死友譚嗣同的囑託。可是，不知怎麼惹來義和團對他的追殺，王五逃到廟裏，佘法師一邊叫和尚們聚在大門前與義和團盡量拖時間，一邊單獨跟王五在一塊兒。後來大門前和尚攔不住，義和團一擁而入在大雄寶殿前，砍死了黑袍大漢。義和團走後，大家才發現，穿黑袍被砍死的，竟是佘法師！而王五呢，早被換成了和尚衣服，奄奄一息。大家極力搶救，可是，沒用了，三個小時後，王五也死了。王五死前只斷續留了一句話：「我錯怪了佘法師三十多年。如果可能，願和他埋在一起。」佘法師和王五神秘的關係，大家都不淸楚，只聽說王五一直看不起佘法師，說他是懦種。但是，看到佘法師穿著黑袍裝成受傷的王五，以自己一死來救王五那一幕，大家才恍然大悟。他們死後，廟裏不敢聲張，偷偷買了兩口棺材，埋在廣渠門裏廣東義園的袁崇煥墳後面。當時爲了搞清楚，大家搜查了黑袍的口袋，發現有一張紙，紙上寫著一首詩：

望門投止思張儉，
忍死須臾待杜根，
我自橫刀向天笑，
去留肝膽兩崑崙。

下面註明詩是譚嗣同先生「獄中題壁」之作。大家研究了一陣子，無法徹底理解，就作罷了。八指頭陀也是詩人，他夜裏點著蠟燭，在古廟中研究這首詩，恍然若有所悟。他對前三句都能理解：「望門投止思張儉」是寫後漢張儉被政府緝捕時，他亡命遁走，因爲他有名望，大家都佩服他、都掩護他，害得許多人家都因掩護他而受連累。譚嗣同用這個典，表示不願連累人，所以不願逃走。第二句「忍死須臾待杜根」是寫後漢杜根在皇帝年長後，上書勸太后歸政，太后下令把他裝在袋子裏摔死，幸虧執行的人暗動手腳，使他雖受傷但得以裝死逃生，譚嗣同用這個典，表示未能就太后歸政皇帝上，有所成就，但忍死一時，目的也別有所待。

第三句「我自橫刀向天笑」是寫他已視死如歸，從容殉道。八指頭陀驚歎著，他心裏想：「慷慨成仁易，從容就義難。」慷慨與從容是兩種不同的高層次處事態度、赴難態度、犧牲態度。慷慨的表現，有一股很強烈的激情，或兩目圓睜、或破口大罵、或意氣縱橫、或義形於色。以慷慨態度準備處世、赴難、犧牲的人，他們在內心裏，有十足的正義的理由，但在外表上，卻是感情的，並且是激情、強烈的激情形式的，用人比喻，這叫「方孝孺式」。明朝的方孝孺反對明成祖篡位，明成祖說這是我們家的事，先生你不要管，你只替我們寫詔書就好了。可是方孝孺連哭帶罵，說要殺便殺，詔書我是不寫的。明成祖說你不怕死，但殺起來不止殺你一個，要誅九族的。方孝孺說就是殺我十族，我也不怕。明成祖說，好，就殺你十族。照中國傳統算法，九族是在直系方面，上下各殺四代，就是從罪人的高祖、曾祖、祖父、父親，直殺到自己的兒子、孫子、曾孫、玄孫；另在旁系方面，還要橫殺到三從兄弟（母族和妻族）。但並沒有所謂第十族。方孝孺說他殺十族也不在乎，明成祖就要發明個十族出來，於是把朋友和學生，也都算進去。爲了增加某種效果，明成祖抓來一個就給方孝孺看一個，方孝孺毫不一顧。最後統計，一共殺了八百七十三個。方孝孺自己也慷慨成仁。中國人說「慷慨成仁易」，因爲慷慨成仁時候，都在事件的高潮點上，在高潮點上的人，是情緒最衝動的、最激情的，這時候的當事人，常常心一橫，可以做出許許多多大勇和大犧牲的偉大行動，而不會冷靜顧慮到別的利害與困難，也不會有恐懼、傷心、痛苦、孤寂等等使人沮喪、軟弱的情緒。事實上，在高潮點上不久，當事人也就「成仁」了，死得沒有破綻、沒有拖拖拉拉，很乾脆。所以說，慷慨成仁是比較容易的。正因爲慷慨成仁比較容易，所以，有人相信：不給當事人慷慨成仁的機會，也許結果可能不同。於是千方百計在獄中軟化他，使他屈服。但是有人卻仍不屈服。像文天祥，就是最偉大的範例。不過，比對起「方孝孺式」來，這種「文天祥式」卻是更高境界的。多年的牢獄生活，那種牢，不是靠很強烈的激情才能坐的，而是靠一種平靜的從容態度，而文天祥卻正好表現了這一態度。最後他終於換得了你敵人來殺我。在柴市口，他神色自若，走到法場，從容而死。……譚嗣同這首詩的第三句「我自橫刀向天笑」，寫得太好了、太好了，尤其好在這一「笑」字上。這一「笑」字，寫盡了他的從容態度，但笑是一種激情也有點慷慨的成分。所以，譚嗣同之死，既有「慷慨成仁」之易、又有「從容就義」之難，難易雙修，眞是詩如其人、人如其詩，視死如歸，從容殉道。但是第四句「去留肝膽兩崑崙」指什麼呢？這就費解了。

「他們都死了，」八指頭陀在殘燭下漫想著。「誰來檢定他們的往事呢？現在，滿清王朝沒落了、中華民國建立了，時間愈久、時代愈變，往事就愈淹沒了，但是，兩崑崙的謎團，到底指誰呢？」

第十四章「明月幾時有」

「到底指誰呢？」——同一個問題，在八指頭陀死在法源寺後兩年，一九一五年，中華民國四年，又被提起了。

這一年是令中國人痛苦的一年，因爲中國人好不容易成立的中華民國，遭遇了空前的劫難。——中華民國總統袁世凱居然做總統做得不滿足，要當起皇帝來了。全國上下，一片勸進之聲。

梁啓超感到很可恥，他在天津家裏，偷偷會見了從北京來的神秘人物，這人物不是別人，就是他十八年前在湖南時務學堂教書時的十六歲學生——改名蔡鍔、蔡松坡的蔡艮寅。

蔡鍔在戊戌政變以後，到日本讀書，重新回到亡命日本的老師梁啓超的門下。不過，他另一位老師譚嗣同的死難意義，卻引出了他跟梁啓超不同的解釋。在老師梁啓超、太老師康有爲的解釋裏，譚嗣同是爲了走改良的路而死，所以大家要追隨死者，繼續走改良的路，包括跟滿清政府與人爲善的方式在內；但在蔡鍔的解釋裏，譚嗣同是爲了證明改良之路走不通而死，譚嗣同的毅然一死，正是教我們覺悟到此路不通，而是要走革命的路。因此，他在十九歲那年，在義和團動亂發生以後，他和他的老師唐才常等十九個人，從日本偷偷回到中國，準備舉事。但是，他們失敗了。查辦這一案子的封疆大吏張之洞，是唐才常的老師，他審問時想開脫他的學生，故意跟左右說：這個人不像唐才常呀！會不會抓錯了人呢？但是唐才常卻高聲叫道：失敗了，死就是了，我唐才常豈是苟且偷生的人！於是，他被殺了。臨死前吟詩一首，最後兩句是：「臏有頭顱酬故友，無眞面目見羣魔。」——他終於在「故友」譚嗣同死後不到兩年，也跟著犧牲了。

唐才常在被圍捕中做了一件事，他技巧的燒掉了同志名册，使官方無法株連，蔡鍔等小同志因此得以逃返日本，參與下一波的革命行動。

蔡鍔進了日本士官學校，成績優異，畢業後回到中國，加入滿清的軍事陣營，密謀革命，這時他二十三歲。七年以後，一九一一年十月十日辛亥革命在湖北發生。發生二十天後，他在雲南就宣布了光復，並做了雲南地區的領導人。這時他二十九歲。兩個月後，中華民國成立了。

中國人的中華民國雖然成立了，但是中國人的皇帝思想並沒退去。中華民國只成立了四年，如火如荼的帝制活動就展開了，——戊戌政變時出賣譚嗣同的袁世凱操縱民意，想把中華民國改為中華帝國，由他做皇帝。這時候，梁啓超、蔡鍔他們再也忍不住了，他們要在衆神默默、全國敢怒而不敢言的恐怖局面下奮起力爭，為中國人爭人格、為中華民國爭命脈。這種努力是艱苦的，首先他們就得先從袁世凱偵伺下的北京、天津脫身才成。一天夜裏，蔡鍔從北京溜到天津去看梁啓超，他們談到了脫身的計畫。

「十七年前，」梁啓超說，「我和你的譚老師在北京談到離去和留下的問題。十七年過去了，我們又發生這一問題了。依我看來，目前的發展情況，該是你先離開北方，趕到南方去，在南方舉義旗、反帝制。我不能先走，我一走，袁世凱就特別注意到你，你就走不成了。所以，松坡，我來殿後，你先走。」

「可是，」蔡鍔猶豫著，「如果我先走了，老師如果走不成呢？」

「那也不會影響我們基本的素願。記得你譚老師十七年前的獄中題壁詩吧？

望門投止思張儉，
忍死須臾待杜根，
我自横刀向天笑，
去留肝膽兩崑崙。

第四句寫出了去留之間，大家肝膽相照，崑崙爲中國發祥地，『兩崑崙』指做兩位堂堂的中國人，不論是去是留，都是堂堂的。」

「當年譚老師以程嬰和公孫杵臼期勉老師和他自己，『去留肝膽兩崑崙』自是專指老師和他兩人而言。」蔡鍔補上一句。

「把『兩崑崙』解釋成他和我，跟上面『去留』字眼呼應起來，固然相當，但我後來看到譚老師『石菊影廬筆識』中『學篇』第五十六則，有這樣的文字：『友人鄒沅帆撰西征紀程，謂希瑪納雅山即崑崙，精確可信。希瑪納雅山在印度北，唐人呼印度人爲崑崙奴，亦一證也。』這段文字，是譚老師生前自己所做的唯一對『崑崙』的詮釋。這樣看來，譚老師所謂的『兩崑崙』，可能指的是他家的僕人，就是胡理臣和羅升。這兩個人，在譚老師死後，一個去湖北向譚老師的父親報信：一個留在北京料理善後，所以有『去留』之意。這樣解釋，未免狹窄了一點，不過探討譚老師的甘心一死的原因，家庭原因，也是其中之一。他從小雖被後母虐待，但是他跟父親的感情，卻深得很。事發後，九門提督查抄來的文件中，有許多他父親寫來因反對他參與變法維新，而表示不滿或斷絕關係的信，滿清政府因此沒有株連到他父親，其實這些家書都是譚老師爲了開脫自己父親而揑造的。當時他遲遲不肯逃走，要留下來學他父親筆跡揑造家書，恐怕也是原因之一。譚老師出事時，大家還聯合瞞他父親，說譚老師只在坐牢而已，但是一個朋友寫信不小心，洩漏了，他父親聽到消息，兩手抵住書桌、兩眼默默垂淚，再也沒說一句話。關於譚老師從容就義，不肯一走了之的原因，可有多種解釋：或說他爲了對支持變法維新的人有所交代而死、或說他爲了提醒大家要繼續走改良的路而死、或說他爲了證實此路不通而提醒大家要走革命的路而死、或說他爲了救他父親而死。……每種解釋，其實都可以成立。」

「老師你相信那一種？」蔡鍔問。

「我相信譚老師寧肯一死的理由是多重的。但是從佛法中看破生死，進而要殺身成仁，以完正果，則是最根本的。我認爲從大目標看來，他想要用一死證明改良之路不通，中國問題的眞解決，有賴於大家去革命；但從眼前的較小的目標看，他的甘心一死、甘心先死，實在有鼓勵大刀王五他們去救皇上的作用在內。我們不要忽略了譚老師性格中的俠義成分。在他的俠義性格裏，看到光緒皇帝受了漢族影響，甘願犧牲一切，去救中國，因而換得如此下場，他是心裏不安的、抱歉的，因此他最後還要救皇上，他自己沒有力量，所以拜託大刀王五他們去冒大險，於是他又對大刀王五他們心裏不安、抱歉了。他最後以一死明志、以一死表示不苟活、以一死表示大丈夫對自己幹的事自己會付出一條命來負責，這是很光明磊落的。從這種目標來看，『兩崑崙』是指王五和胡七的說法，反倒近似。有的說王五和胡七是崑崙派劍俠；有的說唐朝小說『崑崙奴傳』有『崑崙奴』摩勒、宋朝『太平廣記』也有陶峴和他『崑崙奴』摩訶，都用崑崙表達俠義的行事，所以『兩崑崙』指的，是劍俠們救皇上的事。那首詩最後寫他自己這邊，從容而死；而把救皇上的行動，託付給劍俠們了。照這樣路子解釋下去，可能『兩崑崙』中，一個是指譚嗣同自己，一個是指王五。他們之間的關係，也變成去者與留者的關係。當年公孫杵臼說：『立孤與死孰難？』扶養孤兒長大成人和一死了之那個難做？程嬰說：『死易，立孤難耳！』公孫杵臼說：他們姓趙的一家對你好，你就勉強擔任難的一部分吧，由我擔任容易的一部分，由我先去死。——『趙氏先君遇子厚，子彊爲其難者，吾爲其易者，請先死。』我想，譚老師經過思考，認爲以他的身分與處境，適合扮演公孫杵臼的角色，所以，他做了留者，而把未來的許多事，交給王五他們去辦。——譚老師獄中題壁詩的最好解釋，大概朝這一方向才比較妥貼。」

蔡鍔點了點頭。但他有一個疑惑，不能解決：

「不過，照老師爲譚老師印出的『仁學』裏，明明有他『衝決網羅』的立論，他認爲欲致人類於大同，非得先『衝決網羅』不可。他說：『初當衝決利祿之網羅、次衝決俗學若考據若詞章之網羅、次衝決全球羣學之網羅、次衝決君主之網羅、次衝決倫常之網羅、次衝決天之網羅、次衝決全球羣教之網羅、終將衝決佛法之網羅。』又說：『君以名梏臣、官以名軛民。』又說：『君主之禍，無可復加，非生人所能忍受。』又說：『二千年來，君臣一倫，尤爲黑暗否塞，無復人理。沿及今茲，方愈劇矣！』又說：『君亦一民也，且較之尋常之民而更爲末也。民之與民，無相爲死之理；本之與末，更無相爲死之理。……止有『死事』的道理，絕無『死君』的道理。『死君』者，宦官宮妾之爲愛，匹夫匹婦之爲諒也。……況又有滿漢種族之見，奴役天下者乎？』……由這些話看來，譚老師明明是有非君之見的、甚至有滿漢之見的，但他卻在得君行道的短暫機會後，做了太像太像『死君』的悲壯行動。老師說譚老師寧肯一死的理由是多重的，其中『死君』一重、爲光緒皇帝一死的悲壯，是不是也占了重要的一重呢？甚至是唯一的一個理由呢？如果眞的如此，那麼關於譚老師殉難的解釋，在五花八門之中，卻以這說法更令人驚心動魄了。老師以爲呢？」

梁啓超坐在書桌旁，點著頭，又用食指輕杵著頭。他的頭大大的、眼睛大大的，給人明亮睿智的感覺。在小學生蔡鍔面前，明亮睿智之外，更洋溢著一股交情與默契。

「關於『死事』與『死君』的問題，在譚老師最後見我一面時，我們曾討論過。譚老師基本上，是反對清朝的、反對皇帝的。所以在他著作中，我們看到他讚揚太平天國的革命，說洪秀全、楊秀清他們『苦於君官、鋌而走險，其情良足憫焉』；又讚揚法國大革命，說『誓殺盡天下君主，使流血滿地球，以洩萬民之恨』。……他的排滿反帝言行，我們早在時務學堂時就感受到了。而一旦被滿清皇帝看中重用，他就『酬聖主』式的殉死了，他前後有這樣對立的轉變，乍看起來，的確難以解釋，而會被自然解釋成他在『死君』。但是仔細看去，我認爲光緒皇帝在他眼中，已經不是狹義的『君』了，而是廣義的『事』了，光緒象徵著的是中華民族沒有畛域之分，華夷共處、滿漢一家；光緒象徵的是變法維新、改革腐敗政治的誠意；光緒象徵的是自己不持盈保泰、不做自了漢、自了皇帝，而去自我犧牲救國救民；光緒象徵的不是一個通常的皇帝，而是一個眞正的愛國者、一個眞正的有理想有抱負的人。……在譚老師眼中，光緒不是『君』了，而是『事』的象徵，乃至是同大業共患難的朋友。他們之間已不是君臣，而同是偉大的中國人。正如譚老師書中所說的『生民之初，本無所謂君臣，則皆民也』。譚老師因此患難有所不避、坐守待死，其實才正是他不肯一走了之的原因，站在『則皆民也』的立場，他也不要單獨丟下光緒在北京。當然，這也只是原因之一。剛才我說過，每種解釋，其實都可以成立，你所認爲的『死君』原因，自是又加了一種。譚老師絕不是狹義的『死君』，基本上，他是反對皇帝的。在這一點上，他死後十七年，你我又聯手貫徹他的思想了。古人說：『西方聖人，以一大事因緣，出現於世。』譚老師一生三十三年的短短生命裏，就是以此大事因緣，出現於世，爲我們中國人奮鬥的目標，留下了南針與血證，他現身說法，爲中國人留下偉大人格的榜樣，叫我們去懷念、長想。這也正是他跟我們的因緣。……」梁啓超說著，淚光已經閃出來了。

蔡鍔點了點頭。「老師說得對，眼看就是千千萬萬中國人，頌王莽功德、上勸進表了；眼看袁世凱就當上皇帝了，這成什麼話！全世界看中國人是什麼東西呢？中國人全是沒骨氣沒人格的了，這怎麼行？」

「有你我在，就不讓人把中國人看扁！」梁啓超接過去，用力的說。「你我就分頭努力去。事情成功，什麼地位都不要，回頭做我們的學問；事情失敗，準備一死，既不跑租界，也不跑外國！」

就這樣的，蔡鍔從梁啓超家裏，化裝逃往日本，轉到他可以影響的雲南，宣告起義，反對帝制；梁啓超在半個月後也伺機潛往上海，轉道廣西、廣東，遊說響應雲南。在千辛萬苦中、在九死一生裏，最後達成了延續民國命脈的目的。可是，起義者本人，卻付了相對的代價，「洪憲皇帝」袁世凱在六月羞憤而死，活了五十八歲。蔡鍔在五個月後，也積勞而亡，他死在日本醫院裏，只活了三十五歲。

*　*　*

在梁啓超、蔡鍔師生二人聯手行動的同時，梁啓超的老師康有爲也加入了。康有爲在雲南起義時，一面秘密寫信給蔡鍔，叫他設法收復四川；一面變賣房地，以爲資助。梁啓超高興他老師也參與這一行動，但是，當他發現康老師的眞正目的是在打倒袁世凱後，把滿清皇帝復辟，他震驚了。在蔡鍔死後，康有爲以太老師的身分，寫了一對輓聯，內容是：

微君之躬，今為洪憲之世矣；
思子之故，怕聞鼓鼙之聲來。

「聞鼓鼙而思良將」，這是康有爲的滿腔心事。但是，他沒有良將，他只是光身一人。雖然如此，他卻毫不灰心，他仍要爲中國設計前途。五年前，幾千年有皇帝的古國，一朝不再有皇帝了。共和、共和，共和變成了時髦的口號。孫中山在南京做了臨時大總統，向北京提出了和議條件，要求清朝皇帝退位，宣統皇帝退位了；北京方面，軍政大權落到袁世凱的手裏，經過暗盤的談判，孫中山把總統讓出來，袁世凱在北京就任了臨時大總統。中國這麼大的國家，竟被革命黨和老官僚這樣私相授受，怎麼可以呢？中國交給孫中山，固然可慮；交給袁世凱，豈不也半斤八兩嗎？

從帝國轉到了民國，中國在形式上有了些進步。留了三百年的辮子，給剪了；行了幾千年的陰曆，給陽了；國旗根據清朝的五色官旗，給改成了五色旗；稱呼也不「大人」「老爺」了，給改成「總長」「先生」了；舊有的官制，也一一給改成新名目了。……

不過，這些進步多是形式上的。政府反對小腳，可是有人還在纏；政府反對鴉片，可是有人還在抽；政府反對刑求，可是有人還在打；政府反對買賣人口，可是有人還在買來賣去。……民國呵，它離名義的帝國業已遙遠，它離實質的帝國卻還那麼接近。它在許多方面，只是帝國的代名詞！

有一點倒是眞的遙遠了，那就是全國上下對中央的向心力，那種向心力，幾千年來，都由皇帝集中在一起，構成了穩定國家的基本模式。可是，民國到了、皇帝倒了。強梁者進步到不要別人做皇帝了，卻沒進步到不要自己做皇帝。中華民國大總統袁世凱，就是自己要做皇帝的一個。

康有爲早就看出這種危機，他在新舊交替的當口，大聲疾呼，做救亡之論。可是，在衆口一聲並且這一聲就是革命的排山倒海裏，竟沒有人肯登、也沒有人敢登他的文章了。他住在日本，五十多歲的年紀，卻已投閒置散。他的心情是蒼茫的。他四十歲以前，守舊者說他維新；他五十多歲以後，維新者又說他守舊。並且這種說法，早就開始了。他五十多歲時發生辛亥革命，中華民國成立之日，更是他康有爲出局之時。當年別人守舊，他搞維新，大家還附和他；可是當別人排滿，他卻保皇；別人革命，他卻「反革命」；別人共和，他卻君主立憲的時候，他就顯得太不合時宜了。別人只能知道第一階段的他，卻不能知道第二階段的他。不過，康有爲卻是不肯懷憂喪志的，沒人印他的文章，他自己在中華民國成立那年，就創辦了「不忍」雜誌。這雜誌每月出一本，都是他自己寫的，每本約七八萬字，他用一個人的力量，大聲疾呼，要喚醒別人。不過，二十年前，他喚醒的對象，是一個皇帝；二十年後，他喚醒的對象，卻是千千萬萬的衆生。不同的是，皇帝被喚醒，可是皇帝救國有心無力；而衆生呢，卻根本喚不醒他們，他們千千萬萬，只是夢遊的患者。結果呢，有心無力的，變成了康有爲自己。但是，難道他從此就停止了麼？不會的，還是要找些志不同而道合的人們，來救亡圖存。早在辛亥革命之際，他亡命在日本，就寫信給革命黨領袖人物黃興——就是當年派同志上北京想把譚嗣同接走的黃軫，也就是黃克強，提醒他中國是幾千年的君主國，驟然變成共和國是會惹出麻煩的，不如學英國學日本，以立憲的君主國，來長保恆定。他認爲這種「虛君共和」中最理想的虛君是孔子的後裔。但是這種迂闊的意見，誰又聽得進去呢？

辛亥革命後，一晃五年了，他所預言的革命會給中國帶來麻煩，好像說中了。他決心再把中國給調回頭來。現在，有一個做虛君的人選，也相當合適，那就是被廢除的中國末代皇帝溥儀。溥儀的缺點在他是滿族人，但優勢也正在他是滿族人。滿族統治中國，已經有兩百六十八年的歷史了。這一歷史背景正好表示了它的穩定性。溥儀是光緒皇帝的繼承人，他的年號是宣統，宣統不到三年，中華民國就成立了，溥儀變成了遜帝，溥儀手下的王公大臣變成了遺老。遺老中有很多很多效忠清室的「頑固分子」，他們無日不想復辟，把現在扭成過去，但是，他們手無寸鐵，無能爲力。正巧有一個長江巡閱使兼安徽督軍的張勳，是頑固專家，他爲了效忠清室，把他手下的三萬軍隊都保留了辮子不剪，號稱「辮子軍」，有意恢復舊王朝。遂在袁世凱死後一年之日，擁立宣統皇帝「御極聽政」，收回大權。在這幕活劇裏，康有爲也加入了，做了弼德院副院長。可是，曇花一現十三天，段祺瑞在馬廠誓師而上的部隊，就把「辮子軍」打垮了。宣統皇帝逃到英國公使館尋求政治庇護、張勳逃到荷蘭公使館、康有爲逃到美國公使館。

美國公使禮遇康有爲，把他安置在美森院居住，整天寫書作詩，苦撐待變。在整個的復辟失敗中，他最大的痛苦不是無法光復舊朝，因爲他早就有心理準備，知道復辟並非易事，失敗了也不意外；他也不高估這些共事的滿清遺老，因爲他也早有心理準備，知道這些人不成氣候，搞砸了也不意外。最使他意外的反倒是：他的第一號大弟子梁啓超「背叛」了他，段祺瑞馬廠誓師的眞正軍師，不是別人，正是梁啓超。梁啓超在反對復辟的通電中，公開指斥「此次首造逆謀之人，非貪黷無厭之武夫，即大言不慚之書生」，顯然已經直接攻擊到康老師頭上來了。康有爲躲在美國公使館，對梁啓超的「當仁不讓於師」，非常惱怒。他寫詩說：

鴟梟食母獍食父，
刑天舞戚虎守關，
逢蒙彎弓專射羿，
坐看日落淚潸潸。

在詩中，從動物到神話，凡是顯示出忘恩負義例子的，都被他選進詩裏。在詩稿最後，他還寫下十三個字——「此次討逆軍發難於梁賊啓超也！」可見他內心的苦痛。他最心愛的學生也離他而去了，這個世界，更孤單了。

*　　*　　*

不過，在孤單中，也有對話的聲音存在，那就是美國公使館中的一名精通華語的武官，名叫史迪威，常常過來陪他聊天，兩人談得也蠻投機。有一次，史迪威問到復辟的事。

「有人說你康先生這次參加復辟，是『迷戀紅頂花翎』，不甘寂寞。」史迪威一面敬了茶，一面不經意的帶進主題。

「你以為我康有為那麼沒出息、那麼反動嗎？你就錯了。」康有為有點激動。「對君主政治，我其實知道得清清楚楚。有史以來的『聖君』，不過是大桀小桀；所謂『賢臣』，只是助桀為虐。這些遺老辮帥，根本不知政治為何物，我參加復辟，志在實現『虛君共和』的理想而來，不是參加這些人的醜劇而來，你不要認錯了人！」

「『虛君共和』？你康先生在戊戌變法時，搞得是『虛君共和』麼？」

「那時候不是。那時候我希望光緒皇帝做彼得大帝，要有實權，是『開明專制』；可是戊戌以後，我傾向『君主立憲』，認為君權要有限制；辛亥以後，由於已有中華民國的形式，我主張我們採行英國式的『虛君共和』。我的政治主張是進化的，淺人看來，我是保皇黨，其實我保的皇，絕非這些遺老辮帥保的皇。我認為清朝兩百六十八年的統一基礎要珍惜，它是一種安定力量、向心力量。皇帝就是這種安定力向心力的象徵。你看英國，從過去亨利第八的絕對君權，到今天喬治五世的『虛君共和』，都有皇帝擺在那裏，英國不論怎麼耍花樣、怎麼

「康先生的見解遠大、立身正大，我們美國人都了解，這也就是我們公使館願意出面政改變政體，它都聰明的把安定力向心力的虛有其名的象徵吊在那兒。」

史迪威點著頭、點著頭，他顯然被康有爲說服了。他站起來，又爲康有爲敬了茶。

「既然保皇保皇，被保的皇實質上已經一變再變，甚至變到了虛有其名、空殼子，又何必這麼麻煩，千方百計的吊在那兒？乾脆改成人民共和國，豈不更好？」

「不然。你別忘了，中國是有皇帝的國家，已經幾千年了，這個傳統你必須重視，即使是利用，也是重視的一種。我在外國十六年，八次去英國、七次去法國、五次去瑞士、一次去葡萄牙，在墨西哥住了半年、在美國住了三年，所過三十一國、行經六十萬里，雖不敢說盡知眞相，但是一直細心考察，所以我的結論，不是虛空的，而是落實的。我深信中國當學英國，要挾天子以行共和。至於誰爲天子，只要有傳統象徵作用的，都可以。從孔子後代衍聖公，到滿淸遜帝，我都贊成。目前衍聖公只有兩歲，宣統比較合適。所以我參加了復辟。我參加，是希望大家搞『虛君共和』的，沒想到遺老辮帥們沒見識。我提議的定國號爲中華帝國、行虛君共和制、召開國民大會、融化滿漢畛域、親貴不得干政、免跪拜、不避御諱等開明民主措施，他們都不肯接受，反倒搞什麼大淸國、大淸門、大淸銀行等等，妄想恢復舊王朝的統治，大家爭權奪利，這那是我的本意呢？」

治庇護康先生的原因。可惜的是，康先生的本國人對康先生反倒了解得不夠，這倒是很遺憾的。這眞是中國的難題。」

康有爲冷笑了一下。「難題也不單是中國的吧？你們美國又何嘗不然？你們開國時的先知和功臣湯瑪斯・潘恩，在把美國帶入新境界以後，還不是要離開美國，到法國去另找天地？他在法國，因爲反對暴力革命，還被關在牢裏，美國總統雖把他救回美國，但他的後半生，卻在被美國人漠視中死去，直到一百多年後才被眞的肯定，你們美國人對自己的先知和功臣，還不是一樣！」

史迪威苦笑了一下，說：「耶穌說先知總不在自己鄉土上被接受，大概就是這個原因吧？不過，中國是一個偉大的民族，這個民族的人情世故，有它獨特的結構，他們對你康先生，有朝一日，也許有令人驚訝的肯定，也許不要等上一百年。試看你今天的康先生，明明是犯了叛國罪的要犯，可是你卻能逍遙法外，大家除了責怪你康有爲老朽昏庸不合時代潮流外，對你並沒有什麼惡意，這種和稀泥的態度，正是中國人的一大特色。現在公使正私下和中國政府商量，閉一隻眼，放你南下，這在外國是辦不到的啊！法國大革命時湯瑪斯・潘恩爲了保護下台的皇帝，都要被關起來；而你康先生呢，把下台的皇帝推上台，也不過不了了之。——中國人不了解先知，但是，他們也不過分迫害他啊！……」

「你看著吧！」康有爲打斷他的話。「我老了，我可能看不到了，但你會看到中國的劇變。我想我是中國最後一個僅存的先知，最後一個被羣衆放過、被暴民放過、被政黨放過的先知。原因無他，他們認爲我早已不屬於他們的時代，他們放過我，一如他們放過一件活骨董。但是，你等著看吧，這點殘存的寬大將來也愈來愈少了。民國、民國，民猶是也、國猶是也，將來的麻煩可多得不得了呢！如果清朝是夕陽、是落日，那麼民國卻是夕陽落日後黑夜，將來的麻煩可多著呢！……」說到這裏，康有爲抬起頭來，眼望著窗外。「四十年來，我所預言的，無一不中；不聽我忠告的，無一不敗。這就是做先知的痛苦。這種人早在四十年前就看到中國的今天，也從中國的今天遠看到四十年後，雖然四十年後，這種人早就死了，但是，這一對老眼永不死亡。你知道中國古人伍子胥的故事嗎？他死前遺命把他頭顱懸在城門口，要看自己國家的滅亡。」

「康先生還是不要太悲觀了！」史迪威站了起來。「即使民國是黑夜，你康先生也是一輪明月，時常會照亮它。」

「是嗎？」康有爲笑了一下，也站起來。「不談了，正好木堂先生要我爲他題幾個字，我要去揮毫了。中國的毛筆字眞有用，當你想逃避一下現實，它可是最好的寶貝。」

「人家說康先生的書法，民國第一。康先生光憑毛筆字，就可不朽。」史迪威讚美著。

「不是民國第一，是中國第一、清朝第一。我不要靠毛筆字在民國站一席地。在衆生嗷嗷待哺、國事魚爛河決的時候，靠毛筆字是可恥的。不過，談件小事，我的餘生怎麼生活呢？也許我得靠賣字來活了。哈哈，我生命中最渺小的一部分，竟在中華民國變成了最偉大的。史迪威先生，做先知不必再痛苦，只要他肯心甘情願寫毛筆字！」

在笑聲中，兩人分了手。

*　　*　　*

三天以後，在美國公使館躲了半年以後，美國公使終於跟中國政府取得默契，用專車把康有爲送到天津去。康有爲臨行留下了一些事件託史迪威料理，其中有一幅手卷，故意沒有封起。史迪威打開一看，赫然寫著雄渾的五個大字：

明月幾時有

下有小字寫著：

木堂先生屬

史迪威頓然一驚，然後搖了搖頭，停住了，過了一會，他把臉朝向窗外。「康先生秋天來，冬天走了。」他心裏想著。「他該走了，北京的冬天，對他太冷了。」

康有爲

第十五章　古刹重逢

九年過去了。

北京的陰曆七月又到了，正南正北的天河又改變了方向，天氣又快涼了。七月一日是立秋了。立秋是鬼節的前奏。鬼節總帶給人一種肅殺的氣氛。家家都要「供包袱」，跟死人打交道。跟死人最有肅殺關係的菜市口，更是令人注目的地方。

這天立秋正是陰天。菜市口的街道，正像北京的大部街道一樣，還沒鋪上石板。雖然已是一九二六年，滿清王朝已被推翻了十五年，可是，菜市口還是前清時的老樣子。街上的浮土，晴天時候就像香爐，一陣風颳來，就天昏地暗；雨天時候就像醬缸，一腳踩下去，就要吃力的拔著走。

路不好是一回事，每個人都得走。爲他們的現在與未來而走。但有一個老人不這樣，他在爲過去而走。

十五年來，他每次來北京，都要一個人來菜市口，望著街上的浮土、望著西鶴年堂老藥鋪，淒然若有所思。他兩腳踩的泥土，本該是他當年的刑死之地。而西鶴年堂老藥鋪前面，也正是監斬者坐在長桌後面、以朱筆勾决人犯的地方。但是，偶然的機遇，他死裏逃生，躲過了這一劫，除了西鶴年堂的老屋和他自己的一對老眼，當年的物證人證，已全化爲泥土。西太后化爲泥土、監斬官化爲泥土、六君子化爲泥土，整個的保守與改良、倒退與進步、絕望與希望、怠惰與辛勤，都已化爲泥土。剩下的，只是老去的他，孤單的走上丁字路口，在生離死別間、舊恨新愁裏，面對著老藥鋪，在泥土上印證三生。

這一次來北京、來菜市口，他已經六十九歲了。中國的時局又陷入新的混亂，北方的舊大將走馬換將、南方的新軍閥誓師北伐，並且這回是公然由蘇聯人提供機槍、大砲、金錢、和顧問，來勢洶洶，中國的一場新浩劫或幾場新浩劫，是指日可待的。而他自己，已來日無多，又不爲人所喜，避地於域外，也不得不早爲之計。他這次來北京，感覺已和過去不同，過去每次來，都有下次再來的心理，可是這次卻沒有了。他覺得他與北京已經緣盡，這次來，不是暫留、不是小住、不是懷舊，而是告別、永別前的告別。在菜市口，他是向二十八年前的烈士告別、向二十八年前的刑死之我告別、向過去的自己告別。

離開了菜市口，他到了宣武門外大街南口，走進了南北方向的北半截胡同，胡同的南端西側，一座地勢低矮的房子出現了，那是譚嗣同住過多年的地方——瀏陽會館。會館裏的莽蒼蒼齋，三十年前，正是他們商討變法維新的地方，多少個白天、多少個晚上、多少個深夜，他和譚嗣同等志士們在這裏爲新中國設計藍圖。三十年，這麼快就過去了，莽蒼蒼齋老屋猶在，可是主人已去、客人已老，除了蛛網與劫灰，已是一片死寂。唯一活動的是照料會館的老傭人，在收了這位陌生老先生的賞錢後，殷勤的逐屋向他介紹。老傭人一知半解的述說三十年前，這是大人物住過來過的地方。他吃力的細數莽蒼蒼齋主人交往的人物，他口中出現了「一位康先生」。他做夢也夢想不到，那位「康先生」，正含淚站在他的身邊。

莽蒼蒼齋的匾額還在，旁邊的門聯，卻已斑駁不清，但他清楚記得那門聯上的原文。當時譚嗣同寫的是「家無儋石，氣雄萬夫」，他看了，覺得口氣太大，要譚嗣同改得隱晦一點，譚嗣同改成「視爾夢夢，天胡此醉；于時處處，人亦有言」。他大加讚賞，認爲改得收斂。如今，三十年過去了，譚嗣同「氣雄萬夫」而去，「視爾夢夢」的，正是他自己。「再見了，莽蒼蒼齋；再見了，復生。」這裏塵封了他們早年的歲月、這裏寄存了當年救國者的歡樂與哀愁、這裏凝結了譚嗣同被捕前的刹那，在那從容不迫的迎接裏，主人迎接捉拿欽犯的，一如迎接一批客人。在天地逆旅中，人生本是過客，只有舊屋還活現主人，而主人自己，卻長眠在萬里朱殷之外，在蒼蒼的草莽裏，默然無語，「人亦有言。」

*　*　*

在陰天中，他又轉入西磚胡同南口，沿著朱紅斑駁的牆，走進了法源寺。

四十年前，他初來北京，就住在宣武門外米市胡同，就愛上附近的這座古廟。廟裏的天王殿後有大雄寶殿，在寬闊的平台前面，有台階，左右分列六座石碑，氣勢雄偉。他最喜歡在舊碑前面看碑文和龜趺，從古蹟中上溯過去，渾忘現在的一切。過去其實有兩種，一種是自己的過去、一種是古人的過去。自己的過去雖然不過幾十年，但是因爲太切身、太近，所以會帶給人傷感、帶給人悵惘、帶給人痛苦。從菜市口到莽蒼蒼齋，那種痛苦都太逼近了，令人難受；但古人的過去卻不如此，它帶給人思古的幽情、帶給人淒涼的美麗、和一種令人神往的幸會與契合。懷古的情懷，比懷今要醇厚得多。它在今昔交匯之中，也會令人有蒼茫之情、滄桑之感，但那種情感是超然的，不滯於一己與小我，顯得浩蕩而恢廓。但是懷今就趕不上。智者懷古、仁者懷今，仁智雙修的並不排斥任一種，不過懷今以後，益之以懷古，可以使人傷感、悵惘、痛苦之情昇華，對人生的悲歡離合，有更達觀的領悟。「君不見，玉環、飛燕皆塵土。」正因爲結局是從今而古、從古而無，所以把自己生命的一部分，用來懷古，反倒不是減少而是加多。你自己生命減少，但一旦銜接上古人的，你的生命，就變得拉長、變爲永恆中的一部分。即使你化爲塵土，但已與古人和光同塵，你不再那樣孤單，你死去的朋友也不那樣孤單。你是他們的一部分，而他們是自古以來志士仁人的一部分。那時候，你不再爲他們的殉道而傷感、悵惘、痛苦，一如在法源寺中，你不會爲殉道於此的謝枋得而傷感、悵惘、痛苦，你也不會跟謝枋得同仇敵愾，以他的仇敵爲仇敵。你有的情感，只是一種敬佩，一種清澈的、澄明的、單純的、不拖泥帶水的敬佩。那種昇華以後的蒼茫與滄桑，開擴了你的視野、綿延了你的時距，你變得一方面極目千里、一方面神交古人，那是一種新的境界，奇怪的是，你只能孤單一人，獨自在古廟中求之，而那古廟，對他說來，只有法源寺。

*　　*　　*

「康先生又來法源寺看古碑了。」說話聲音來自背後，康有爲轉身一看，看到一個中年人，在對他微笑。

中年人中等身裁，留著分頭，但有點雜亂，圓圓的臉上，戴著圓圓的玳瑁眼鏡，眼睛不大，但極有神，鼻子有點鷹勾，在薄薄的嘴唇上，留著一排鬍子。下巴是刮過的，可見頭髮有點雜亂，並非不修邊幅，而是名士派的緣故。他身穿一套褐色舊西裝，擦過的黑皮鞋，整齊乾淨，像個很像樣的教授。

康有爲伸出手來，和中年人握了手。好奇的問：「先生知道我姓康？」

「康先生名滿天下，當然知道。」中年人笑著說，非常友善。

「你先生見過我？能認出我來？」康有爲問。「你剛才說我『又』來法源寺看古碑了。你好像看我來過？」

中年人笑起來，笑容中有點神秘。他低下了頭，又抬起來。兩隻有神的眼睛，上下打量著康有爲。慢慢的說：

「我當然認得出康先生，在報上照片看得太多了。何況，我還見過康先生，不過，那是很早很早很早以前的事了，康先生恐怕不記得了。」

「多早以前？」

「算來康先生會嚇一跳，近四十年以前。準確的說，是三十八年前。」

康有爲圓睜了眼睛，好奇的問：「可能嗎？看你先生不過四五十歲。近四十年前你只有十多歲，你十多歲時見過我？在那裏見到的？」

「就在北京。」

「在北京那裏？」

「就在北京這裏。」中年人把手指地。「就在這法源寺裏。就在這石碑前面。」

康有爲爲之一震。他抓住中年人的手，仔細端詳著、端詳著。「你是——」

「我是——我是當年法源寺當家和尚佘和尚的小徒弟！」

康有爲楞住了。他大爲驚訝，仔細盯住了對方。突然間，他擁上前去，抱住中年人：「啊，我記得你！我記得你！你就是那位從河南逃荒出來、被哥哥放在廟門口的小弟弟！」

中年人不再故做神秘了，他抱住康有爲，眼睛溼了。抱了一陣，兩人互抱著腰，上半身都向後仰，互相端詳著。中年人讚賞的搖搖頭：「康先生博聞彊記，眞名不虛傳，康先生記性眞好！近四十年前的一個小和尚，你還記得。」

「也不是記性多好，而是你當年給我的印象太深刻了、太深刻了！」

康有爲雙手拉著中年人的雙手：「你當時叫什麼來著，你叫——」

「普淨。我叫普淨。」

「對、對！你叫普淨、你叫普淨！」

「普淨是我做小和尚的名字，我的本姓姓李，我叫李十力。……」

「李十力？李十力是你？」康有爲又一次大爲驚訝，他用手指點著中年人的前胸。「你不是北京大學的名教授嗎？」

李十力笑著點了點頭。「教授倒是濫竽，名則未必。」

「你太客氣了。」康有爲說。「大家都知道中國現代有個搞『新唯識論』的大學者，我也一直心儀已久，並且一直想有緣一見的，原來就是你，就是我四十年前見過的小法師啊！久別重逢，並且重逢在四十年前的老地方，眞太巧了、太巧了！」

「『墨子』中說『景不徙』、『莊子』中說『飛鳥之影，未嘗動也』。都是把過去的投影，給抽象的凝聚在原來地方，表示形離開了，可是影沒離開。如今四十年後，康先生和我的形又重現在這兒，我們簡直給古書提供了形影不離的今證了。」

康有爲拍著李十力的肩膀，笑著說：「你說得是。這正是形影不離啊！可惜的是，我老了，佘法師也不在了。佘法師若活到現在，也八十開外了吧？」

「正好八十整壽。並且正好就是今天，——今天正是佘法師八十冥誕啊！」

「太巧了、太巧了！所有的巧事，今天都集合在一起了！佘法師八十冥誕，廟上一定有紀念儀式吧？」

「設了一個禮堂，大家行禮。這幾天我從學校過來，住在廟上，一來幫忙照料，二來也清淨幾天，好好想些問題。正好碰到康先生來廟上，眞是『有緣千里來相會』了。」

「眞是『有緣千里來相會』。我這次從青島到北京，目的也是看看老朋友。前天——八月五日——一位老朋友袁勵準翰林請我吃飯，回想二十八年前的八月五日，正好是戊戌政變我出亡上輪船那天，船到上海，英國人開來兩條兵艦救康有爲，可是沒人認識康有爲。正好袁勵準在船上，經他指點，我才能死裏逃生。我跟袁勵準近三十年不見了，這次故人重逢，在座的有大畫家溥儒，當場畫了幅英艦援救圖，我還題了字。當時大家都說再見到近三十年不見的老朋友，眞值得慶祝，沒想到才過了一天，就見到你這位近四十年不見的老朋友了。我們也該慶祝一下。怎麼樣？等我到禮堂先向佘法師行個禮，如蒙賞光，我們就到附近吃個小館。」

「承蒙康先生賞飯，是我的榮幸。不過今天廟上備有素席，我們就在廟上吃吧。現在時候也近晌午了，先陪康先生行禮吧！」

禮堂設在一個想不到的地方，——廟上最後一進的藏經閣。原因是佘法師生前說他讀書沒讀夠，死後盼與書爲伍。廟上的人爲了成其遺願，就把他供奉在藏經閣。閣前有百年古銀杏一棵，枝幹槎枒，蔭覆半院。階前有兩株西府海棠，也兩百多年了。當年大詩人龔定盦有一天整理舊物，發現一包這兩棵海棠落下的花瓣，他感而有詞，寫道：

人天無據，被儂留得香魂住。
如夢如煙，枝上花開又十年。
十年千里，風痕雨點斕斑裏。
莫怪憐他，身世依然似落花。

這位天才橫溢的大詩人死後六十年，佘法師「身世依然似落花」的魂歸古廟；他死後二十六年，他當年的小徒弟與一飯之緣的康有爲，並肩而至，來向他行禮了。

* * *

飯廳還是當年的老樣子，方形紅漆桌仍舊簡單而乾淨。牆上謝枋得的絕命詩還在掛著。從焦黃的紙張與墨色看，已經無從斷定它的年代。當年佘法師說它是一百年前廟上一位和尙寫的，如今再加四十年，對它也沒什麼。這廟裏到處都是古物，一百四十年的，又算老幾？歲月只有對生命有意義，一旦物化，彭殤同庚、前後並壽，大家比賽的，不再是存在多久，而是存不存在。一幅字掛在那兒，就象徵了它的存在；海棠在生意婆娑中存在；佛經在燭照香熏中存在；古碑在風吹雨打中存在；而廟中那最古老的兩個蓮瓣形的青石柱礎，更在千年百眼中存在。建憫忠寺時代的所有建築，全都不存在了，只剩下這兩個石礎，令人據之想像當年。從它們巨大的尺寸和精美的雕刻上，人們想像到古廟的盛世，千百年後，只留下兩個石礎，從個體存在中憑弔它們整體的不存在。

如今，佘法師個體不存在了，但是他「若亡而實在」，在飯廳中，他一直是他當年的小徒弟與康有為的話題。

康有為問：「佘法師到底怎麼死的？我只依稀聽說他死在庚子拳變裏，並且還是死在廟門裏，其他都不清楚。十力兄你一定清楚。」

李十力點點頭。沈思了半晌，才開口說話：

「我師父死得很離奇，直到今天，我還無法清楚全貌，但是也連接得有了輪廓。

「記得三十八年前康先生見到我師父那年，他正四十一歲，那時他已做了十一年和尚了。他三十歲出家。三十歲以前的事，他絕口不提，我問他，他有一點淒然，只是說：『我三十歲以前的歷史，有一天你會知道。』師父平時修養功深，總是平靜和煦，可是問到他的過去，他就皺著眉頭不願說，那種平靜和煦，好像就受到很大的干擾。後來我就想，師父年輕時一定受過一次大刺激，才會看破紅塵，出了家。那次大刺激一定很大很大，所以他雖然出家十多年，一提起來，還面現不安。那次大刺激直接跟他的死有關。直到師父死後，我才銜接出完整的眞相。得知以後，我非常感慨。

「記得三十八年前康先生和我師父在這桌上吃飯那一次嗎？吃飯時我師父只把蛋給康先生和我吃，他自己不吃。問他爲什麼，他說他出家人吃全齋，所以連蛋也不吃。當時我插嘴說我和師父一樣是出家人，我也最好不吃蛋。但師父說我還年輕，需要營養，該吃蛋。並說我那時年紀太小，還不能算是正式和尙。我問那我什麼時候算，師父說你不一定要算。我問爲什麼，師父說因爲你不一定要在廟裏長住。當時我緊張起來，問師父是不是有一天可能不要我了。師父說，不是，當然不是。師父說他只是覺得，做和尙的目的在救世，救世的方法很多，住在廟裏，並不一定是好方法，至少不是唯一的方法。那時候我十六歲，十年以後，師父叫我出外做一件重要的事，我就離開廟裏了。」

「什麼重要的事，康先生一定很奇怪。原來我師父雖是義人佘家的後人，可是從小就喜歡活動，喜歡結交江湖中人，在外面混。他出家後，跟人說他一直住在北京，是有所隱諱的，事實上，他十五歲就離開北京，到了南方，並且加入南方的起義陣營——太平天國。由於他小時候念過些書，粗通文墨，便被『長毛賊』看中，做了石達開幕中的小師爺。太平天國內訌，石達開出走，他也一直追隨。後來到了四川，日暮途窮。石達開被俘，他流亡返回北京，後來便在法源寺出家了。」

「眞沒想到佘法師是『長毛賊』，並且跟石達開有那麼親近的關係。」康有為插了一句。

「更沒想到的是，他跟石達開僅存的女兒有過一段生死戀，可是傳說在官兵打來時，他對石小姐見死不救，以致被大刀王五他們看不起，但是誰想到三十年後，他卻勇敢的義救王五，被義和團暴民砍死在法源寺這裏的石階上。——他含羞忍辱三十年，最後用行動證明了他的偉大人格。」

「眞了不起！」康有為讚美著。「可惜佘法師年紀大了、死了，不然的話，他也許跟你走上同一條路。」

「是嗎？」李十力懷疑著。「我看我師父如果肯出來，他走的路，可能是康先生這一條。——他畢竟是與康先生同一時代的人。」

「你不和我們同一時代嗎？」

「不瞞康先生說，我不跟你們同一時代，你們把自己陷在舊時代裏，我卻比較能夠開創新時代。例如我參加革命，辛亥革命時，我就正在武昌從事奔走。可是，辛亥革命下來，發現中國還是不行，革命革得不徹底。要救中國，只有再來一次新的革命。新的革命，是共產黨的革命。你康先生是自己人，在你面前，我不必隱瞞，但請代我隱瞞，我在五年前，就參加了這種革命了，那時我四十九歲，做為革命黨，年紀好像太老了一點，可是李大釗說我參加過辛亥革命，如今又參加共黨革命，這種轉變與進步，有示範的意義，因此也歡迎我加入。我現在就在北方做地下工作，表面是北大教授，骨子裏卻是革命黨。不過，不論教書或革命，都是把自己抛到外面的工作，都是一種塵緣。塵緣久了，我就到廟裏來靈修幾個小時。

「我每次回到廟裏，就像回了家、回到自己的世界、回到我同我師父的世界。我喜歡法源寺、喜歡過廟裏的清淨生活，我就希望我能終老在這裏，不再到外面去。但是，清淨不了幾個小時，外面就有一股力量吸我出去、裏面就有一股力量推我出去。那股力量來自佛法的正覺、來自我師父的督促、來自我內心的吶喊，使我譴責我自己，叫我不要到法源寺來逃避。法源寺不是避難所，法源寺是一個前哨、一個碉堡、一個兵工廠。雖然我那麼喜歡去做楊仁山，去弘揚佛法，但是，我自己永遠無法只做廟裏的人，沒有自己的參與，弘揚又怎麼夠？有時候，參與就是一種最好的弘揚，我不入地獄，誰入地獄？在地獄外邊弘揚十句，不如朝地獄裏面邁進一步。二十八年前，譚先生爲這種佛理做了最偉大的先行者，他爲走改良的路而死，卻以身首異處，指示我們此路不通，要走革命的路。十五年前，我參加了辛亥革命；五年來，我又參加了共產黨的革命。從第一次革命到第二次革命，我從三十九歲參加到五十四歲，做爲革命黨，我有點年紀大了，但是，我無法停止，我好像不革命就沒把一生的事情做完。我希望我能盡快把第二次革成功，革命成功後，我告老還廟，完成我在法源寺終老的心願。不過，看到國家局面如此，我想我的希望恐怕太奢求了。也許有一天，我不能老著回來了，如能死著回來，那便像袁督師那樣能在廟上過個境，我也於願已足了。」

聽完李十力的這番話，康有爲沈思不語。他站起來，走到窗前，望著院中的丁香，別有所思。半晌過後，他轉過身，直視著李十力：

「戊戌前後以來，快三十年了。三十年前，我做的，不是你們流行的革命，而是改良。但在西太后那些人眼中，其實與革命也差不了多少。革命就是我們那一代的所謂造反。造反也不過殺頭。但我們沒造反，還不是殺了頭。後來譚嗣同他們死了，你們都相信改良是一條死路，都相信只有革命才成，如今一革不成，又要再革，再革眞能成功嗎？我老了，我看不到了。我看到的，只是改良也不成、革命也不成。但我仍相信改良，雖然改良的基礎——兩百六十八年的清朝培養的基礎，已經被摧毀得七零八落，但是，魯莽滅裂的救國方法，還是很可疑的，至少那種代價是慘痛的、是我們付不起的。並且，人民的信仰和信念、人民的價值觀念，不是一朝一夕硬造起來的。清朝天下造了兩百六十八年，才有了那麼點規模，你們想在短短的十幾年或幾十年裏造出天堂來嗎？我眞的不敢相信！只怕造到頭來，造到千萬人頭落地、造到人心已死，那時候再後悔也來不及了。」

「康先生的話，我能明白。」李十力慢慢的說。「但是，我們又有什麼選擇？我們的處境，就好像我小時候在家鄉逃難，任何可以聊慰飢渴的，我們都要去追求、都要去採行、都要去拚命。我們不敢說我們今天信的主義，一定可行；但是我們清楚知道昨天的法子，一定不可行。因此我們一定要去試一試。……」

「國家大事，」康有爲打斷他的話，「豈可以嘗試出之？試出麻煩，誰負責？」

「我們負責。就好像二十八年前，你們負責一樣。你們當年豈不也是試一試？」

「我們是試一試，但我們試驗失敗了，流的只是我們自己的血。人民是草木不驚的。可是你們呢，你們流的，是人民的血。值得嗎？」

「流血是難免的，值不值得要看從那個角度看。即使你們只流自己的血，志士仁人的血也是血。現在看來，你們二十八年前的試一試，是否值得，也不無可疑。其實你們的試一試，在大前提上，就全錯了。你們以爲說動光緒皇帝，得君便可行道，其實，即使光緒皇帝有心變法又怎樣？那麼大的集團中，覺悟的只有他那一個人，一個人又能怎樣？你別忘了，他們是一個大集團，一個靠著壓迫別人的不平等與保護自己的特權共生著、互利著的大集團。整個大集團不能改變，一個人的覺悟，鬧到頭來，只是一場悲劇而已。一個人帶著一個大集團做壞事，壞事對大集團有好處，雖然不合正義，他會得到擁護；可是，一個人帶著一個大集團做好事，好事對大集團有壞處，雖然合乎正義，他會得到反對。西太后正代表著帶著大集團做壞事的前者，光緒皇帝正代表著帶著大集團做好事的後者，結果呢，光緒皇帝到頭來會發現他代表不了大集團，大集團僵在那兒紋風不動，他只代表了他自己！想做理想主義者嗎？好的，但理想主義者是低低在下的人做的，不是高高在上的人做的。高高在上的人只能繼續同流合污，帶頭共謀大集團的私利，不這樣幹，卻想更上層樓，到頭來會發現，沒人同你上樓，你想下樓，梯子也給偷跑了。

「你康先生精通經史，但你沒注意到，我們中國政體是一個最缺少變法彈性的政體，中國的政治有一個底色，那就是當政集團，當政的不只是個人而是一個集團，這個集團也有特色，特色也許是家族、也許是宦官、也許是士大夫、也許是滿洲人，不管是那一種，都是集團，不只是個人。集團中任何一兩個人的覺悟，如果只是個人，都沒有用，這個個人甚至是集團的頭子也不行，除非整個集團變色，但整個集團變色談何容易？既得利益與保守觀念早就封殺了這種可能。

「你康先生方法的行不通，毛病就出在你忽視了中國政治中這種集團特色，忽略了滿洲人的集團特色，你犯了中國變法政治家王安石的老毛病，以為只要上面說動了皇帝一個人，下面有利於全體百姓，就可以變法了。你把問題看得太簡單了。你想跳過皇帝下面百姓上面那個中間集團而想和平轉變，這是很不可想像的。和平的轉變不能靠一兩個覺悟的個人立竿見影，你必須得先改變那個集團，但集團又十九不見棺材不流淚，所以談變法，簡直走不通。

「王安石變法，上面說動了皇帝一個人，下面有利於全體百姓，可是在朝的士大夫集團反對他，大臣文彥博向皇帝說過一句話，文彥博說皇上你是同士大夫治天下，不是同百姓治天下。這話說得一針見血。想改革，你想越級跳，跳不成的。甚至最上層的大官支持你改革，可是下層通不過，也行不通。最好的例子是滿洲人道光皇帝要禁鴉片煙。道光不是壞皇帝，他儉樸，朝服破了要人補，不換新的，他連唱戲都不准，禁止一切浮華。鴉片煙危害中國人，人人知道，道光要禁煙，最上層的大官也都沒話說，可是下層因為有利可圖，你就再禁也禁不住。道光初年鴉片進口不到六千箱，十幾年下來進口超過七倍，四萬多箱，為什麼？中國官商有利可圖，上下包庇。你皇帝再威風，也行不了新政。」

「照你這麼說，你又怎麼解釋俄國呢？俄國在彼得大帝時代，豈不也是高高在上的人帶頭嗎？可是俄國人卻成功了。」康有為不服氣。

「不錯，可是彼得大帝與光緒皇帝的處境完全不同。彼得大帝雖然也是幼年登基，但是他只碰到大他十五歲的同父異母姐姐的七年攝政，而不是像光緒皇帝那樣碰到大他三十六歲的大姨媽的四十七年專權。這是不能比的。反正，總歸一句話：中國是一個最難變法的民族，能在中國搞變法，縱是大英雄豪傑也沒辦法。所以，為中國計，絕不要走改良的路，改良是此路不通的，我們要用霹靂手段去革命，提醒中國人：當一個政權從根爛掉的時候，它不能談改良，當它肯改的時候，都太遲了。就如一個人在被逼得沒法的時候才肯做好事，可是那時候做，十次有九次，都太遲了。我們不要相信這種政權會改良，我們要革命！只有革命，才能解決一切問題！」

「照你把革命說得這麼神奇、這麼包醫百病，」康有爲夷然說著，「那麼，照你說來，你對我們過去的作爲，一筆抹殺了？」

「也不是。你們是我們的先行者。沒有你們，那有我們。改良失敗的終點，其實正是革命成功的起點。你們證明了改良此路不通。能用幾個人的死，證明了一條國家大事的路走不通，這是多麼幸運、這是多大的功德！也許有一天，我們千萬人頭落地，才能證明此路不通，那時候，我們眞愧對你們、愧對人民、愧對中國了。」

「另一方面，」李十力接著說，他手指著康有爲，「是你個人顯示給我們的特殊意義。由於你康先生的高明與長壽，近三十年來，你雖然被我們抛在後面，認爲你落伍了，但你畢竟曾在我們前面，你是我們的先知、是二十世紀中國第一先知，只可惜三十年下來，時代跑得比你快，先知變成了後衛，但你仍是一面鏡子，從你那兒，才看淸了我們自己。你的不幸是生不逢辰、生得太早；你的幸福是健康長壽、活到今天。從生不逢辰、生得太早看，你生在中國，卻不早不晚，碰到了西太后的集團。

「人們談西太后的罪惡和她這個集團的罪惡，都犯了一個毛病，就是只談他們當政後他們自己做的，而不談他們當政後自己做不出來卻攔住別人不許別人做的。我覺得他們這個集團本質是反動的、無能的、低能的，他們自己做出來，實在沒有什麼高明的，所以從這個觀點談來談去，都乏善可陳；但如果從另一個觀點，就是他們自己做不出來卻攔住別人不許別人做的觀點來看，因他們攔路所造成中國的損失，我覺得反倒更値得研究。這就是說，不必從正面來看，而該從反面來看；無須從已成的來看，不妨從假設的來看。這樣一看，人們會驚訝的發現，根本的問題已經不在他們爲中國做了多少，而在他們攔住別人，攔別人路，不許別人做的有多少。

「西太后的集團的另一個罪惡，是他們除了耽誤中國現代化的時間以外，又拆下了大爛汚，使別人在他們當政時和當政後，要費很多很多的血汗與時間去淸場、去補救、去翻做、去追認、去洗刷、去淸掃、去還債、去平反冤假錯。這就是說，他們禍國的現遺症和後遺症非常嚴重，說粗俗點，就是你要替他們做過的『擦屁股』。他們做攔路虎於先，又到處拉大便於後，他們的可惡，不做的比做出的，其實更多。他們是一塊頑固的絆腳石，自己不前進，卻又使別人不得前進。你正好爲這一局面做了證人，直到今天，還淸淸楚楚的證明給人們看，頑固的絆腳石政權，是多麼的可恨！

「你的不幸，是你一生都跟這死老太婆密不可分。你同她好像是一塊硬幣，兩人各占一面，她朝天的時候你就朝地、她朝上的時候你就朝下、她走運的時候你就倒楣，你生來就和她完全相反，但又被命運硬鑄在一起，難解難分。如果同鑄在一塊硬幣上的比喻恰當，那麼，你和她正好一體兩面，代表了你們那時代，如果沒有了她那一面，這塊硬幣，也不能在市面上當一塊錢用了。不錯，雖然在市面上這塊錢不能用了，但它變成了變體，在博物院和骨董店裏反倒更有價值。但那種價值只是博物院骨董店的價值、是歷史的價值，不是現實的價值、實用的價值。」

康有爲突然一驚，兩眼茫然的望著李十力，專心聽李十力繼續說。

「你們被命運硬鑄在一起，這就是說，儘管你們相反，有榮有枯，但你們屬於同一個時代，也象徵同一個時代、也構成同一個時代，如今她那一面沒有了，你這一面，代表的只是斷代，不是延續；只是結束，不是開始。

「這也許是宿業，你命中有這麼毒辣的敵人擋住你，她專制、她毒辣、她手段高、她有小集團擁護、她運氣一好再好、她長壽、她只比你大二十三歲，一輩子罩住你，使你那一面硬幣永遠朝地朝下。你的整個青春都用來同她鬥法，但你一直不能得手。好容易，熬了多少年後，她死了，但你青春已去，你老了，江山代有才人出，時代比你去得快，你是落幕的十九世紀裏最後一個先知，但二十世紀一來，你就變成了活骨董。

「你命運註定要爲時代殉難，你超不過你的時代；譚嗣同精神和身體都早爲時代殉難了，你身體活下來，但你的精神卻早已同譚嗣同一塊坐化死去，只是你自己不知道。」

康有爲茫然不語，想了很久，只說了六個字：

「那麼，梁啓超呢？」

「梁啓超不同。梁啓超不算是先知，他不代表時代，但他離先知最近，所以他能老是花樣翻新：他十六歲前是神童式的小學究，碰到你，大夢初醒，搖身一變變成維新派，然後是保皇派，然後跟你分開，擁護民國，變成共和派，比革命黨還革命黨。他整天求新求變、絕不頑固、有服善之勇，他的口號是『不惜與今日之我與昨日之我戰』，一點都不難爲情。尤其在你和張勳復辟那段日子裏，他公然『當仁不讓於師』，罵你是『大言不慚之書生』，這種氣魄，眞是直追孔子呢！基本上，梁啓超和你不同，嚴格說來，他和西太后不屬於同一個時代，而你，你卻跟西太后同一個時代。他從那個時代變出來，你卻陷在那個時代。我無法說這是宿命，但這眞像是一種孽緣，就好像我們中國神話裏愚公移山故事，愚公想移這座山，是一種偉大的精神；但他生命裏正好碰到這座擋住他的大山，則是一種孽緣。我說你和西太后同一個時代，她就像那座擋在愚公眼前的大山，終生在你眼前攔路。你的整個青春都浪費在開路找路上面，這是你的大不幸。如果沒有這條攔路虎、這塊絆腳石，你們的青春與才幹一開始就可以用來爲中國建國，不會浪費。

「你的不幸也許是跟他們相見恨早，所以你的青春就在搶灘時消磨掉了，像是接力賽跑，你跑起步的人，就不可能跑到終點，你只能跑四分之一，就交棒出場。你生來就不是看到最後勝利的人。

「戊戌政變本質是不可能成功的，這一點那邊西太后知道、榮祿知道、袁世凱知道，這邊譚嗣同知道、王五知道，但只有光緒和你不知道。所以理論上，除非奇蹟，政變一定失敗，政變失敗，你一定死，最後光緒知道了，逼你出京，你本人九死一生，在你本人生死上出了奇蹟，你沒死，但並非說明你不該死，所以你的生命，早已在六君子濺血時候一起結束。你命中註定要在接力跑中跑的是那一段、那第一段，而不是以後的第二段、第三段、第四段。所以，事實上你沒死，但在感覺上和理論上，你早已是古人。人們看到你，是看到歷史，你並不比戲台上的你更眞，報上說南邊演戊戌政變的戲，你也去看了，看到台上的自己，你康先生淚灑戲院。其實，戲台上的你，才是眞的你；而眞的你，卻已經變成了活骨董。康先生啊，我是你的小兄弟，我們古刹結緣，近四十年後又再續前緣於古刹，今天以後，可能勞燕分飛，此生相會，恐已無多，我一定要講出我心裏的眞話，來給你康先生做歷史定位。佛門裏說：『有情來下種，因地果還生，無情亦無種，無性亦無生。』如今四十年前的『因』與『地』，生下今天我們重逢的『果』，讓我們最後以『無情』道別，也算是一種古今罕見的因緣。也許多年以後，康先生和我都歸骨於法源之寺，那時候，我們再來相會，也應了譚嗣同『直到化泥方是聚』的指點，康先生說是嗎？」

康有爲面容悲戚，無奈的點了點頭。他走出法源寺的時候，譚嗣同的舊句，一直在他嘴邊：

柳花夙有何冤業，
萍末相遭乃爾奇。
直到化泥方是聚，
衹今墮水尚成離。……

在人世的滄桑中，他與大半的同志墮水成離了，近四十年後，還在今天補上當年的小普淨！普淨今天的一席話，使他突然頓悟到：他的一生，總是與時代相錯，不是早於時代，就是遲於時代。在三十年前，人們說他是洪水猛獸；在三十年後，人們說他是今之古人。其實，在他內心深處，他不同意他已遲於時代。他深信他的救國方法，「我們試驗失敗了，流的只是我們自己的血。人民是草木不驚的。」但是，他們呢？他們要千萬人頭落地，落地以後，還不知要多少年的全國陸沈魚爛之慘，才能有個眉目。當然，他是看不到了，看不到，倒也是幸運。中國三十年前在舊一代的禍國者手裏，三十年後在新一代的禍國者手裏，現在又有新一代的革命者出來救國，救國者要打倒禍國者，像普淨這種人，他們的眞誠、他們的熱情、他們的努力、他們的勇於犧牲，都是令人敬佩的、都是沒問題的。問題是誰能把握住未來的發展，會如其所願？設計未來是容易的，從設計角度看，他不相信時代跑得比他快。他現在還是先知，他寫的「大同書」，二十萬字之多，是對世界未來最詳盡的設計。他十九世紀在中國搞變法，卻在二十一世紀爲世界畫藍圖，這才是先知。先知的眼光就是要遠，在人們只關心朝廷的時候，他關心到中國；在人們只關心中國的時候，他又關心到世界。他總是朝前去了，可是人們還回首朝背後指點他，他覺得好孤立。現在的人們只知道欣賞過去的他；只有未來的人們，才能追懷現在的他。那時候，他早已不在人世了。——這就是先知的下場，他只有未來，卻只能活在現在。在這次來菜市口、莽蒼蒼齋、法源寺以前，他先到廣東義園，憑弔了袁崇煥的墓，憑弔「有明袁大將軍」，表達他對當年到北京救國而犧牲的廣東前輩的敬意。他登上廣渠門，面朝北，左右望著。廣渠門左邊是袁崇煥的墓地，廣渠門右邊就是袁崇煥爲保護北京皇帝、人民而血戰的舊沙場。誰能想到，當年拚命在沙場上保護皇帝、人民的人，卻在八個月後，被皇帝下令千刀萬剮而死。而在執行千刀萬剮之時，人民誤以爲他是賣國賊，爭著跑上前去咬他的肉，甚至出錢買他的肉來咬！只不過一牆之隔，卻隔掉了多少人間的情義與是非！記得佘法師說過：「袁督師的不幸是，他生前死後正好碰上明清兩個朝代，明朝說他是清朝的，清朝說他是明朝的。……個人在羣體鬥爭的夾縫中，爲羣體犧牲了還不說，竟還犧牲得不明不白。……」如今，輪到他康有爲自己了，他也正好碰上清朝，清朝說他太前進，民國又說他太落伍，在夾縫中，他也爲羣體犧牲得不明不白。清朝時候說他太前進，他承認；可是民國到來說他太落伍，他卻不服氣。原因只是他過去做先知帶路，帶得與人們距離近，大家跟得上；可是，現在他做先知帶路，卻帶得與人們距離遠了，大家跟不上了，跟不上卻還誤以爲他落伍，這不是他的悲哀，這是追隨者的悲哀。自戊戌以來，他亡命十六年、歷經三十一國、行路六十萬里，全中國讀萬卷書又行萬里路的，他是唯一的一個。他深信他的見解是深思熟慮的、是無人可及的。可是，他見解日新、人卻日老，沒人再聽他的了，普淨是他最後一個聽衆，也是最好的，但普淨不是追隨者。最後，康有爲走在落日前面，連追隨他的自己身影，也不在自己背後了。

* * *

普淨送他到了門口，站在法源寺門前，他轉過身，面朝著寂靜的古刹，朱紅的大門半開著，正襯出人的莊嚴和廟的莊嚴。「再見了，普淨；再見了，法源寺。」他有一點哽咽，但還是說完了內心的自語：「你們曾看到我青年的夢幻、中年的夢碎，卻未必看到我老年的夢境，我老了、我走了、我不會再來了。」

轉過身來，他沒有回頭，但卻揮手告別。普淨眼眶溼了，靜靜的看著他遠去的背影。「康先生老了，他走得那麼慢。——」普淨突然若有所悟，「可是，在最後這段路裏，他還是走在我前面。」

尾聲——掘墳

一九二七年二月二十八日，康有爲離開法源寺後七個月，在梁啓超帶頭爲他慶祝七十大壽後二十三天，死於青島。

一九二七年四月二十八日，康有爲死後兩個月，張作霖絞死李大釗、李十力等共產黨員二十一人於北京。其中李十力移柩法源寺。他臨上絞架前抬頭望天，含笑說的最後一句話是：「康先生，雖然絞刑使血流不出來，我也算先流了我們的血。」消息傳出，大家不知「康先生」何所指。

一九二八年七月四日，孫殿英爲了盜墓，掘了西太后墳於北京。事後蔣介石揚言要查辦，但是，當蔣介石的新婚夫人宋美齡收了贓品，並把西太后鳳冠上的珠子裝在自己鞋上的時候，查辦之說，也就不了了之了。

一九六六年到一九七六年十年文革期間，紅衞兵爲了「破四舊」，掘了康有爲墳於山東。同一文革期間，也爲了「破四舊」，袁崇煥的墳也給平墓毀碑了。不過，由於傳說棺材裏有個「金頭」，引發了「革命小將」的貪念與盜寶興趣，平墓不夠，還是把墳給掘了，挖到三個人的深度，結果一無所得。

一九八七年到一九九〇年期間，老百姓爲了發財熱，到處盜墓，掘了譚嗣同墳於湖南。

*　*　*

所有地面上活動的，都化爲塵土、都已躺下；剩下的，只有那靜止的古刹，在寒風中、在北國裏，悲愴的佇立著。啊！北京法源寺、北京法源寺！多少悲愴因你而起、因你而止、因你而留下串連、血證、與碑痕。雖然，從憫忠台殘留的石礎上，知道你也不在靜止，也在衰亡。你的佇立，也因你曾傾倒。但是，比起短暫的人生來，你是長遠的、永恆的。你帶我們走進歷史，也走出歷史，只有從你的「法海眞源」裏，我們才看到中國的「血海眞源」。

啊！北京法源寺、北京法源寺！我們不配向你再會，是你向我們道別、向我們一代一代道別。我們一代一代都傾倒了，只有你佇立。不過，我們樂見你的佇立，我們一代一代，把中國人民的血淚寄存在你那裏。——你的生命，就是我們的。

一九九〇年十二月三十一日，在中國台北。

我寫「北京法源寺」

「北京法源寺」做爲書名，是十七年前我第一次做政治犯時在國民黨黑獄中決定的。自一九七一年起，我被國民黨政府關過兩次，第一次十足關了五年八個月；第二次十足關了六個月，一共十足關了六年兩個月，再加上被在家軟禁十四個月，一共是七年四個月。七年四個月中，六年兩個月是在牢裏度過的。我歷經七間牢房，其中有保安處不見天日的密封房、有軍法處臭氣四溢的十一房、有仁教所完全隔離的大平房、有台北看守所龍蛇雜處的三二房。……其中住得最久，是軍法處的八號房，我一人住了二年半之久。八號房不到兩坪大，扣掉四分之一的馬桶和水槽、和四分之一的我用破門板架起的「書桌」，所餘空間，已經不多。一個人整天吃喝拉撒睡，全部活動，統統在此。不過不以人爲本位，小房間內也不乏「生物」，白蟻也、蟑螂也、壁虎也、蜘蛛也、蜈蚣也。……都戶限爲穿、來去自如。至於狗彘不若的人，就自嘆弗及。八號房的戶限與來去，主要靠牆與地交接點上的一個小洞，長方形，約有30×15公分大，每天三頓飯，就從小洞推進來；喝的水，裝在五公升的塑膠桶裏，也從小洞拖進來；購買日用品、借針線、借剪指甲刀、寄信、倒垃圾……統統經過小洞；甚至外面寄棉被來，檢查後，也捲成一長捲，從小洞一段段塞進。小房雖有門，卻是極難一開的。門雖設而常關，高高的窗戶倒可開啓，可是透過窗上的鐵欄看到的窗外，一片灰牆與肅殺，縱在晴天的時候，也令人有陰霾之感。在那種年復一年的陰霾裏，我構想出幾部小說，其中一部，就是「北京法源寺」。

由於在黑獄裏禁止寫作，我只好粗略的構想書中情節，以備出獄時追寫。一九七六年我出獄，在料理劫後之餘，開始斷斷續續寫了前幾章。一九七九年我復出文壇，在其他寫作方面，一寫十二年，出書一百二十種，被查禁九十六種，被查扣十一萬七千六百冊。這十二年間，幾乎全部主力，都投在其他寫作方面了，「北京法源寺」就被耽誤了。十二年中，只斷續寫了萬把字，始終沒法完成。

耽誤的原因其實不全在時間不夠，而是我心理上的一個求全故障。服爾泰(Voltaire)說過一句話：「最好是好的敵人。」(Le mieux est l'ennemi du bien. The best is the enemy of the good.) 正因爲我要寫得「最好」，結果連「好」都躊躇下筆了。

國民黨在台灣三十七年之久的報禁解除後，我決定創辦「求是報」，一方面跟這個僞政權周旋，打倒它，爲它送葬；一方面要用這種報紙媒體，造成時勢，深入人心，爲中國造前途。我深知報紙一辦，我的時間就被困住，「北京法源寺」將不知何年何月問世了。因此我花了一個多月的時間，每天寫兩個多小時，終於在去年年底，快速完成了它。艾維林渥(Evelyn Waugh)說一部長篇小說需要六個星期才能完稿，我這部書，恰如其說。由於它只是我史詩式小說中的一部，我自不打算用一部小說涵蓋所有的主題，所以，它涵蓋的，只在四百個子題以內，但內容也很驚人了。

「北京法源寺」以具象的、至今屹立的古廟爲縱線，以抽象的、煙消雲散的歷朝各代的史事人物爲橫剖，舉凡重要的主題：生死、鬼神、僧俗、出入、仕隱、朝野、家國、君臣、忠奸、夷夏、中外、強弱、羣己、人我、公私、情理、常變、去留、因果、經濟(經世濟民)等等，都在論述之列。這種強烈表達思想的小說，內容豐富自是罕見的。

爲什麼罕見？因爲「北京法源寺」是歷史小說。一般歷史小說只是「替楊貴妃洗澡」、「替西太后洗腳」等無聊故事，「北京法源寺」卻全不如此。它寫的重點是大丈夫型的人物。這是一部陽剛的作品，嚴格說來，書中只有一個女人，並且還是個壞女人，其他全是男性的思想與活動。它寫男性的豪俠、男性的忠義、男性的決絕、男性的悲壯。但它並不歧視女人，從光緒的珍妃的哀怨、到譚嗣同的閨妻的死別，都可反映出這些，只是它的主題不止於男女之情而已。

「北京法源寺」中的史事人物，都以歷史考證做底子，它的精確度，遠在歷史教授們之上（例如張灝寫「烈士精神與批判意識」，作者儼然譚嗣同專家，但書中一開頭就說譚嗣同活了三十六年，事實上，譚嗣同生在一八六五，死在一八九八，何來三十六年？）。在做好歷史考證後，盡量刪去歷史中的僞作（例如根據王照「小航文存」和唐才質「戊戌聞見錄」，譚嗣同在獄中，不可能再寫信給康、梁），而存眞實。不過，爲了配合小說的必要，在刀口上，我也留下關鍵性的可疑文獻（例如譚嗣同獄中詩，「去留肝膽兩崑崙」的事，我在「歷史與人像」中早有考證，但這是歷史學的範圍，不是小說的範圍，在小說中，我另做處理），甚至還有將錯就錯之處（例如譚嗣同孫子譚訓聰寫「清譚復生先生嗣同年譜」中說「親赴法源寺訪袁」，但照袁世凱「戊戌日記」，他住的是法華寺。但我為了強調法源寺的故事性，特就年譜將錯就錯處理）。大體說來，書中史事都盡量與歷史符合，歷史以外，當然有大量本著歷史背景而出來的小說情節，但小說情節也時時與史事掛鉤，其精確度，別有奇趣（例如書中描寫譚嗣同看到的日本公使館「那一大排方形木窗」，事實上，是我根據一九〇〇年的一張日本公使館的照片做藍本寫出來的。又如整個有關法源寺的現狀，是許以祺親在北京為我照相畫圖的；有關袁崇煥墳墓資料，是潘君密託北京作家出版社李榮勝代我找的；有關康有為、譚嗣同故居現狀，是陳兆基親自代我查訪的。……)。清朝史學家說「中有苦心而不能顯」、「中有調劑而人不知」，大率類此。

史事以外，人物也是一樣。能確有此人、眞有其事的，無不求其符合。除此以外，當然也有塑造的人物，但也盡量要求不憑空揑造(例如小和尚普淨，他是三個人的合併化身，就參加兩次革命而言，他是董必武；就精通佛法而言，他是熊十力；就為共產黨獻身做烈士而言，他是李大釗。我把他定名為「李十力」，並在李大釗等二十人被絞名額中加上一名，就是因此而來。又如在美國公使館中與康有為對話的史迪威，他確是中文又好又同情中國的人物，我把他提前來到中國，跟康有為結了前緣)。這類「苦心」與「調劑」，書中亦復不少。

總之，寫歷史小說，自然發生「寫實的眞」和「藝術的眞」的問題，兩種眞的表達，小說理論頭頭是道。「北京法源寺」在小說理論上，有些地方是有意「破格」的。有些地方，它不重視過去的小說理論，也不重視現代的，因為它根本就不要成為「清宮秘史」式的無聊小說、也不願成為新潮派的技巧小說，所以詳人所略、略人所詳，該趕快「過橋」的，也就不多費筆墨；該大力發揮的，也不避蕭伯納(G. B. Shaw)劇本「一人演說」之譏。

正宗小說起於十八世紀，紅於十九世紀，對二十世紀的小說家說來，本已太遲。艾略特

(T. S. Eliot)已咬定小說到了福樓拜(Flaubert)和詹姆士(Henry James)之後已無可爲，但那還是七十年前說的。艾略特若看到七十年後現代影視的挑戰，將更驚訝於小說在視覺映像上的落伍、和在傳播媒體上的敗績。正因爲如此，我相信除非小說加強僅能由小說來表達的思想，它將殊少前途。那些妄想靠小說筆觸來說故事的也好、糾纏形式的也罷，其實都難挽回小說的頹局。

在一般以小人物爲小說的矮叢中，我高興我完成了以大人物爲主角的這部「北京法源寺」。寫大人物是多麼振奮自己、振奮人心的事！書中大人物之一譚嗣同，他以身殉道、「踔厲敢死」(章太炎語)，更是「淸季以來」「一人足以當之」的「眞人物」(熊十力語)。他一生心血，全在「仁學」一書。寫成之後，他感於台灣新喪日本之手，乃不用眞名，而以「台灣人所著書」顏其封面，藉哀濁世；如今，我獨處台灣，寫「北京法源寺」，「台灣人所著書」之識，百年孤寂，又復重演。契闊四十載，今印此書以歸故國，滄海浮生，難忘我是大陸人而已。

一九九一年六月十二日

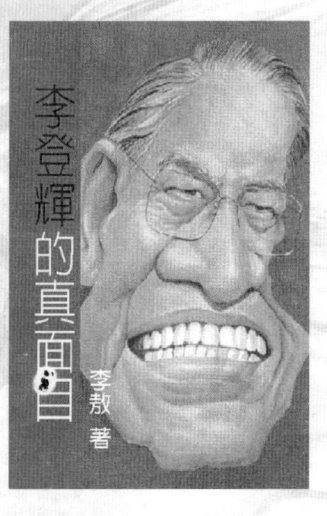

請沿虛線撕下裝訂，謝謝！

讀者服務卡

AB1003北京法源寺

姓名：	性別：_______ 1.男 2.女
出生日期： 年 月 日	身份証字號：

_______ 學歷：1.國中 2.高中 3.大專 4.研究所（含以上）

_______ 職業：1.軍 2.公 3.教育 4.商 5.農 6.服務業
7.自由業 8.學生 9.家管
A1.製造業 A2.銷售業 A3.資訊業 A4.大眾傳播
A5.醫藥業 A6.交通業 A7.貿易 A8.其它

郵遞區號 _______

地址：_________縣（市）_________鄉鎮區_________村_________里
___鄰_______路（街）___段___巷___弄___號___樓

電話：_______________

傳眞：_______________

E-mail：_______________________________

____ 購書地點／
1.書店 2.書展 3.書報攤 4.郵購 5.直銷 6.贈閱 7.其他 ______

____ 您從哪裡得知本書／
1.書店 2.報紙廣告 3.報紙專欄 4.雜誌廣告 5.親友介紹
6.DM廣告傳單 7.廣播 8.其他 ______

您對本書的建議／

請沿虛線撕下後對折裝訂寄回，謝謝！

廣	告	回	信
北區郵政管理局登記證 北 臺 字 10441 號			
免	貼	郵	資

236
台北縣土城市永豐路195巷9號

成陽出版股份有限公司
李敖叢書讀者服務部　　收

折疊線

感謝您對李敖叢書的愛顧！爲了提供更好的服務，請將本卡沿切割虛線剪下，填妥各欄資料摺疊裝訂後免貼郵票直接寄回，或傳眞02-26688743，我們將隨時提供您李敖最新的出版、活動等相關訊息，並可享受相關的特別優待。

讀者服務專線：（02）26688242
讀者傳眞專線：（02）26688743

國家圖書館出版品預行編目資料

北京法源寺 / 李敖著. -- 修訂一版. -- 臺北
市：李敖， 2000[民 89]
面； 公分

ISBN 957-510-077-8(精裝)

857.7 89000580

北京法源寺

著　　作　李　敖
台北郵政26-1092號　傳眞(02)27043175
出 版 者　李敖出版社
發 行 人　黃菊文
登 記 證　局版台業字第3897號
郵撥帳號　00068367　張桂貞
負 責 人　王自義（與本書有關的全部法律責任）
發 行 所　台北縣樹林市佳園路3段143-5號
訂書專線　(02)26688242
訂書傳真　(02)26688743
印　　刷　成陽印刷股份有限公司
台北縣土城市永豐路195巷9號
電話(02)22651491

版　　次　二〇〇〇年二月一日修訂一版
二〇〇二年二月一版61刷（每次刷1000本）
定　　價　精裝本新台幣380元

ISBN 957-510-077-8